AF175136

ACCESO GRATIS *a la Lectura en la Nube*

Para visualizar el libro electrónico en la nube de lectura envíe junto a su nombre y apellidos una fotografía del código de barras situado en la contraportada del libro y otra del ticket de compra a la dirección:

ebooktirant@tirant.com

En un máximo de 72 horas laborales le enviaremos el código de acceso con sus instrucciones.

ESTUDIOS SOBRE LA EFECTIVIDAD DEL DERECHO DE LA BIODIVERSIDAD Y DEL CAMBIO CLIMÁTICO

ESTUDIOS SOBRE LA EFECTIVIDAD DEL DERECHO DE LA BIODIVERSIDAD Y DEL CAMBIO CLIMÁTICO

Directores
SANTIAGO M. ÁLVAREZ CARREÑO
BLANCA SORO MATEO

Coordinador
PABLO SERRA-PALAO

Autores

Agustín García Ureta
Marta Torre-Schaub
Alexandra Aragão
José Francisco Alenza García
Aitana de la Varga Pastor
Blanca Soro Mateo
Santiago M. Álvarez Carreño
Eduardo Salazar Ortuño
Esteban Morelle-Hungría

Miguel Ángel Sánchez-Sánchez
Alfonso Albacete
Andrés Eugenio López Berra
Tatiana Celume Byrne
Mónica Musalem Jara
Josep Ramón Fuentes i Gasó
Óscar Expósito López
Juliana Chediek

f SéNeCa (+)
Agencia de Ciencia y Tecnología
Región de Murcia

MINISTERIO
DE CIENCIA
E INNOVACIÓN

AGENCIA
ESTATAL DE
INVESTIGACIÓN

tirant lo blanch
Valencia, 2022

La presente obra colectiva se ha realizado en el marco del proyecto «La
efectividad del Derecho ambiental en la Comunidad Autónoma de la
Región de Murcia "EDAMur" (Ref. 20971/PI/18), financiado por la CARM
a través de la convocatoria de Ayudas a proyectos para el desarrollo de
investigación científica y técnica por grupos competitivos, incluida en el
Programa Regional de Fomento de la Investigación (Plan de Actuación
2019) de la Fundación Séneca, Agencia de Ciencia y Tecnología de la
Región de Murcia y en el marco del Proyecto Derecho de la biodiversidad
y cambio climático PID2020-115505RB-C21/C22, financiado por MCIN/
AEI /10.13039/501100011033.

© VV.AA.

© TIRANT LO BLANCH
EDITA: TIRANT LO BLANCH
C/ Artes Gráficas, 14 - 46010 - Valencia
TELFS.: 96/361 00 48 - 50
FAX: 96/369 41 51
Email: tlb@tirant.com
www.tirant.com
Librería virtual: www.tirant.es
DEPÓSITO LEGAL: V-3344-2022
ISBN: 978-84-1147-464-1

Índice

DERECHO PARA LA INNOVACIÓN EN LA PROTECCIÓN DE LA BIODIVERSIDAD Y DEL CLIMA

Alexandra Aragão

AVANCES EN EL DESARROLLO DE LA LEY DE CAMBIO CLIMÁTICO Y TRANSICIÓN ENERGÉTICA

José Francisco Alenza García

ESTUDIO COMPARATIVO DE LAS LEYES AUTONÓMICAS DE CATALUNYA, ANDALUCÍA, ILLES BALEARS Y NAVARRA PARA LOGRAR LA MITIGACIÓN Y ADAPTACIÓN AL CAMBIO CLIMÁTICO

AITANA DE LA VARGA PASTOR

PARTE 2
REGIÓN DE MURCIA

EL RECONOCIMIENTO DE PERSONALIDAD JURÍDICA Y
DERECHOS PROPIOS AL MAR MENOR Y SU CUENCA COMO
RESPUESTA A LA CRISIS DEL DERECHO AMBIENTAL

Blanca Soro Mateo
Santiago M. Álvarez Carreño

EFECTIVIDAD DE LOS INSTRUMENTOS JURÍDICOS
DE CONSERVACIÓN DE LA BIODIVERSIDAD
EN LA REGIÓN DE MURCIA: EL *TRAJE DEL
EMPERADOR* DE LOS ESPACIOS NATURALES

Eduardo Salazar Ortuño

MAR MENOR Y LÍMITES PLANETARIOS:
ANÁLISIS ECOCRIMINOLÓGICO FRENTE AL
COLAPSO DE ECOSISTEMAS ACUÁTICOS

Esteban Morelle-Hungría

ANÁLISIS TÉCNICO Y NORMATIVO DE LAS
ESTRATEGIAS DE RECUPERACIÓN DEL MAR
MENOR ENFOCADAS EN SU CUENCA ALTA

Miguel Ángel Sánchez-Sánchez
Alfonso Albacete

EL CAMBIO CLIMÁTICO DESDE LA PERSPECTIVA DEL *CANIS
LUPUS SIGNATUS* (EL LOBO IBÉRICO), UN VÍNCULO INEQUÍVOCO.
ESPECIAL REFERENCIA A SU SITUACIÓN EN MURCIA

Andrés Eugenio López Berra

PARTE 3
ESTUDIOS SECTORIALES

MECANISMOS EXISTENTES EN LA LEGISLACIÓN DE AGUAS
CHILENA PARA LA PROTECCIÓN Y CONSERVACIÓN
DE LOS ECOSISTEMAS Y SU BIODIVERSIDAD
TATIANA CELUME BYRNE
MÓNICA MUSALEM JARA

LA GESTIÓN ÉTICA DE COLONIAS FELINAS EN
EL ANTEPROYECTO DE LEY DE PROTECCIÓN,
DERECHOS Y BIENESTAR DE LOS ANIMALES
JOSEP RAMÓN FUENTES I GASÓ
ÓSCAR EXPÓSITO LÓPEZ

LOS EFECTOS DE LA NUEVA NATURALEZA JURÍDICA DE
LOS ANIMALES EN LAS ESPECIES EXÓTICAS INVASORAS
Óscar Expósito López

BASES NORMATIVAS PARA LA CONTRATACIÓN
PÚBLICA DE ECOINNOVACIÓN EN ESPAÑA
Juliana Chediek

PARTE 1
ESTUDIOS GENERALES

Capítulo 1
El Derecho Europeo de la Biodiversidad en el contexto actual de lucha contra el cambio climático[1]

AGUSTÍN GARCÍA URETA
Catedrático de Derecho administrativo
Universidad del País Vasco

I. INTRODUCCIÓN

Que el cambio climático constituye uno de los retos, nada menor, a los que se enfrenta la humanidad parece estar fuera de duda[2]. Atajar sus efectos, mitigándolos y adaptándose a los mismos, plantea importantes exigencias para los poderes públicos y la ciudadanía en general. En efecto, la vida de las personas depende de la biodiversidad y esta se ve directamente afectada por un proceso irrefrenable de degradación, vinculado, entre otros fenómenos, con el cambio climático[3]. Distintos aspectos pueden ayudar a comprender, de alguna manera, la situación de la biodiversidad frente al cambio climático. Algunos de ellos son habituales, pero no por ello asumibles, como es el desconocimiento de la realidad de los hábitats y las especies. Otros responden a técnicas que se han ido implantando a lo largo de los años, como sucede con las estrategias, que difuminan el sentido de las normas jurídicas. A lo anterior se unen desafíos importantes de designación, gestión y

---

[1]   Este trabajo está adscrito al proyecto de investigación Derecho de la biodiversidad y Cambio Climático PID2020-115505RB-C21/C22, financiado por MCIN/AEI/10.13039/501100011033.

[2]   Reconocido en el Convenio Marco de las Naciones Unidas sobre el Cambio Climático, art. 1.2, cursiva añadida: "Por "Cambio Climático" se entiende un cambio de clima atribuido *directa o indirectamente a la actividad humana* que altera la composición de la atmósfera mundial y que se suma a la variabilidad natural del clima observada durante periodos de tiempo comparables".
[3]   Farber, D. A., "Separated at Birth? Addressing the Twin Crises of Biodiversity and Climate Change", (2016) *Ecology Law Quarterly* 841.

conexión de espacios protegidos y otros que ya están surgiendo con fuerza, como el de compaginar las constantes necesidades energéticas con la debida protección de la biodiversidad. A estos y algunos otros se dedican los siguientes apartados.

II. EL RETO DEL (DES)CONOCIMIENTO

Aparte del número de especies que pueden existir[4], una de las constantes de la biodiversidad pasa por el desconocimiento de su estado de conservación. Esta materia presenta diversos frentes. Uno de ellos tiene que ver con la estructura del conocimiento científico y con el flujo de información que, en particular en el ámbito de la Unión Europea (UE)[5], circula de los Estados miembros a las instituciones europeas. La falta de certeza es consustancial al método científico[6], pero no por ello el grado de conocimiento deja de progresar, aunque siga resultando incompleto. Por lo que respecta al flujo de información, la Comisión Europea ha señalado que, en muchos casos, a) la que se comunica procede de estudios parciales realizados con otros fines, b) los Estados miembros no disponen de datos adecuados y se apoyan en dictámenes de expertos y, c) por lo que se refiere a los hábitats y especies de la Directiva 92/43, de Hábitats (DH) más del 40% de la información notificada procede de estudios parciales y más del 20% se basa únicamente en la opinión de expertos. Estas circunstancias tienen implicaciones directas para cuestiones centrales de la DH (también de la Directiva 2009/147, de Aves Silvestres, DAS) como es determinar si se garantiza su estado de conservación favorable[7], noción

---

[4]   Mora, C., "How Many Species Are There on Earth and in the Ocean?", (2011) 9 *PLoS Biol*: e1001127. doi:10.1371/journal.pbio.1001127. Stork, N. E. How many species are there? *Biodiversity Conservation* 2, 215-232 (1993). https://doi.org/10.1007/BF00056669.

[5]   Esto también sucede en el plano internacional.

[6]   Palmer, T. N. y Hardaker, P. J. "Handling uncertainty in science", (2011) *Philosophical Transactions of the Royal Society A*, n. 369, pp. 4681-4684.

[7]   La AEMA destaca que El 81% de las evaluaciones del hábitat muestran un estado de conservación desfavorable (pobre o malo). Los resultados globales de la evaluación regional de hábitats de la UE muestran que la proporción de mejora en estas evaluaciones es bastante baja. Sólo el 9% muestra tendencias de mejora, mientras que el 36% sigue deteriorándose a escala de la UE. La proporción de

esta que afecta a la totalidad de las normas de la DH[8], o qué grado de restauración ambiental ha de llevarse a cabo[9], en vista del principio de no regresión que explícitamente menciona la DAS[10], o cómo se cumplimentan obligaciones tan esenciales como la evaluación del impacto de planes y proyectos en las zonas de red Natura 2000. En el caso español, la Comisión Europea (en adelante, la Comisión) y la Agencia Europea de Medio Ambiente (en adelante, AEMA) han destacado el alto grado de desconocimiento en las distintas evaluaciones sobre el estado de conservación de hábitat y especies, lo que apunta a la necesidad, perentoria, de mejorar esta cuestión[11]. Sin embargo, lo anterior constituye una faceta del desconocimiento, porque existen otras que incluyen el grado (y necesaria publicidad) del cumplimiento de las medidas correctoras y de compensación que se imponen a la ejecución de actividades con incidencia ambiental, o las innominadas menciones que se hacen en los informes de la Comisión a "algunos" o "varios" Estados miembros y a la situación existente en los mismos. De hecho, aquella ha admitido que varios de estos no envían la información exigida por la DAS y DH, sin que ello haya motivado, que se sepa, el correspondiente procedimiento de infracción[12].

---

[8] incógnitas sigue siendo alta (más del 20%)". En el caso de las especies, el 35% de las evaluaciones con un estado desfavorable o desconocido indican una tendencia al deterioro. Sólo el 6% muestra una tendencia a la mejora del estado de conservación. La tendencia es desconocida para otro 31% de las especies. Un número bastante bajo de especies muestra una tendencia de mejora en el estado de conservación desfavorable". "State of nature in the EU. Results from reporting under the nature directives 2013-2018. EEA Report No 10/2020", pp. 53 y 58, respectivamente.

[8] Art. 2.2 DH: "Las medidas que se adopten en virtud de la presente Directiva tendrán como finalidad el mantenimiento o el restablecimiento, en un estado de conservación favorable, de los hábitats naturales y de las especies silvestres de la fauna y de la flora de interés comunitario".

[9] Véase la propuesta de la Comisión sobre restauración; https://environment. ec.europa.eu/publications/nature-restoration-law_es.

[10] Art. 13 DAS.

[11] SWD(2017) 42 final, p. 12. AEMA, "State of nature in the EU. Results from reporting under the nature directives 2013-2018. EEA Report No 10/2020", p. 44.

[12] García Ureta, A., "Lost in translation? Reporting obligations under the EU Wild Birds and Habitats Directives", (2020) *Environmental Liability*, pp. 7-22.

III. ¿FAGOCITANDO LAS NORMAS?

Otro de los retos a los que se enfrenta la normativa sobre la protección de la biodiversidad pasa por el fenómeno creciente de las estrategias y los documentos orientativos. Las primeras responden al patrón de programar, de alguna manera, lo que se pretende hacer. Sin embargo, en muchas circunstancias difuminan el sentido y alcance de la norma jurídica, que cuenta, o debería contar, con un papel central a la hora diseñar el despliegue público de protección de la biodiversidad. Con el recurso a las estrategias el contenido y mandato de la norma quedan desenfocados en una maraña de objetivos, muchas veces genéricos, y una serie de actuaciones cuyo control resulta de compleja determinación. Unido a lo anterior se encuentra, por una parte, la desconexión que puede haber entre distintas estrategias[13] o, por otra, la ausencia de responsabilidad derivada de la incompleta consecución de los objetivos pretendidamente perseguidos. Las sucesivas estrategias de la UE en materia de biodiversidad son muestra de lo anterior.

También lo ejemplifica la estrategia prevista en la Ley 7/2021, de 20 de mayo, de cambio climático y transición energética (LCCTE), para la conservación y restauración de ecosistemas y especies especialmente sensibles a los efectos del cambio climático. De acuerdo con la LCCTE, tal estrategia contendrá las directrices básicas para la adaptación al cambio climático de los ecosistemas naturales terrestres, de los ecosistemas marinos y de las especies silvestres españolas, así como las líneas básicas de restauración y conservación de los mismos, con especial referencia a los ecosistemas acuáticos o dependien-

---

[13] Este puede ser el caso de la Ley 7/2021, de Cambio Climático y Transición Energética que menciona las siguientes: Estrategia de Descarbonización a 2050 (art. 5). Estrategia para la rehabilitación energética en el sector de la edificación (art. 8.4, segundo párrafo). Estrategia del Agua para la Transición Energética (art. 19.2). Estrategia de Adaptación de la Costa a los efectos del Cambio Climático (art. 20). Estrategia Estatal de Infraestructura Verde y de la Conectividad y Restauración ecológicas (art. 24). Estrategia de conservación y restauración de ecosistemas y especies especialmente sensibles a los efectos del cambio climático (art. 24.2). Estrategia de Transición Justa (art. 27). Estrategias de descarbonización del sector eléctrico (art. 34). Estrategia de financiación climática internacional (Disposición adicional tercera), Estrategia Española de Economía Circular (Disposición adicional quinta). Estrategia de impulso del transporte de mercancías por ferrocarril (Disposición adicional sexta).

tes del agua y de alta montaña. La redacción de la norma suscita algunas consideraciones sobre su alcance. En primer lugar, qué posible relación va a tener con otras previstas al aprobarse la Ley 42/2007, de 13 de diciembre, del Patrimonio Natural y de la Biodiversidad, ya que esta ley refiere un mínimo de siete estrategias. La LCCTE señala que la estrategia tendrá la consideración de "instrumento programático de planificación". Esta reiteración (programático-planificación) es indicativa de que se está contemplando como un elemento que sirva para ulteriormente planificar los aspectos a los que se refiera la estrategia. Ahora bien, un dato que abona la tesis de que la LCCTE no afronta, en realidad, la protección de la biodiversidad de una manera medianamente decisiva, es que establece un plazo de tres años para la adopción de la estrategia. No hay una explicación en la LCCTE sobre dicho lapso. Planificar constituye ciertamente una labor necesaria, al preverse objetivos y lapsos temporales para lograrlos, pero el diseño establecido en la LCCTE manifiesta que los hitos correspondientes pueden dilatarse sobremanera en el tiempo, frente a la declarada "emergencia" climática[14].

El otro fenómeno está constituido por la plétora documentos orientativos que expresan, de alguna manera, la interpretación que una institución, como la Comisión, lleva a cabo de las normas relevantes[15]. Aunque lógicamente aquellos se deban sujetar a la interpretación de las concretas normas que efectúe el TJUE, desgranan diversas disposiciones y se centran en determinados sectores que afectan a las especies y hábitats, lo que fuerza al operador jurídico a tenerlos en cuenta para hacerse una idea de la exégesis que sostiene la Comisión. Con todo, no hay que olvidar que una de las peculiaridades del Derecho europeo es que contiene nociones que son "autónomas" de los ordenamientos estatales. Esto implica que su interpretación dependa esencialmente

---

[14] Acuerdo del Consejo de Ministros el 21 de enero de 2020 y otros de las Comunidades Autónomas y autoridades locales.

[15] Designación de ZEC (p. 9). Objetivos de conservación (p. 9). Medidas de conservación (p. 9). Gestión (pp. 84). EIA (p. 122). Energía eólica (pp. 280). Infraestructura de transporte de energía (p. 115). Energía hidroeléctrica (pp. 100). Bosques (p. 125). Actividad agraria (p. 148). Acuicultura (pp. 99). Transporte por vías navegables interiores (p. 122). Aplicación de las directivas de hábitats y de aves en estuarios y zonas costeras (pp. 52). Actividades extractivas no energéticas (pp. 161). Cambio climático (p. 105).

de lo que señale el legislador europeo y, en última y esencial instancia, el Tribunal de Justicia de la Unión Europea (TJUE) y no, por tanto, de lo que las autoridades estatales (o europeas, caso de la Comisión) puedan eventualmente entender[16].

IV. EL RETO DE LA CLASIFICACIÓN, DE LA GESTIÓN Y DE LA CONEXIÓN DE ESPACIOS PROTEGIDOS

1. Clasificación

Uno de los retos de la biodiversidad ante el cambio climático pasa por completar la designación de aquellos espacios que, de acuerdo con los criterios establecidos en los textos normativos, ya sean internacionales, europeos o estatales, merezcan la correspondiente clasificación. En el caso europeo, el despliegue de las zonas de especial protección para las aves (ZEPA) como de las zonas de especial conservación (ZEC), sobre todo en el ámbito terrestre, ha avanzado con fuerza en los últimos daños. A lo anterior se une el objetivo establecido en la Estrategia sobre Biodiversidad para 2030 de la UE (EB30) de alcanzar un 30% de protección del territorio europeo (incluido el marítimo). Según esta, se trataría de un incremento de, al menos, un 4% de espacios terrestres protegidos y un 19% de espacios marinos. Para determinar este cálculo, la EB30 ha tenido en cuenta que, aproximadamente, el 26% de la superficie terrestre de la UE ya está protegido (18% dentro de Natura 2000 y un 8% en virtud de regímenes nacionales), al igual que el 11% de la superficie marina de la UE (8% en Natura 2000 y el 3% con figuras nacionales de protección adicional). A lo anterior, la EB30 añade que debe protegerse estrictamente al menos una tercera parte de los espacios protegidos, lo que representa un 10% de la superficie terrestre de la UE y un 10% de la marina.

Con todo, el medio marino presenta su propia idiosincrasia, no solo por el retraso en la designación de zonas, sino por otros aspectos, como el evidente desconocimiento de su realidad. Por lo que respecta a lo primero, hay que recordar que el deber de clasificar zonas se ex-

---

[16]   Asunto C-1242/07, *Ecologistas en Acción-CODA v. Ayuntamiento de Madrid*, ECLI:EU:C:2008:445.

tiende incluso a la zona económica exclusiva[17]. Por otra parte, la DH solo contempla 9 hábitats marinos y no abarca toda la variedad de especies protegibles. Además, la DH se centra en los hábitats costeros en detrimento de otros que se encuentran más allá de esa franja, cuando nada en la DAS o DH establece tal límite. En estas circunstancias, como se ha constatado, no se garantiza que se cree un conglomerado coherente de áreas marinas protegidas[18]. A las anteriores circunstancias se une el hecho de que la revisión de la Directiva 2008/56, por la que se establece un marco de acción comunitaria para la política del medio marino, llevada a cabo por la Comisión no parece haberse percatado de estos problemas cuando reconoce que solo el 53% de los programas "evaluados" "parecen adecuados para hacer frente a las presiones existentes sobre el medio marino en la UE"[19].

Aunque el número de espacios no ha de reflejar necesariamente su calidad, es destacable que constituye un factor de protección de hábitats y especies ante el avance imparable del cambio climático. La otra clave radica en su extensión. En el caso concreto de la DAS, aunque de aplicación *mutatis mutandis* a la DH, el TJUE ha insistido en que resulta contrario a la directiva la exclusión de una zona que tenga características similares a las de "un ecosistema completo", utilizada regularmente por las aves. En consecuencia, la clasificación como ZEPA no puede resultar de un examen aislado del valor ornitológico de cada una de las superficies controvertidas, sino que debía realizarse basándose en la consideración "de los límites naturales" del ecosistema húmedo. Esta jurisprudencia no es nueva, pero refuerza lo que ya había señalado el TJUE respecto de la obligación de tener solo en cuenta los aspectos científicos a la hora de clasificar las correspondientes zonas[20].

---

[17]   Asunto C-6/04, *Comisión v. Reino Unido*, ECLI:EU:C:2005:626.
[18]   AEMA, Report 3/2015, "Marine protected areas in Europe's seas - An overview and perspectives for the future", pp. 17 y 25, respectivamente. Véase también, Tribunal de Cuentas de la UE, Informe Especial. "Medio marino: la protección de la UE es extensa pero poco profunda".
[19]   COM(2020) 259 final, p. 26.
[20]   Asunto C-44/95, *Regina v. Secretary of State for the Environment, ex parte: Royal Society for the Protection of Birds*, ECLI:EU:C:1996:297. Asunto C-371/98, *The Queen v. Secretary of State for the Environment, Transport and The Regions, ex parte First Corporate Shipping*, ECLI:EU:C:2000:600.

La importancia de los espacios de la red Natura 2000 es evidente en términos de protección, aunque el panorama ofrece luces y sombras. Así, se ha indicado que el estado de conservación de las especies de interés comunitario con más del 75% de sus poblaciones dentro de la Red Natura 2000 del Estado español "presenta resultados más favorables que el de otras especies peor representadas. La mejora se da también en el caso de los hábitats, aunque de manera más tímida", ya que el deterioro de su estado de conservación "ha sido más acusado en aquellos bien representados por la Red, lo que pone de manifiesto el alto grado de presión y amenaza en el que se encuentran aún algunos de estos hábitats, como es el caso de muchos humedales"[21].

El tamaño de las zonas protegidas influye también en su protección y, en última instancia, en la posibilidad de conexión entre ellas. En el caso europeo, el 93% tiene menos de 1.000 ha., y el 78% menos de 100 ha[22]. La configuración del espacio, densamente poblado, implica que aquellas tengan que abrirse paso en un entramado en el que, además, la mitad de la superficie se encuentra a 1.5 km de una infraestructura de comunicación y prácticamente toda la superficie se encuentra a 10 km. de una infraestructura[23]. En estas coordenadas, se está lejos de la noción que en su día planteó la Comisión de área salvaje, que respondería a aquella gobernada por procesos naturales, compuesta de hábitats y especies naturales y lo suficientemente grande como para garantizar el correcto funcionamiento ecológico de los procesos naturales. Esta área no se encontraría modificada o solo ligeramente y no existiría actividad humana intrusiva o extractiva ni el establecimiento de núcleos de población o infraestructuras ni perturbaciones visuales[24].

---

[21] EUROPARC-España, *Anuario 2020 del estado de las áreas protegidas en España*, Ed. Fundación Fernando González Bernáldez, 2021, p. 62.

[22] AEMA, "Protected areas in Europe - an overview". Report 5/2012.

[23] Torres, A., Jaeger, J. A. G., Alonso, J. C., "Assessing large-scale wildlife responses to human infrastructure development", (2016) *Proceedings of the National Academy of Sciences* 8472-8477.

[24] Comisión Europea, Guidelines on Wilderness in Natura 2000. Management of terrestrial wilderness and wild areas within the Natura 2000 Network (2013) (traducción del autor). Véanse sobre este tema los trabajos contenidos en el libro de Bastmeijer, K. (ed.), *Wilderness Protection in Europe: The Role of International, European and National Law* (Cambridge University Press, Cambridge, 2016).

Tabla 2. Superficie y número de espacios protegidos de acuerdo al Informe sobre el estado del patrimonio natural y de la biodiversidad en España a 2020. Fuente: MITECO, 2021.

	Superficie terrestre (ha)	Superficie marina (ha)	Superficie total (ha)	Número
Superficie protegida total*	18.313.516	13.178.938	31.492.545	
Superficie ENP y Red Natura 2000	14.192.086	12.868.442	27.060.528	
ENP	7.455.092	5.257.161	12.712.254	1.824
Red Natura 200	13.846.016	8.432.199	22.278.216	1.857
LIC	11.863.626	5.475.131	17.338.757	1.468
ZEPA	10.250.837	5.198.631	15.449.468	658

Figura 3. Porcentaje de espacios Red Natura 2000 terrestres y marítimo-terrestres por rangos de superficie. Comparativa entre España y Europa.
Fuente: EEA, 2020.

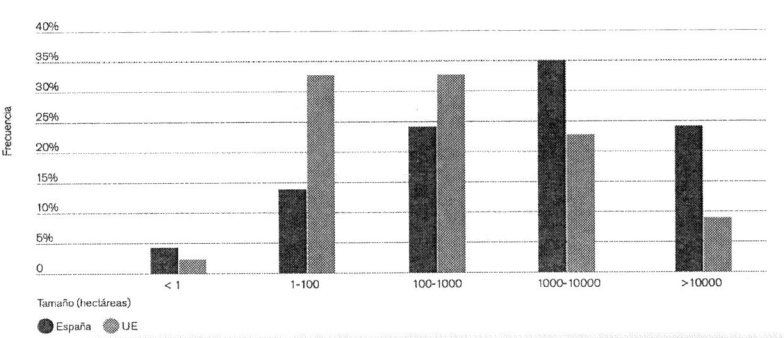

Fuente: Europarc-España, Anuario 2020, pp. 26 y 36, respectivamente.

La conexión entre las áreas protegidas sigue siendo una asignatura pendiente, a pesar de ser necesaria para facilitar procesos de migración de especies que ya se están produciendo por el cambio climático. La estructura normativa de la UE tampoco ayuda a ello. No obstante, el TJUE ya ha tenido la oportunidad de insistir, aunque con resultados dispares[25], en la importancia de garantizar los pasillos para que las es-

___

25   Compárense, por ejemplo, los asuntos C-308/08, *Comisión v. España*, ECLI:EU:C:2010:281 (acondicionamiento de camino y atropello de lince ibérico), y el C-404/09, *Comisión v. España*, ECLI:EU:C:2011:768 (explotaciones mineras, urogallo y oso, y efecto barrera).

pecies puedan desplazarse, incluyendo la obligación de evaluación de los efectos de proyectos en áreas que puedan situarse a una distancia considerable de estos, precisamente por ubicarse en pasillos migratorios, como los cursos fluviales.

> Procede señalar de entrada que el hecho de que el proyecto cuya evaluación medioambiental se discute no se sitúe en las zonas Natura 2000 afectadas, sino a una distancia considerable de éstas, aguas arriba del Elba, no excluye en modo alguno la aplicabilidad de las exigencias establecidas en el artículo 6, apartado 3, de la Directiva sobre los hábitats. En efecto, como se deriva del tenor de dicha disposición, ésta somete al mecanismo de protección medioambiental previsto en ella "cualquier plan o proyecto que, sin tener relación directa con la gestión del lugar o sin ser necesario para la misma, pueda afectar de forma apreciable a los citados lugares"[26].

Lo que resulta sorprendente es que, en los treinta años desde la adopción de la DH, no se haya instado a los Estados miembros a establecer estructuras de gestión conjuntas cuando compartan regiones biogeográficas[27]. Y ya que se menciona esta cuestión, otro de los retos relacionado con la designación es ciertamente el de la gestión, que está directamente vinculado con la adaptación y mitigación de los efectos del cambio climático. En este punto se repiten algunas deficiencias. Por una parte, el desconocimiento de lo que hacen los Estados miembros[28]. Por otra parte, la normativa europea resulta

---

[26]   Asunto C-142/16, *Comisión v. Alemania*, ECLI:EU:C:2017:301, apt. 29.
[27]   En su Informe 1/2017, "Es necesario dedicar más esfuerzo a la plena implantación de la Red Natura 2000", el Tribunal de Cuentas de la UE, p. 22, indica que las infraestructuras nacionales analizadas eran insuficientes para impulsar esta cooperación y faltaban procedimientos para que los países vecinos pudieran informarse entre sí sobre lugares potenciales o sobre proyectos que podrían necesitar una evaluación. No obstante, sí se hallaron buenos ejemplos de cooperación transfronteriza a escala local subvencionada con fondos de la UE.
[28]   La AEMA señala que incluso en los Estados miembros que cuentan con sistemas bien establecidos para evaluar la eficacia de la gestión en Natura 2000, esta información no suele estar disponible. Dos de los países analizados no disponen de una visión general de los espacios que cuentan con planes de gestión. Los encuestados indicaron que la falta de capacidad —en términos tanto de conocimientos como de tiempo del personal— es un obstáculo clave para el seguimiento y la evaluación sistemáticos de la gestión de Natura 2000. "Management effectiveness in the EU's Natura 2000 network of protected areas". https://www.eea.europa.eu/downloads/d77fb20e4f3d4467bd4d6b3afa541ef4/1615197286/management-effectiveness-in-the-eu.pdf.

muy parca a la hora de diseñar cómo se ha de llevar a cabo la gestión tanto de las ZEPA, como de las ZEC[29], omitiendo mínimos criterios normativos tales como la zonificación, participación de personas afectadas por la designación, tipos de objetivos de conservación y cuantificación y objetivación de los mismos, entre otros. Más allá de la previsión de los instrumentos para llevarla a cabo, la carencia de criterios, cuando se está hablando de un "patrimonio común", afecta de manera evidente al desarrollo sustantivo de la red Natura 2000, a su coherencia y a otros instrumentos de protección previstos en la DH, caso de la obligación de evitar alteraciones y deterioro (art. 6.2) o la propia sujeción de planes y programas a evaluación de impacto ambiental (art. 6.3). En el caso español, una mayoría de espacios protegidos cuenta con un instrumento de gestión, pero esto, como se indica a continuación, no garantiza, *per se*, que el fenómeno del cambio climático se esté afrontando debidamente.

Figura 9. Superficie de Red Natura 2000 con instrumentos de gestión aprobados o en tramitación por región biogeográfica en el Estado español. Actualizado a septiembre 2021.

Fuente: Termómetro de la Red Natura 2000, EUROPARC-España.

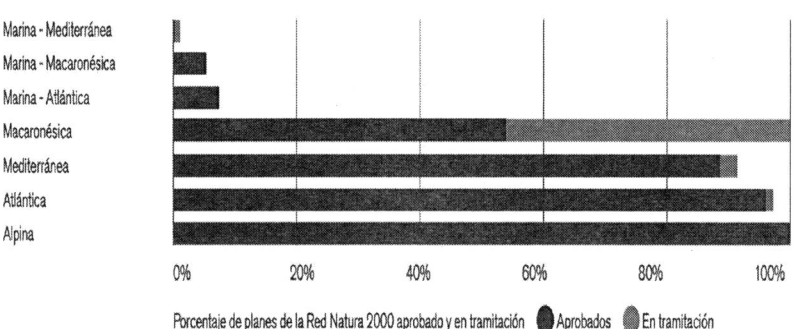

Fuente: Europarc-España, Anuario 2020, p. 53.

---

[29]   García Ureta, A., y Lazkano Brotons, I., "Instruments for sites active management of Natura 2000: balancing between stakeholders and nature conservation?" en Hubert-Born, C., *The Habitats Directive After 20 Years: European Nature's Best Hope?* (Routledge, 2014) 71-92. Véase, como casos prácticos, Blondet, M., *et al.*, "Participation in the implementation of Natura 2000: A comparative study of six EU member states", (2017) *Land Use policy*, pp. 346-355.

Las anteriores cifras solo aclaran una cuestión, puesto que la letra pequeña de los instrumentos de gestión pondría de manifiesto que las consideraciones relativas al cambio climático no encuentran la posición que deberían tener entre todas aquellas que se refieren a los espacios protegidos:

> El número de medidas de conservación ejecutadas dentro de la Red se corresponde con la importancia de estas presiones y amenazas, a excepción del cambio climático. Este mismo patrón se repite para las especies *para las que apenas se realizan medidas de adaptación al cambio climático*, a pesar de ser señalado como un problema relevante en las evaluaciones realizadas. A pesar de ser un problema importante, *apenas se registran aún acciones de adaptación y mitigación* dentro de la Red[30].

Figura 25. Medidas de conservación para hábitats identificadas en los espacios de la Red Natura 2000 de España.
Fuente: Análisis propio a partir de EEA (2020).

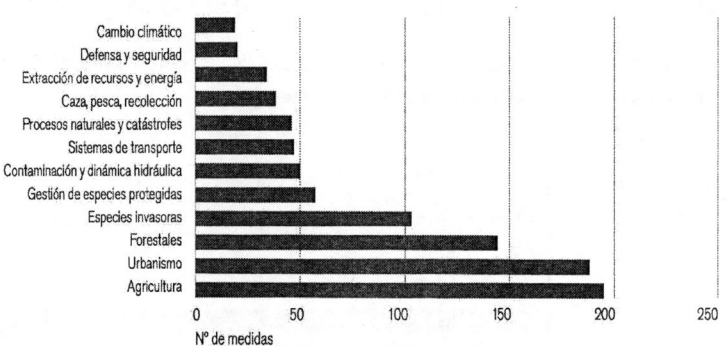

Fuente: Europarc-España, Anuario 2020, p. 61

Lo que se ha expuesto se puede resumir con un par de apreciaciones desde la perspectiva de la UE. Por una parte, la AEMA ha señalado que los Estados miembros han informado sobre la eficacia de la gestión de menos del 8 % de los espacios protegidos de Natura 2000[31]. Por su parte, el Tribunal de Cuentas ha destacado que los objetivos de conservación no son suficientemente específicos ni cuantificados y que las medidas de conservación incluidas en los planes de gestión

---

[30]   Europarc-España, Anuario 2020, p. 60, cursiva añadida.
[31]   AEMA, "Eficacia de la gestión en la red de áreas protegidas Natura 2000 de la UE", 2021.

tampoco se definen con precisión y raramente refieren hitos para su realización[32]. Con estos mimbres resulta difícil que la adaptación y mitigación del cambio climático puedan ser medianamente efectivas.

V. OTROS RETOS (NO MENORES)

Los retos a los que se enfrenta la protección de la biodiversidad no terminan lógicamente con los anteriores, sino que abarcan otros que, de manera selectiva, se exponen a continuación.

1. Energías renovables y biodiversidad

Uno de los desafíos que destaca en la actualidad, en especial tras la invasión rusa de Ucrania, aunque vinculado con el cambio climático, tiene que ver con la implantación de las fuentes de energía renovable. El conflicto entre estas infraestructuras y la protección de otros valores, como el paisaje o la biodiversidad, no es nuevo. En la reiterada jurisprudencia del Tribunal Supremo se alude al conflicto entre intereses o bienes jurídicos de diversa naturaleza. De un lado, el consistente en garantizar el suministro de la energía eléctrica (que la legislación del sector eléctrico ha calificado de "esencial para el funcionamiento de nuestra sociedad")[33] mediante su producción por medio de la utilización de energías renovables, producción que debe hacerse compatible con la protección del medio ambiente. En este sentido, el Tribunal Supremo ha afirmado que la eólica constituye "[u]na de las tecnologías más avanzadas y extendidas en España para producir energía eléctrica renovable (...) cuyo desarrollo constituye un objetivo legal y socialmente prioritario"[34]. Por el otro lado se encuentra el bien jurídico consistente en la protección, conservación, restauración y mejora de los recursos naturales y, en particular, de los espacios naturales, la

[32]	Tribunal de Cuentas. Informe Especial 1/2017, "Es necesario dedicar más esfuerzo a la plena implantación de la Red Natura 2000", p. 30.
[33]	Preámbulo de la Ley 54/1997, de 27 de noviembre, del Sector Eléctrico.
[34]	STS de 30 de abril de 2008, recurso 3516/2005; STS de 11 de diciembre de 2013, recurso 4907/2013.

flora y la fauna silvestres"[35]. En este supuesto, continúa señalando la jurisprudencia, el conflicto debe de ser resuelto de conformidad con la norma que reconozca preferencia a un bien o interés sobre otro, si es que la protección conjunta y simultánea de ambos no resultara posible. Con otras palabras, el criterio prevalente será siempre y precisamente aquel que resulte de las normas aplicables. La eventual compatibilidad que señala el Tribunal Supremo puede alcanzarse, pero lógicamente no en toda circunstancia. Además, aunque la jurisprudencia apunta a una necesaria objetividad en cuanto a la prevalencia ("según las normas") estas no siempre (o en pocas ocasiones) indican qué debe ser lo prevalente. En efecto, el legislador sectoriza los ámbitos de la realidad, pero no siempre aclara cuál debe ser prioritario sobre otros salvo, por cierto, en algunos casos, como sucede con el patrimonio natural, al imponerse las determinaciones de los planes de ordenación de los recursos naturales, de manera que las otras actuaciones, planes o programas sectoriales sólo puedan contradecir o no acoger el contenido de aquellos "por razones imperiosas de interés público de primer orden[36].

La tendencia normativa apunta en varias direcciones[37], que pasan por una simplificación de los procedimientos de EIA, incluir los proyectos de energías renovables como razón imperiosa de interés público de primer orden, a los efectos del art. 6.4 DH[38], o la limita-

---

[35]   La importancia del abastecimiento energético también se tiene en cuenta en el caso de la concesión de medidas cautelares de suspensión de la construcción de un parque eólico, caso de la STS de 24 de mayo de 2011, recurso 3613/2010, cursiva añadida: "En el que ahora hemos de resolver se trata tan sólo de un parque eólico respecto del cual la incidencia temporal de la medida cautelar no puede, por su propia naturaleza, sino ser limitada y *su repercusión en los intereses generales del sistema eléctrico mínima.* El conjunto de consideraciones que hace el tribunal de instancia, con particular atención a las que ponen de relieve las deficiencias ya subrayadas en las fases previas a la autorización administrativa, justifican la pertinencia de la medida cautelar".

[36]   Ley 42/2007, art. 18.3.

[37]   COM(222) 2022 final, Propuesta de Directiva del Parlamento Europeo y del Consejo por la que se modifican la Directiva 2018/2001, relativa al fomento del uso de energía procedente de fuentes renovables, la Directiva 2010/31/UE, relativa a la eficiencia energética de los edificios, y la Directiva 2012/27/UE, relativa a la eficiencia energética.

[38]   Esta norma señala: "Si, a pesar de las conclusiones negativas de la evaluación de las repercusiones sobre el lugar y a falta de soluciones alternativas, debiera

ción de recursos contra los mismos, al menos cuando estos alcancen un determinado umbral. En este sentido, el Real Decreto-ley 6/2022, de 29 de marzo, por el que se adoptan medidas urgentes en el marco del Plan Nacional de respuesta a las consecuencias económicas y sociales de la guerra en Ucrania, plantea un procedimiento que sustituye al consagrado en la Ley 21/2013, de 9 de diciembre, de evaluación ambiental[39]. El artículo 6 (*Procedimiento de determinación del impacto ambiental de los proyectos de energías renovables*) se refiere a proyectos no ubicados en el medio marino a los que se refieren algunos apartados de la Ley de EIA. Los proyectos con efectos probables están sujetos a un procedimiento simplificado para la autorización de los de energías renovables. Este procedimiento no contempla una fase de participación pública, incumpliendo tanto la Directiva 2011/92 como el Convenio Aarhus. Además, los procedimientos reducen a la mitad algunos de los plazos previstos en el Real Decreto 1955/2000, de 1 de diciembre, por el que se regulan las actividades de transporte, distribución, comercialización, suministro y procedimientos de autorización de instalaciones de energía eléctrica.

Por otra parte, La LCCTE recoge en su artículo 21.2 una norma relativa a las nuevas instalaciones de producción energética a partir de las fuentes de energía renovable, con la finalidad de que no se produzca "un impacto severo sobre la biodiversidad y otros valores naturales". Para ello, se prevé una zonificación que identifique zonas "de sensibilidad y exclusión" por su importancia para la biodiversidad, conectividad y provisión de servicios ecosistémicos, así como sobre otros valores ambientales. Con referencia a dicha zonificación,

---

realizarse un plan o proyecto por razones imperiosas de interés público de primer orden, incluidas razones de índole social o económica, el Estado miembro tomará cuantas medidas compensatorias sean necesarias para garantizar que la coherencia global de Natura 2000 quede protegida. Dicho Estado miembro informará a la Comisión de las medidas compensatorias que haya adoptado. En caso de que el lugar considerado albergue un tipo de hábitat natural y/o una especie prioritarios, únicamente se podrán alegar consideraciones relacionadas con la salud humana y la seguridad pública, o relativas a consecuencias positivas de primordial importancia para el medio ambiente, o bien, previa consulta a la Comisión, otras razones imperiosas de interés público de primer orden".

[39]   Lozano Cutanda, B., "Real Decreto Ley 6/2022: el nuevo procedimiento de determinación de afección ambiental aplicable a determinados proyectos de energías renovables", (2022) *Actualidad Jurídica Ambiental* n. 123.

la LCCTE indica que se velará para que el despliegue de los proyectos de energías renovables se lleve a cabo, "preferentemente, en emplazamientos con menor impacto". El objetivo de la zonificación prevista en el art. 21.2 LCCTE es que las nuevas instalaciones de producción energética a partir de fuentes renovables no produzcan un impacto severo[40]. Como se puede observar, el umbral que establece la LCCTE es elevado, a pesar de que no añada una definición de "severo". Por referencia a la normativa estatal de evaluación de impacto ambiental, se trataría de aquel "en el que la recuperación de las condiciones del medio exige medidas preventivas o correctoras, y en el que, aun con esas medidas, aquella recuperación precisa un período de tiempo dilatado"[41]. Por otra parte, la LCCTE no prevé la adaptación de las instalaciones ya existentes, lo que implica que queden sujetas, en su caso, a otras disposiciones, como puede ser el art. 6.2 DH (art. 46.2 LPNB) y la obligación de evitar el deterioro de los hábitats naturales y de los hábitats de las especies, así como las alteraciones que repercutan en las especies que hayan motivado la designación de las zonas de la red Natura 2000, o incluso una nueva EIA o la regularización de las previamente realizadas[42]. Por lo que respecta al art. 6.2 DH, el TJUE ha afirmado que una "fuerte densidad de instalaciones eólicas" puede provocar perturbaciones significativas y un deterioro de los hábitats de especies de aves protegidas[43].

2. El reto de evitar el deterioro y las alteraciones en las zonas de Natura 2000

La DH exige a los Estados miembros adoptar las medidas apropiadas para evitar, en las zonas especiales de conservación, el deterioro de los hábitats naturales y de los hábitats de especies, así como las

---

[40]   Véase: https://www.miteco.gob.es/es/calidad-y-evaluacion-ambiental/temas/evaluacion-ambiental/documento1memoria_tcm30-518028.pdf.

[41]   Ley 21/2013, de 9 de diciembre, de evaluación ambiental, Anexo VI. Estudio de impacto ambiental, conceptos técnicos y especificaciones relativas a las obras, instalaciones o actividades comprendidas en los anexos I y II, Parte B.j).

[42]   García Ureta, A.: "The regularisation of environmental impact assessments in the case law of the European Court of Justice", (2017) *Environmental Liability*, pp. 43-52.

[43]   Asunto C-141/14, *Comisión v. Bulgaria*, ECLI:EU:C:2016:8, apts. 59 y 74-77.

alteraciones que repercutan en las especies que hayan motivado la designación de las zonas, en la medida en que dichas alteraciones puedan tener un efecto apreciable en lo que respecta a los objetivos de la presente Directiva. La DH impone una obligación de resultado, lo que implica que los Estados miembros deben adoptar medidas positivas, en línea con lo que esta dispone, como otras de abstención[44]. La locución "adoptarán las medidas apropiadas" no hace distingo alguno entre unas y otras medidas. Su virtud ha de calibrarse por el resultado final que se les exige. En este sentido, puesto que la DH no determina el posible origen del deterioro[45], ya sea natural o antropogénico, deliberado o accidental, es evidente que, para dar cumplimiento al art. 6.2 DH, puede ser necesario adoptar tanto medidas destinadas a evitar daños y perturbaciones externos causados por el hombre, ya precisen o no de autorización[46], (vgr., introducción de especies exóticas), como medidas cuyo objeto sea detener los procesos naturales que puedan alterar el estado de conservación de las especies y de los hábitats naturales en las ZEC[47]. Esta última precisión tiene su importancia en el supuesto de procesos causados por el hombre, caso del cambio climático. En todo caso, las medidas deben ir más allá de las simples actuaciones de gestión, porque estas quedan encuadradas en el contexto del art. 6.1 DH. En consecuencia, la cuestión de si se prohíben determinadas prácticas[48], o si deben adoptarse medidas de conservación para evitar un deterioro o alteración, solo puede deducirse, en cada supuesto, de la naturaleza de este[49], pero en todo caso deben adoptarse medidas generales para lograr el resultado impuesto por la Directiva[50]. No evita una incorrecta aplicación de esta norma la habilitación a las autoridades estatales para acudir a los tribunales

---

[44]   Véase, por ejemplo, el asunto C-661/20, *Comisión v. Eslovaquia*, ECLI:EU:C:2022:496.

[45]   Asunto C-418/04, *Comisión v. Irlanda*, ECLI:EU:C:2007:780, apt. 207.

[46]   Comisión Europea, "Gestión de espacios Natura 2000. Disposiciones del artículo 6 de la Directiva 92/43/CEE sobre hábitats", apt. 3.2.

[47]   Asunto C-6/04, *Comisión v. Reino Unido*, apt. 34. La abogado general señaló en este asunto, apt. 21, que "el concepto de deterioro tampoco se limita a los deterioros «no naturales»".

[48]   Véase el asunto C-418/04, *Comisión v. Irlanda*, apts. 216-220.

[49]   Abogado general Kokkot, en el asunto C-6/04, *Comisión v. Reino Unido*, apt. 18 de sus conclusiones.

[50]   Véase el asunto C-418/04, *Comisión v. Irlanda*, apt. 205.

para que se prohíban judicialmente las operaciones o las actividades que puedan causar alteraciones o deterioro o instalar procedimientos penales contra las personas responsables de los deterioros[51].

3. Biodiversidad y entorno urbano

El 70% de la población de la UE vive en zonas urbanas. Existe "una alta probabilidad (> 75%) de que grandes áreas (que suman aproximadamente 77.500 km²) del continente europeo se conviertan o se hayan convertido en zonas urbanas entre 2000 y 2030[52]. Nada en la DH o DAS indica que la protección de la biodiversidad se deba detener ante los núcleos urbanos. De hecho, como reconoce la EB30, hay aproximadamente 11.000 espacios de la red Natura 2000 dentro o parcialmente dentro de ciudades, representando el 15% de su superficie total de la red[53]. Ahora bien, la cuestión de si la UE debe adoptar una política específica para la biodiversidad urbana sigue sin respuesta. La EB30 no ha añadido previsiones específicas, al señalar:

> A fin de traer la naturaleza de vuelta a las ciudades y recompensar las actuaciones comunitarias, la Comisión hace un llamamiento a las ciudades europeas de 20.000 habitantes o más para que elaboren, antes de finales de 2021, ambiciosos planes de ecologización urbana que incluyan medidas para crear bosques urbanos, parques y jardines accesibles y ricos en biodiversidad; granjas urbanas; muros y cubiertas verdes; calles arboladas; praderas urbanas y setos urbanos. Además, deben contribuir a mejorar las conexiones entre espacios verdes, eliminar el uso de plaguicidas y limitar el corte excesivo del césped en espacios verdes urbanos y otras prácticas perjudiciales para la biodiversidad. Esos planes podrían movilizar instrumentos políticos, reglamentarios y financieros[54].

A pesar de que existen medidas en materias cercanas a los entornos urbanos, caso de la contaminación atmosférica, residuos o aguas residuales, se echa en falta otras que, al menos, determinen un mínimo aplicable en las ciudades y con sujeción a un esquema temporal que les permitiese a estas planificar las actuaciones a realizar para la pro-

---

[51] Asunto C-504/14, *Comisión v. Grecia*, ECLI:EU:C:2016:847, apt. 55.
[52] EEA Report No 11/2016, "Urban sprawl in Europe", p. 16.
[53] EB30, p. 14, nota 52.
[54] EB30, pp. 14-15.

tección de la biodiversidad frente al cambio climático (*vgr*., censo de árboles, creación de corredores forestales, o en general de infraestructuras verdes, o la plantación de un número de árboles dependiendo de factores como la población y la extensión del territorio urbano, teniendo en cuenta sus efectos sobre la temperatura o medidas para favorecer la polinización)[55]. En este sentido, la iniciativa *Green City Accord*[56], impulsada por la Comisión y dirigida a las autoridades locales[57], tiene carácter voluntario[58], aunque aquellas que se sumen a la misma contraen diversos compromisos que, en el caso de la protección de la biodiversidad, incluyen algunos más genéricos ("[t]rabajar con las partes interesadas pertinentes para integrar la biodiversidad y las soluciones basadas en la naturaleza en otros sectores") y otros más específicos ("[i]dentificar y remediar los lugares contaminados del suelo")[59]. En todo caso, el acuerdo exige tres medidas que han de ser

---

[55] Schwaab, J., Meier, R., Mussetti, G., "The role of urban trees in reducing land surface temperatures in European cities", (2021) *Nature Communications*, 6763.

[56] https://ec.europa.eu/environment/system/files/2021-01/Green%20City%20Accord%20political%20commitment.pdf.

[57] En septiembre de 2021, 73 ciudades habían firmado el acuerdo.

[58] En el momento de escribir esto se habían sumado las siguientes ciudades españolas: A Coruña, Alicante, Huelva, Las Rozas De Madrid, Logroño, Madrid, Murcia, Sevilla, Soria, Tortosa, Valencia, Valladolid, Vitoria-Gasteiz y Zaragoza.

[59] Las otras medidas a adoptar son: Aumentar la extensión y/o la calidad de la infraestructura verde en nuestras ciudades para ofrecer una serie de beneficios a los ciudadanos y a la biodiversidad y para reconectar las zonas verdes urbanas y periurbanas; ampliar el uso de soluciones basadas en la naturaleza para aumentar la resiliencia frente al cambio climático y abordar problemas urbanos como las olas de calor, las inundaciones, la contaminación del aire y del agua y el ruido; garantizar que los nuevos proyectos de infraestructuras urbanas tengan una contribución neta positiva para la biodiversidad; evitar un mayor sellado del suelo siempre que sea posible y establecer normas estrictas para compensar los impactos ambientales negativos en los casos en que el sellado del suelo sea inevitable; eliminar el uso de plaguicidas y limitar las prácticas de gestión perjudiciales para la biodiversidad en las zonas verdes urbanas; prevenir la introducción y propagación de especies exóticas invasoras en las zonas urbanas; apoyar las comunidades ricas en especies de polinizadores silvestres en las zonas urbanas; concienciar sobre los beneficios de la naturaleza y animar a los ciudadanos a actuar; identificar áreas en nuestras ciudades y sus alrededores con potencial para la restauración de ecosistemas y/o la plantación de árboles para contribuir a los objetivos de mitigación del cambio climático y de restauración de la biodiversidad en toda la UE; contribuir a la protección y gestión efectivas de los espacios

de aplicación general: (a) Establecer niveles de referencia y fijar objetivos ambiciosos en un plazo de dos años, superando los requisitos mínimos establecidos por la legislación de la UE2; (b) aplicar políticas y programas, de forma integrada, para alcanzar nuestros objetivos en 2030; y (c) informar periódicamente sobre la aplicación y los avances. La cuestión de fondo que suscita todo lo anterior es si los entornos urbanos van a ser capaces de integrar requisitos básicos de protección de la biodiversidad, aparte de adaptación al cambio climático, cuando las infraestructuras existentes evidencian su desfase respecto de los tiempos presentes y la presión que aquel está ya ejerciendo.

VI. COMENTARIOS CONCLUSIVOS

La biodiversidad (hábitats, especies y su variabilidad) como, en general, el medio ambiente, carecen de voz. A pesar de que el Convenio sobre la Diversidad Biológica (CDB) hable del valor "intrínseco de la biodiversidad," se aprecia que esta sigue quedando relegada a una confusa integración en otras políticas. Esto es apreciable en el CDB que, a pesar de establecer una presunción eco-céntrica, incide en la consideración de la biodiversidad como recurso. La conservación de la biodiversidad es de "interés común de toda la humanidad", pero se ve sujeta a una evidente tensión entre el hecho de que trascienda de las fronteras de los Estados[60], y el reconocimiento de que "los Estados tienen el derecho soberano de explotar *sus propios recursos* en aplicación de *su propia política ambiental*"[61]. Esta conceptuación de la biodiversidad como recurso está presente en las propias estrategias de conservación (como sucede con la de la UE), que inciden en la estrecha conexión entre "nuestra economía" y la biodiversidad como "capital natural"[62].

[ ] urbanos de Natura 2000 y otras zonas protegidas en beneficio de la naturaleza y de nuestros ciudadanos.

[60] Art. 4.b) CDB.

[61] Art. 3 CDB, cursiva añadida.

[62] COM(2011) 244 final, Comunicación de la Comisión al Parlamento Europeo, al Consejo, al Comité Económico y Social Europeo y al Comité de las Regiones, "Estrategia de la UE sobre la biodiversidad hasta 2020: nuestro seguro de vida y capital natural", p. 1.

La biodiversidad se enfrenta a una seria brecha de conocimiento que afecta de manera evidente a la determinación jurídica de categorías y obligaciones de resultado como el estado de conservación favorable o la evitación de alteraciones y deterioro. A pesar de que el método científico siempre comporte un grado, mayor o menor, de incertidumbre, resulta evidente que no se aprecia una mejora de esta materia. Tampoco se observa que desde las instituciones europeas se obligue, jurídicamente hablando, a reducir la brecha del desconocimiento.

Por otra parte, así como el proceso de clasificación de áreas protegidas ha avanzado de manera evidente, a pesar del retraso en el contexto marino, la gestión sigue siendo una asignatura pendiente, tanto por la ausencia de una normativa más específica como, sobre todo, porque los instrumentos de gestión no dan paso a la adopción de medidas prioritarias en el campo del cambio climático. A esta necesidad se une el obligado involucramiento de aquellas personas que se ven afectadas por las designaciones y las medidas de gestión y cuya participación es ciertamente precisa.

La implantación de instalaciones de energías renovables constituye un reto muy exigente, al ser una punta de lanza en la lucha contra el cambio climático, pero también por su afección a los hábitats y especies. El carácter silvestre de las mismas implica, en especial, que no solo sean objeto de protección determinadas zonas sino, como ha indicado el TJUE, sus "espacios de paso"[63], lo que resulta de importancia para las aves silvestres. Como en otros ámbitos del derecho, aquí se plantea un conflicto cuya resolución no siempre es sencilla y que habrá que analizar en los próximos tiempos a la luz de las nuevas propuestas desde la UE que pretenden simplificar el procedimiento de autorización, pero también los posibles controles jurídicos sobre tales proyectos.

La EB30 ha recogido ambiciosos objetivos con la finalidad de revertir el proceso de degradación de la biodiversidad, incluyendo el de restauración. Este ya estaba consagrado en la DAS en 1979, pero ha sido olvidado o, en el mejor de los casos, orillado frente a otros objetivos que tampoco han logrado alcanzarse. Como en otras áreas

---

[63]   Asunto 252/85, *Comisión v. Francia*, ECLI:EU:C:1988:202, apt. 15.

del derecho ambiental, el panorama no es blanco o negro, sino que ofrece distintas variaciones del gris. Los retos son evidentes, pero no lo es tanto la voluntad de hacerlos efectivos, a través de mecanismos objetivos que no dilaten, para una fecha posterior, lo que es preciso lograr en el momento actual.

Capítulo 2
Proteger la Biodiversidad y el sistema climático ¿Misión imposible? La contribución de los contenciosos climáticos

MARTA TORRE-SCHAUB
Directora-catedrática de investigación
Université Paris 1
Pantheón-Sorbonne

I. INTRODUCCIÓN

Este estudio propone estudiar la necesidad de adoptar una visión sistémica de la protección de la biodiversidad y de la lucha contra el cambio climático. Se analizarán aquí las modalidades para implementar dicha metodología, revistiendo esta, una importancia epistemológica, tal y como estudiaremos.

Partiremos de la premisa siguiente: para "estabilizar" el sistema climático, evitando así un calentamiento global de más de 2°C, preconizados por el IPCC y establecidos como límite máximo por el Acuerdo de París[1], es necesario tener en cuenta la necesidad paralela de proteger la biodiversidad.

Si bien es cierto que alcanzar un desarrollo tecnológico tal, en un futuro, que permitiera reducir y disminuir los gases de efecto invernadero que existen en la atmósfera en cantidades excedentarias, y que causan actualmente un calentamiento ya irreversible y peligroso, no es menos cierto que esas técnicas aún no existen. No han sido aún desarrolladas en condiciones de certidumbre y escaso peligro para la humanidad y el planeta. Por otro lado, no se ha probado aún su completa fiabilidad. Por último, no resulta razonable dejar en ma-

---

[1]	Acuerdo de París 2015, en el marco del Tratado marco de la Naciones Unidas para el cambio climático, UNFCC https://unfccc.int/sites/default/files/spanish_paris_agreement.pdf.

nos de una técnica, aún no completamente desarrollada y probada, la captación de CO_2, hasta el punto que ya no fuera necesario seguir actuando sobre las medidas de atenuación de emisiones de gases de efecto invernadero.

Hasta el momento, y aun teniendo en cuenta el hecho de que fuera posible revertir la trayectoria actual de emisiones mundiales hasta el punto de llegar a reducirlas de aquí al año 2050 para alcanzar la "neutralidad carbono", uno de los mejores métodos de reducción de CO_2 es el de basarse en las denominadas "soluciones basadas en la naturaleza". Estas soluciones vienen dadas por la capacidad de los bosques y otros "pozos absorbentes de CO_2" a captar este último y así contribuir lo más posible a reducir las emisiones causantes del calentamiento global.

Según puede leerse en el informe Biodiversidad y bienestar humano[2], "La vida y, por lo tanto, la biodiversidad, está presente a lo largo y ancho de la superficie de la Tierra y en todas y cada una de las gotas que se encuentran en sus aguas".

Aunque la información disponible no ofrece con frecuencia una visión precisa de la amplitud y distribución de todos los componentes de la biodiversidad, sí proporciona ésta aproximaciones de gran utilidad. La Tierra puede dividirse en ocho reinos biogeográficos que, a grandes rasgos, comparten una evolución biológica similar. Existen diferencias notables en la composición de especies entre los diferentes reinos. Se pueden hacer cálculos aproximados del ritmo de extinción de las especies basados en el conocimiento actual sobre la evolución de la biodiversidad en el tiempo. La historia de la vida está marcada por cambios considerables. Los fósiles permiten calcular el ritmo de extinción de especies que fueron lo suficientemente abundantes y grandes como para dejar fósiles.

Actualmente, señala dicho informe, existe un desajuste entre la dinámica de los cambios en los sistemas naturales y la reacción del hombre ante estos cambios[3]. Esto se debe a que los cambios en los

---

[2]   Informe de evaluación del Milenio para el ecosistema y el bienestar, 30 de mayo 2005 https://www.millenniumassessment.org/es/Synthesis.html.

[3]   Síntesis del Informe ibid, pp. 24 y s. https://www.millenniumassessment.org/documents/document.356.aspx.pdf.

ecosistemas tardan un tiempo en hacerse patentes, a la complejidad de la interacción entre los sistemas socioeconómico y ecológico, y a la dificultad para predecir los umbrales —también llamados "límites planetarios"[4]— a los que se producirán cambios rápidos o repentinos. Traspasar un umbral determinado puede provocar cambios rápidos e importantes en la biodiversidad y en los beneficios que el ecosistema proporciona al hombre. Uno de los más importantes y que aquí nos interesa particularmente, a efectos de ilustrar estas páginas, es la regulación del sistema climático que produce la biodiversidad. A mayor y mejor estado de la segunda, mayor equilibrio del primero. Evitar una descompensación del sistema climático es pues una función esencial de la biodiversidad. Por ello, es necesario contemplar ambas cuestiones de forma sistémica y holística.

La Declaración de Estocolmo sobre el medio ambiente redactada durante la Conferencia mundial de 1972 organizada por las Naciones Unidas[5], estipula que los determinantes ecológicos de la salud de La Tierra son el Oxígeno, el Agua, los Alimentos, los Materiales Combustibles, la Protección contra la radiación UV, la Descomposición y el reciclaje de residuos y un clima relativamente estable y benigno.

En la década de los años 1980, James Lovelock propuso la teoría de Gaia por la cual se enuncia que "la Tierra es un sistema autorregulado capaz de mantener el clima y la composición química necesarios para los organismos". Dicha teoría contempla la unicidad sistémica explicando que "el sistema de la Tierra se comporta como un sistema único y autorregulado formado por componentes físicos, químicos, biológicos y humanos"[6].

Seguirá la 30ª Conferencia organizada por la UNESCO sobre la Ciencia del Sistema Tierra en 1999 por la que se declara que: "La función inherente al quehacer científico consiste en estudiar de manera sistemática y profunda la naturaleza y la sociedad para obtener nuevos conocimientos. Estos nuevos conocimientos, fuente de enriqueci-

---

4   Mon entrée dictionnaire, ouvrage à venir.
5   https://www.un.org/es/conferences/environment/stockholm1972.
6   Lovelock, James. Gaia, una nueva visión de la vida sobre la Tierra.Barcelona: Ediciones Orbis, 1985, 185 p.

miento educativo, cultural e intelectual, generan avances tecnológicos y beneficios económicos. La promoción de la investigación fundamental y orientada hacia los problemas es esencial para alcanzar un desarrollo y un progreso endógenos"[7].

Pero será el informe sobre la Evaluación de los Ecosistemas del milenio publicado en 2005[8] y ya citado quien establecerá de forma clara las conexiones necesarias entre los distintos ecosistemas: el del sistema climático y la protección de la biodiversidad, a través de instrumentos combinados: mejora de los procesos de evaluación e impacto, mejora de los procesos de consulta e información, así como la noción de servicio ecosistémico. No obstante, las herramientas jurídicas potenciando una visión holística siguen siendo escasas, tardías y con escaso poder coercitivo.

Estas observaciones nos llevan a plantear en estas páginas la cuestión de la difícil compatibilidad de los instrumentos jurídicos que permiten la protección paralela del clima y de la biodiversidad (I). La relación biodiversidad y clima implica pues, para una protección de ambos, avanzar hacia una visión transversal y sistémica. Proponemos aquí algunas pistas que emergen aquí y allá gracias a los llamados "litigios climáticos"[9] (II).

---

[7]   Declaración sobre la Ciencia y el Uso del Saber Científico y Programa en Pro de la Ciencia: Marco General de Acción https://unesdoc.unesco.org/ark:/48223/pf0000116994_spa.

[8]   https://www.millenniumassessment.org/documents/document.439.aspx.pdf.

[9]   M. Torre-Schaub y P. Bozo, "Contenciosos climáticos", in M. Torre-Schaub, A. Jezequel et al. (dir.) *Dictionnaire Juridique du changement climatique*, París, Mare & Martin, 2022; M. Torre-Schaub, "Les contentieux climatiques: du passé vers l'avenir", *Revue Française du Droit Administratif*, n° 1 enero-febrero 2022, pp. 1-12; B. Soro Mateo y M. Torre-Schaub, Justicia climática, Luces y sombras, Tirant lo Blanch, Valencia, 2020; M. Torre-Schaub, "Les procès climatiques à l'étranger" in *Le juge administratif et le changement climatique*, Dossier spéc., *Revue Française de Droit Administratif*, julio-agosto 2019; M. Torre-Schaub et B. Lormeteau, (dir.). Dossier *Les recours climatiques en France*, Revue *Energie Environnement Infrastructures* n° 5, mayo 2019, pp. 12-45.

II. PROTEGER LA BIODIVERSIDAD Y EL CLIMA, ¿UNA NECESIDAD INCOMPATIBLE?

La noción de "servicio ecosistémico" puede aportar luz para saber si existen herramientas del derecho capaces de ponerse al servicio de una protección holística. Los servicios del ecosistema son los beneficios que las personas obtienen, así como, al final de cada ciclo, el propio ecosistema[10]. Cabe destacar, entre otros:

– Los Servicios de aprovisionamiento: alimentos, agua limpia, madera, fibra, recursos genéticos, etc.

– Los Servicios de regulación: por ejemplo del clima, las inundaciones, las enfermedades y la polinización.

– Los Servicios culturales: recreativos, estéticos, espirituales, etc.

– Los Servicios de apoyo: como la formación del suelo y el ciclo de nutrientes.

Vemos bien la diversidad de servicios prestados y también la manera "cruzada", "transversa" y "plurifuncional" que estos elementos aportan al servicio de la regulación del sistema climático para alcanzar una estabilidad e impedir la agravación del calentamiento global. Así por ejemplo, el agua, la formación del suelo, la polinización, son servicios pertenecientes a distintos grupos pero todos contribuyen a regular la estabilidad climática. Esta diversidad de funciones y servicios deja entrever la gran complejidad que supone la puesta en práctica de una protección cruzada, a través de instrumentos jurídicos que pudiera cumplir la doble función. No existen instrumentos jurídicos suficientemente "transversales" como para poner esta necesidad sistémica de relieve y ponerla en práctica con útiles manejables hoy en día. Tenemos pues que avanzar con aquello de lo que disponemos, es decir, combinando útiles y técnicas jurídicas. No siendo siempre, de hecho, dichos instrumentos compatibles entre sí. Concretamente, la necesidad de adoptar una visión de conjunto y sistémica aunque ya es reconocida desde 1972 a nivel internacional, no abundan, por no

---

[10]   Ver, J. Jordano Fraga "Servicios ecosistémicos" in M. Torre-Schaub, A. Jezequel et al. (dir.) *Dictionnaire Juridique du changement climatique*, París, Mare & Martin, 2022 https://www.gob.mx/semarnat/es/articulos/servicios-ambientales-o-ecosistemicos-esenciales-para-la-vida?idiom=es.

decir que son inexistentes, herramientas precisas, como un tratado "transversal" o "global" por ejemplo, excepto algunos que son meramente declarativos[11].

A nivel de la Unión Europea, si el reconocimiento "teórico" de adoptar une visión sistémica aparece tempranamente, desde el tratado de la Unión, los instrumentos que se han creado a ese nivel son más bien sectorizados. Algunos ejemplos son las directivas Natura 2000[12], las directivas impacto, las directivas sobre la prevención de riesgos, etc.

Desde una perspectiva de derecho interno, en Francia la cuestión sigue ofreciendo soluciones relativamente parciales y sectorizadas. No obstante podemos apuntar algunas disposiciones legislativas y de planificación que tienen como objetivo el de "conectar" a la naturaleza entre sí, a diversos ecosistemas, con el fin de crear un medio ambiente global a nivel nacional, en coherencia con una visión sistémica de la protección. En este sentido podemos citar la Ley sobre la reconquista de la biodiversidad de agosto de 2016. También la creación de las llamadas Tramas azules con el fin de conectar los ecosistemas acuáticos, o las Tramas verdes para conectar a la biodiversidad, son algunos ejemplos de estos intentos. No existe hasta hoy, no obstante, una herramienta jurídica precisa llamando a compaginar la protección de la biodiversidad y la del clima, por ejemplo. Más bien al contrario, puede observarse que en la puesta en práctica de las disposiciones regulatorias sobre la protección de la biodiversidad, algunos dispositivos

---

[11]   P.ej. el Informe anual del UNEP (programa ambiental de las Naciones Unidas) de 2004.

[12]   Directive 92/43/CEE du Conseil, du 21 mai 1992, concernant la conservation des habitats naturels ainsi que de la faune et de la flore sauvages; Directiva 2000/60/ CE del Parlamento Europeo y del Consejo, de 23 de octubre de 2000, por la que se establece un marco comunitario de actuación en el ámbito de la política de aguas; Directiva 2008/56/CE del Parlamento Europeo y del Consejo, de 17 de junio de 2008, por la que se establece un marco de acción comunitaria para la política del medio marino (Directiva marco sobre la estrategia marina) (Texto pertinente a efectos del EEE); Directiva 2009/31/CE del Parlamento Europeo y del Consejo, de 23 de abril de 2009, relativa al almacenamiento geológico de dióxido de carbono y por la que se modifican la Directiva 85/337/CEE del Consejo, las Directivas 2000/60/CE, 2001/80/CE, 2004/35/CE, 2006/12/CE, 2008/1/CE y el Reglamento (CE) n o 1013/2006 del Parlamento Europeo y del Consejo (Texto pertinente a efectos del EEE), entre otras.

podrían aumentar la producción de emisiones de gas carbono o de metano, por ejemplo. En otras disposiciones relativas a la protección contra el cambio climático, como por ejemplo la instalación de turbinas eólicas, se podría dañar al paisaje o a algunas especies animales de ciertas aves. Estos son algunos ejemplos de la falta de coherencia o al menos del problema de compatibilidad que se puede originar si utilizamos herramientas parciales o sectoriales para la protección de la biodiversidad y del clima, separadamente.

El "conflicto de normas" así creado, bien conocido del administrativista, en sí, no es nuevo y podría ser resuelto ya fuera por la administración, *ex ante*, procediendo a un examen de la cuestión y a un arbitraje de intereses a proteger, ya bien *ex post*, por el juez mismo, procediendo a su vez a un examen de proporcionalidad o a la aplicación de un análisis "coste-beneficio". Resultaría no obstante difícil proceder a dicho balance o examen, al menos *ex post* por el juez, sin tener directivas precisas sobre "qué interés debería primar". Al respecto, no existen declaraciones de interés publico u otro tipo de orden jerárquico que pueda dar pistas.

En Francia, encontraríamos por ejemplo por un lado la declaración (sin poder de coerción hasta el día de hoy) de la "emergencia climática", que aparece incluso en el preámbulo de la ley sobre la protección del clima de 2021. Pero también se le podría oponer la citada ley sobre la reconquista de la biodiversidad de 2016, siendo esta última anterior en fecha, pero no existiendo hasta hoy ninguna doctrina o línea jurisprudencial clara sobre la regulación de dicho conflicto de intereses o de leyes, en caso de darse en la práctica.

Sí existen jurisprudencias abundantes sobre el conflicto entre la promoción de energías renovables (como las eólicas) y la protección del paisaje, por ejemplo. Dándose en general prioridad a la promoción de las energías, tanto más cuanto, dadas las circunstancias actuales de carencia energética y crisis en toda Europa de dicha fuente.

Además de los conflictos que de un modo general se vienen presentando desde hace ya varios años entre diferentes tipos de intereses ambientales, dos ejemplos se presentan de modo acuciante hoy, dada precisamente por un lado la "emergencia climática" pero igualmente, teniendo en cuenta el "servicio ecosistémico" que la biodiversidad presta a la supervivencia del planeta y sus habitantes y de por sí a la regulación del sistema climático. Por un lado veremos el caso de los bosques (A), y por otro el de los ecosistemas acuáticos (B).

1. El ejemplo de los bosques

Los bosques plantean varias problemáticas que hacen aun más difícil determinar el modo de protegerlos teniendo en cuenta argumentos relacionados con su rica biodiversidad y con sus funciones para la regulación del clima.

Es sobre todo en torno a la cuestión de la temporalidad y de la incompatibilidad de soluciones que el ejemplo de los bosques nos resulta particularmente ilustrativo de estos conflictos. Los bosques son considerados las primeras "víctimas" del cambio climático. No obstante, juegan un papel esencial en la atenuación del calentamiento del planeta.

Ese papel esencial con respecto al clima aparece subrayado en diversos textos como el Acuerdo de París 2015 o el Libro Blanco de la Sociedad botánica de 2019[13]. Varios problemas concretos surgen del análisis de diferentes textos y documentos aferentes a la cuestión cruzada de los bosques y del cambio climático. Entre ellos caben destacar:

1.1. Los Servicios ecosistémicos

Según los diferentes textos estudiados, se plantea sobre todo conservar a nivel europeo y nacional la superficie arbórea. Se pone de manifiesto la necesidad de vigilar que no se reemplacen árboles por otros vegetales. Se tiene en cuenta, al mismo tiempo, la preservación de la capacidad de producción del sector de la "madera" para producir biomasa —como combustible renovable—. Al mismo tiempo, se pone de relieve la capacidad de absorción de CO_2.

---

[13]   Livre Blanc de la Société botanique sur l'introduction des espèces exotiques en forêt 2019 https://societebotaniquedefrance.fr/2021/12/14/la-societe-botanique-de-france-publie-un-livre-blanc-sur-lintroduction-dessences-exotiques-en-foret/.

1.2. La introducción de especies exóticas (Eexo)[14] para luchar contra el estrés hídrico y conservar la superficie arbórea

Se contempla en el libro blanco citado, y dado que la superficie y calidad de los bosques en Francia y en general en Europa ha disminuido peligrosamente, la introducción de especies exóticas de arboles con el fin de repoblar. Se defiende así la tesis que consiste en mantener que la repoblación debe hacerse sea cual sea la consecuencia de la introducción de especies exóticas, no habituales en Europa. El libro blanco recoge los distintos peligros tanto para la biodiversidad como para el servicio prestado por los bosques a la protección del clima.

Recogemos aquí algunos de los resultados, no siendo estos favorables a ambas protecciones y poniendo bien de manifiesto la incompatibilidad entre ambos.

V + T = degradación biodiversidad y CC

EExo V1+T= atenuación degradación biodiversidad

EExo V1+T1 = atenuación mínima del CC y degradación máxima de la biodiversidad

Necesidad de evaluar impacto de estas EExo y utilizar el PP

Necesidad de evaluar a la vez el "nicho" ecológico y el "nicho" climático (V1+T1+Adaptación durable según el GIEC)

1.3. Evitar los efectos "en cascada"

La cuestión de la inflamabilidad de los bosques —aún más desde el verano 2022 particularmente virulento por los incendios devastadores en toda Europa y por primera vez en mucho tiempo en numerosos puntos del hexágono francés— es otro de los puntos señalados por el libro blanco, poniendo de relieve su gran fragilidad. Lo mismo ocurre con el aumento de la frecuencia y fuerza de los llamados en las ciencias climatológicas como "fenómenos extremos", que destruyen bosques enteros incluso con árboles centenarios y bien enraizados. El resultado es un balance hasta ahora poco convincente sobre la ma-

---

[14] Eexo: Especies exóticas. Utilizamos aquí unas fórmulas realizadas por nosotros ©Marta Torre-Schaub que resumen el contenido del Libro blanco:
V= velocidad; T= tiempo; CC = cambio climático; PP= principio de precaución.

nera de proteger al mismo tiempo un bosque europeo relativamente vivaz y útil a la par para la biodiversidad y los diferentes servicios prestados por esta y para la protección del clima.

2. El ejemplo del agua

El ejemplo de los ecosistemas acuáticos pone también, al igual que el caso anterior, de relieve la difícil compatibilidad de "objetivos", "funciones" e "intereses" a proteger. La existencia de las tramas azules desde el 2007 son el resultado de la transposición de la directiva "agua"[15] y como fruto de las reuniones ambientales "Estados Generales del medio ambiente" reunidos en el mismo año en el Ministerio de la ecología y medio ambiente en la rue de Grenelle en París[16]. Las llamadas "Leyes Grenelle I" de transposición de la directiva marco sobre el agua de 2006 y las "Leyes Grenelle II" de 2015, incorporan la noción de "continuidad ecológica"[17] como resultado de la segunda transposición de la directiva europea.

No obstante estos textos que constituyen el nudo de la protección de los medios acuáticos en Francia, la preferencia viene dada últimamente, según resalta en algunas decisiones jurisprudenciales, a la urgencia climática y al objetivo de alcanzar la neutralidad carbono en el año 2050. Esta nueva doctrina, por así decirlo, queda reflejada en varias decisiones aferentes a la necesidad de apoyar el desarrollo de energías alternativas y sostenibles, que promueven el desarrollo de molinos de agua en algunos cursos de agua, con el fin de producir electricidad sostenible, y ello, en detrimento de la fauna y flora y los ecosistemas acuáticos en los que dichos molinos se instalan[18]. En este contexto, se planteó recientemente un recurso ante el Conseil Constitutionnel —Tribunal constitucional— por la vía de la "cues-

---

[15]   Directiva 2000/60/CE del Parlamento Europeo y del Consejo, de 23 de octubre de 2000, por la que se establece un marco comunitario de actuación en el ámbito de la política de aguas.

[16]   https://www.vie-publique.fr/eclairage/268585-le-grenelle-de-lenvironnement-quels-engagements.

[17]   Code de l'environnement, artículo L 214-18-1; Ver también https://continuite-ecologique.fr/.

[18]   https://www.lagazettedescommunes.com/794497/moulins-a-eau-le-conseil-detat-transmet-une-qpc-sur-la-continuite-ecologique/.

tión prioritaria de constitucionalidad" (QPC) el 13 mayo 2022 para preguntar a dicho tribunal si debía darse prioridad a la capacidad de producción de energía hidráulica en detrimento de la biodiversidad y del recurso natural del agua y de la protección de los ecosistemas del agua[19].

En una decisión del 8 de marzo, el Consejo de Estado transmitió al Consejo Constitucional una cuestión prioritaria de constitucionalidad (QPC) relativa al artículo L. 214-18-1 del Código del Medio Ambiente —code de l'environnement—. Esta QPC se planteó en el marco de un llamamiento iniciado por varias asociaciones de protección del medio ambiente (France Nature Environnement, Eau et Rivières de Bretagne, Sources et Rivières du Limousin, etc.), que piden la derogación de este artículo y la aplicación de la continuidad ecológica y sedimentaria a todas las estructuras construidas en los ríos.

Según este artículo, "los molinos de agua equipados por sus propietarios, por terceros delegados o por las autoridades locales para producir electricidad, regularmente instalados en los cursos de agua, partes de cursos de agua o canales mencionados en el 2º del I del artículo L. 214-17, no están sujetos a las normas definidas por la autoridad administrativa mencionada en el mismo 2º. Este artículo solo se aplica a los molinos existentes en la fecha de publicación de la ley nº 2017-227 de 24 de febrero de 2017.

En virtud de este artículo L. 214-17, tras recibir el dictamen de los consejos departamentales interesados, de los establecimientos públicos territoriales de la cuenca en cuestión, de los comités de cuenca y, en Córcega, de la Asamblea de Córcega, la autoridad administrativa establece, para cada cuenca o subcuenca, una lista de los cursos de agua, partes de cursos de agua o canales en los que es necesario garantizar el transporte suficiente de sedimentos y la circulación de los peces migratorios. Toda estructura debe ser gestionada, mantenida y equipada según las normas definidas por la autoridad administrativa, en consulta con el propietario o, en su defecto, con el explotador,

---

[19] En una decisión del 8 de marzo, el Consejo de Estado transmitió al Consejo Constitucional una cuestión prioritaria de constitucionalidad (CPC) relativa al artículo L. 214-18-1 del Código del Medio Ambiente. CE, 28 juillet 2022, sarl les vignes, nº 443911,_https://www.conseil-constitutionnel.fr/sites/default/files/2022-03/2022991qpc_saisinece.pdf.

sin que se cuestione su uso actual o potencial, en particular para la producción de energía. En lo que respecta a los molinos de agua en particular, el mantenimiento, la gestión y el equipamiento de las estructuras de retención son los únicos métodos previstos para cumplir las obligaciones relativas al paso de los peces migratorios y al transporte adecuado de los sedimentos, con exclusión de todos los demás, en particular los relativos a la destrucción de estas estructuras.

La decisión del Consejo Constitucional valida este régimen. Los artículos 1 a 4 de la Carta del Medio Ambiente —Charte de l'environnement— rara vez se han utilizado en casos como éste, en lo que se trata más de consolidar una excepción que de organizar una nueva regresión.

Si el Consejo Constitucional ha establecido de manera general que la preservación del medio ambiente debe buscarse de la misma manera que los demás intereses fundamentales de la Nación y que las opciones destinadas a satisfacer las necesidades del presente no deben comprometer la capacidad de las generaciones futuras para satisfacer sus propias necesidades (decisión nº 2022-843 DC de 12 de agosto de 2022), el Consejo constitucional sigue siendo muy flexible a la hora de encontrar diferencias de situación que justifiquen diferencias de trato, especialmente cuando entran en juego motivos de interés general (producción hidroeléctrica existente o potencial, etc.). La cuestión sigue pues planteada y dado el problema energético general que vive Europa en este momento, es posible que el Consejo no adopte una actitud en la cual la balanza se incline hacia la preservación de los ecosistemas acuáticos. Es necesario pues seguir de cerca la evolución jurisprudencial de este punto.

3. Nuevas pistas: el "perjuicio ecológico puro" y los "litigios climáticos"

Una de las pistas posibles que aparecen es aquella propuesta por la Ley de la reconquista de la biodiversidad de 2016[20], no tanto en

---

[20]   LOI nº 2016-1087 du 8 août 2016 pour la reconquête de la biodiversité, de la nature et des paysages, https://www.legifrance.gouv.fr/loda/id/JORFTEXT000033016237/.

el mismo texto sino en su aplicación e interpretación jurisprudencial, viene dada por la vía de la responsabilidad civil[21]. Se recoge en esta ley la nueva figura del daño ecológico[22]. Dicho perjuicio, en términos de la ley que modifica el código civil en su título sobre la responsabilidad civil, extiende esta a la responsabilidad por haber causado un daño ecológico[23]. Dicho daño puede ser entendido no solo a aquel causado a la biodiversidad sino a todo ecosistema, como por ejemplo la atmósfera, en el caso del cambio climático[24]. Este presupuesto, que se ha puesto en práctica con éxito en una reciente decisión jurisprudencial[25], abre así el camino a otras soluciones satisfactorias que vienen propuestas por la vía judicial en los llamados "litigios climáticos"[26].

---

[21] Code civil Livre III: Des différentes manières dont on acquiert la propriété (Articles 711 à 2278), Titre IV ter: De la réparation du préjudice écologique (Articles 1386-19 à 1386-25):
"Est réparable, dans les conditions prévues au présent titre, le préjudice écologique consistant en une atteinte non négligeable aux éléments ou aux fonctions des écosystèmes ou aux bénéfices collectifs tirés par l'homme de l'environnement".
Traducción no oficial: "Los daños ecológicos consistentes en perjuicios no despreciables a los elementos o funciones de los ecosistemas o a los beneficios colectivos que el hombre obtiene del medio ambiente serán indemnizables en las condiciones establecidas en el presente Título".

[22] G. J. Martin, "Le préjudice écologique dans le code civil. Réflexions autour du nouveau régime de réparation du préjudice écologique introduit par la loi «Biodiversité»", *Mélanges F. Collart-Dutilleul*, Dalloz 2017, pp. 415-421.

[23] *La réparation du préjudice écologique en pratique*, Rapport sous la direction de L. Neyret, Association des professionnels du contentieux économique et financier, 2016; Y. Jegouzo (dir.), *Pour la réparation du préjudice écologique* 2013

[24] M. Torre-Schaub, "La construction d'une responsabilité climatique au prétoire: vers un changement de paradigme de la responsabilité climatique?", *Revue Energie Environnement Infrastructures* n° 8-9, agosto 2018, dossier 25.

[25] Oxfam France, Greenpeace France *et al.* "affaire du siècle", TA París 3 febrero 2021 N° 1904967, 1904968, 1904972, 1904976/4-1 y 14 diciembre 2021 N° 1904967, 1904968, 1904972, 1904976/4-1.

[26] M. Torre-Schaub, "Le préjudice écologique au secours du climat. Ombres et lumières", Etude, *JCP ed G* LexisNexis, n° 11, 15 de marzo 2021, 305, pp. 520-527; M. Torre-Schaub y P. Bozo, "L'affaire du siècle; M. Torre-Schaub, "L'affaire du siècle, une révolution pour le droit? A propos de la décision du TA du 3 février 2021", Aperçu rapide, *JCP éd G*, LexisNexis, Mars 2021.

III. PROTEGER LA BIODIVERSIDAD Y EL CLIMA: LOS "LITIGIOS CLIMÁTICOS" COMO *IN PUT*

Los litigios climáticos son aquellos que tienen por objeto la cuestión climática, ya sea por la vía del contencioso administrativo o por el camino judicial civil o penal. Destacan algunos de estos litigios por su capacidad de propuesta de soluciones innovadoras y protectoras de los ecosistemas en su versión holística, alcanzando así una protección global del clima y de la biodiversidad.

Los primeros ejemplos aparecen en América Latina, continente pionero de la protección sistémica de la naturaleza (A), para luego llegar a Europa, ya sea en los contenciosos climáticos que tienen por objetivo la protección del clima, ya sea en aquellos que tienen como objeto de protección la biodiversidad, pero que alcanzan también, proteger el clima (B).

1. *El enfoque de América Latina, pionera de una protección sistémica*

Una de las decisiones mas emblemáticas de la corriente "holística" de los litigios climáticos es la que emana de la Corte Suprema de Bogotá el 5 de abril de 2018[27].

Así, puede leerse en la descripción que la propia Corte suprema hace de su decisión, como tras advertir el alarmante incremento del 44% en la deforestación en la región —de 56.952 a 70.074 hectáreas entre 2015 y 2016— y que el Estado no ha enfrentado eficientemente esta problemática ambiental, la Corte Suprema de Justicia ordenó a la Presidencia de la República y a las demás autoridades nacionales, regionales y municipales involucradas en esta responsabilidad, adoptar un plan de acción de corto, mediano y largo plazo para proteger a la Amazonia Colombiana"[28].

Entre las acciones ordenadas, la Sala de Casación Civil dispone la elaboración del "Pacto Intergeneracional por la Vida del Amazonas

---

[27] Tribunal de Justicia, Corte suprema Bogotá, Colombia, 5 de abril 2018, STC 4360-2018 Repositorio n° 11001-22-03-000-2018-00319-01.
[28] https://cortesuprema.gov.co/corte/index.php/2018/04/05/corte-suprema-ordena-proteccion-inmediata-de-la-amazonia-colombiana/.

Colombiano-PIVAC" para reducir a cero la deforestación y los gases efecto invernadero, la incorporación de componentes de preservación medioambiental en los planes municipales de ordenamiento territorial, y la ejecución efectiva de medidas policíacas, judiciales y administrativas por parte de las tres corporaciones autónomas regionales con jurisdicción en el territorio amazónico.

En el estudio adelantado para conceder la tutela de los derechos a gozar de un ambiente sano, vida y salud de un grupo de 25 niños, niñas, adolescentes y jóvenes representados por el director del Centro de Estudios de Justicia, la Corte Suprema estableció que el Estado colombiano no había enfrentado eficientemente la problemática de la deforestación en la Amazonia, pese a haber suscrito numerosos compromisos internacionales y a existir en el país suficiente normativa y jurisprudencia sobre la materia.

Según la providencia, adoptada en decisión mayoritaria de la Sala de Casación Civil, las CAR no estaban cumpliendo sus funciones de evaluar, controlar y monitorear los recursos naturales, ni de sancionar la violación de normas de protección ambiental. La deforestación, explica la Corte, ocurre en lugares bajo la tutela de Parques Nacionales Naturales de Colombia —PNN—; departamentos como Amazonas, Caquetá, Guaviare y Putumayo también incumplen las funciones de protección ambiental, y municipios del área amazónica concentran altos niveles de deforestación sin contrarrestar esa situación.

Con estos y otros elementos de juicio proporcionados por investigaciones del IDEAM y el propio Ministerio de Ambiente y Desarrollo Sostenible, la Corte determinó el nexo causal entre la afectación de los derechos fundamentales de los accionantes de la tutela, y en general las personas residentes en el país, con el cambio climático generado por la reducción progresiva de la cobertura forestal, causada por la expansión de la frontera agrícola, los narco cultivos, la minería ilegal y la tala ilícitas de los bosques de la región.

No obstante el gran impacto a nivel mundial que tuvo esta decisión, en Europa, y en ausencia de una visión constitucional global que permita ejercer acciones de "tutela" para la naturaleza o los ecosistemas, ¿otras vías aparecen, más apegadas a herramientas de derecho existentes ya en nuestros sistemas jurídicos?

2. El enfoque a través del "daño ecológico puro" y el derecho de la responsabilidad en el contencioso climático francés

El primer y hasta el momento más prometedor contencioso característico de esta corriente emergente es el contencioso climático denominado "l'affaire du siècle" (el caso del siglo)[29].

El Tribunal Administrativo de París dictó una sentencia de fallo preliminar ("avant dire droit") el 3 de febrero de 2021 en el "affaire du siècle", que da un impulso definitivo a los litigios sobre el clima en Francia[30]. Los jueces han dado muestras de rigor y audacia, al tiempo que se dicta una sentencia llena de matices y no exenta de cierta sofisticación. El Tribunal administrativo se pronunció en febrero de 2021 sobre la existencia de una obligación general de Francia de luchar contra el calentamiento global y sobre la responsabilidad del Estado[31]. Al no haber respetado las obligaciones derivadas del incumplimiento de los objetivos fijados en su primer presupuesto de carbono (periodo 2015-2018), el Estado sería así parcialmente responsable y se establecería un perjuicio climático ecológico para este periodo, así como un perjuicio moral para las asociaciones demandantes. La decisión se confirma en diciembre del mismo año. Un recurso de apelación ha sido interpuesto por el Estado, aún pendiente de resolución.

A modo de resumen, cuatro ONGs (Oxfam Francia, Greenpeace Francia, Fondation pour la Nature et l'Homme y NAAT) habían presentado en marzo de 2019 una petición ante el tribunal administrativo en la que solicitaban que se condenara al Estado a pagarles la cantidad de un euro como compensación por el perjuicio moral sufrido, que se condene al Estado a pagarles la suma simbólica de un euro por daños ecológicos, que se conmine al Primer Ministro y a los ministros competentes a poner fin a todos los incumplimientos del Estado —general y específico— en materia de lucha contra el cambio climático o a mitigar los efectos de dichos incumplimientos y a poner fin a los daños ecológicos. También se pidió que se tomaran medidas

---

[29]   TA París, 4ᵉ sect., ch. 1, 3 févr. 2021, nº 1904967, 1904968, 1904972, 1904976/4-1: JurisData nº 2021-000979.
[30]   M. Torre-Schaub, "L'affaire du siècle, une affaire à suivre", Etude, REEI, nº 3, marzo, pp. 10-12.
[31]   § 16 de la decisión Nº 1904967.

para alcanzar los objetivos de Francia en cuanto a la reducción de las emisiones de gases de efecto invernadero, el desarrollo de las energías renovables y el aumento de la eficiencia energética, tal y como se establece en diversas leyes y decretos y en relación con la legislación de la Unión Europea. También exigen que se tomen las medidas necesarias para adaptar el territorio nacional a los efectos del cambio climático, así como las necesarias para garantizar la protección de la vida y la salud de los ciudadanos frente a los riesgos asociados al cambio climático.

En su decisión del 3 de febrero de 2021, el tribunal se pronunciará sobre tres puntos, los cuales serán ratificados en la decisión de diciembre de 2021. En primer lugar, se pronuncia el tribunal sobre la admisibilidad de la demanda por daños medioambientales. En segundo lugar, se pronuncian los jueces sobre la existencia de daños ecológicos y daños morales. En tercer lugar, el tribunal se pronuncia sobre la omisión y la responsabilidad del Estado, así como sobre el "nexo causal" entre los daños citados y la ausencia o insuficiencia de actuación del Estado[32]. Si la sentencia se ajusta a la jurisprudencia establecida sobre el interés legítimo, en otras es innovadora, como en lo que respecta al daño ecológico. Al tiempo, las decisiones presentan un razonamiento sobre ciertos aspectos que merecen una mayor aclaración[33]. Esto es, las decisiones no resuelven del todo la cuestión de la reparación de dicho daño ecológico, cuestión que podría ser resuelta en la apelación o bien, quedar así, con una solución algo insatisfactoria para las ONGs demandantes. Hay dos cuestiones que merecen ser examinadas en profundidad. En primer lugar, la cuestión del reconocimiento de los distintos tipos de daños. También son interesantes algunos aspectos de la sentencia relativos a la omisión culposa y la responsabilidad.

La ley del 8 de agosto de 2016 para la reconquista de la biodiversidad, los paisajes y la naturaleza introduce una modificación en el Código civil, en sus artículos 1246 a 1252, 2226-1, 2232, los cuales aparecen así modificados a su vez en el Code de l'environnement en

---

[32] § 31 de la decisión Nº 1904967.
[33] M. Torre-Schaub y P. Bozo, "L'affaire du siècle, un jugement en clair-obscur Commentaire sous TA, 3 février 2021 Nº 1904967, 1904968, 1904972, 1904976/4-1", *JCP ed Collectivités Territoriales*, avril 2021.

sus artículos L. 152-1 y L. 164-2. Según dichos textos, los daños ecológicos reparables son "aquellos que afectan significativamente a los elementos o funciones de los ecosistemas, o a los beneficios colectivos que el ser humano obtiene del medio ambiente". Un perjuicio "considerable" es aquel que, en la evaluación realizada por el juez, según la gravedad y la naturaleza del perjuicio causado (directo, indirecto, irreversible, nivel etc.), puede calificarse como tal.

El régimen jurídico de la responsabilidad abierto por la reforma citada del código civil es de naturaleza civil. No obstante, y a raíz de la decisión "affaire du siècle", se hace extensible a la administración del Estado. Queda abierto no obstante el método de reparación, según el cual el juez puede ordenar la reparación "en natura", es decir, la realización de una operación de limpieza o la restauración del lugar dañado. Alternativamente, el juez puede condenar al responsable al pago de daños y perjuicios para reparar el medio ambiente o, en su caso, para protegerlo (Cc, art. 1249), de acuerdo con el principio de "quien contamina paga". También cabe la "compensación", ya sea reparando otro ecosistema dañado equivalente, o recreándolo, ya sea con un pago de naturaleza económica por el mismo valor que se atribuya al ecosistema dañado.

El ámbito de aplicación del daño ecológico son los artículos 1246 a 1252 del Código Civil, aplicables a la indemnización de las pérdidas cuyo hecho generador se produjo antes del 1 de octubre de 2016. No son aplicables a las pérdidas que hayan dado lugar a una acción judicial iniciada antes de esa fecha (L. n° 2016-1087 de 8 de agosto de 2016, art. 4-VIII). El artículo 2226-1 del Código Civil también prevé un plazo de prescripción derogatorio de diez años a partir del día en que el titular de la acción conoció o debió conocer la manifestación del daño medioambiental. Y no a partir de la fecha del hecho que lo origina.

En el marco de las decisiones "affaire du siècle", el juez del tribunal administrativo de París tenía que responder a las siguientes preguntas de derecho:

- ¿Se puede aplicar el régimen de responsabilidad civil por daño ecológico a la administración del Estado?

- ¿Se puede aplicar el código civil a las circunstancias del caso, es decir a un daño causado a la atmósfera debido a un exceso de emisiones de CO_2 en la atmósfera?

– ¿Se puede reconocer un perjuicio ecológico con respecto al clima, dado que, en principio, dicho régimen de daños y responsabilidad fue diseñado para la biodiversidad?

El tribunal administrativo de París aceptará la existencia de un daño ecológico causado a la atmósfera por el exceso de emisiones de CO_2 durante el periodo 2015-2018. También aceptará el tribunal que existe una responsabilidad de la administraciones del estado debido al hecho de que causó dicho daño por "no haber regulado y controlado" el exceso de emisiones de CO_2 durante dicho periodo. Reconoce así el tribunal que existe un "nexo causal" entre la insuficiente acción del Estado para limitar el exceso de emisiones de CO_2 y dicho exceso que causa así un daño irreparable a la atmósfera.

El tribunal, analiza en sus decisiones el principio de la reparación "en natura" invocado por las ONGs demandantes. Los jueces consideran que el daño ecológico es general, no solo se ha causado un daño a la atmósfera pero también a otros ecosistemas, creándose así una serie de daños en "cascada", ya graves e irreversibles. Por ello, el tribunal no puede ordenar una reparación en términos monetarios, ya que las demandantes no propusieron ninguna evaluación de los daños en su petición. Tampoco pueden los jueces, puede leerse en la sentencia, proponer ellos una cantidad precisa dado que las ONGs demandantes no piden ninguna cantidad seria sino solamente "un euro" simbólico. Por ello, estiman los jueces que la única reparación será determinar medidas para que en el futuro el Estado tome medidas de "prevención" para evitar en lo sucesivo que vuelva a dañarse a la atmósfera y otros ecosistemas por un exceso de emisiones de CO_2.

***

En la actualidad, tanto las decisiones del tribunal constitucional referentes al conflicto de intereses entre la promoción de energías renovables y la protección de los ecosistemas acuáticos sigue en espera. También sigue en espera la cuestión de la repoblación de los bosques teniendo en cuenta la protección de los suelos contra el cambio climático. Por último y en el caso del daño ecológico en el contexto de los litigios climáticos, queda por conocerse la solución del recurso de apelación y las medidas que el tribunal ordenará a la administración a título preventivo para evitar otros daños futuros a la atmósfera y a la biodiversidad.

Un recurso se está preparando en la actualidad, en fase aún inicial, que será presentado en los meses venideros por varias ONGs ante el tribunal judicial a la par que el tribunal administrativo a modo de experimentación para observar cuál de las dos vías judiciales sería más eficaz. El recurso propondrá sin duda que se ponga en tela de juicio la responsabilidad del Estado y de algunas empresas por el uso indebido de pesticidas cuya existencia ha sido probada como altamente nociva para las abejas y otros polinizadores. Se pone así de manifiesto en dicho recurso en preparación cómo la autorización y uso de dichos productos daña a la biodiversidad, a especies polinizadoras, a los ecosistemas y cómo ello fragiliza el conjunto de la biodiversidad, principal barrera natural del avance del cambio climático.

Capítulo 3
Derecho para la innovación en la protección de la biodiversidad y del clima

ALEXANDRA ARAGÃO
Professora da Faculdade de Direito
Universidade de Coimbra

I. INTRODUCCIÓN

El deber de innovar para ultrapasar la crisis climática y medio ambiental es un nuevo deber jurídico en el Antropoceno. En los apartados siguientes analizaremos el nacimiento del deber de eco-innovación en cuanto imperativo ético y jurídico.

Seguidamente presentaremos dos conceptos que asocian derecho e innovación para mejorar el clima y el medio ambiente.

El primero es la *eco-innovación científica y tecnológica*. El desarrollo de medidas de mejoría del clima y de la biodiversidad debe ser acompañado por el derecho.

El segundo es la *eco-innovación jurídica* igualmente para mejorar el clima y la biodiversidad pero a través de un derecho innovador.

La distinción es acompañada de ejemplos que ilustran la diferencia existente entre utilizar el derecho como palanca de otras ciencias para la transición ecológica ambicionada por el Pacto Verde Europeo y utilizar directamente el mismo derecho como herramienta innovadora para la transición ecológica.

II. FUENTES INDIRECTAS DEL DEBER JURÍDICO DE ECO-INNOVAR: LA CONCIENCIA ÉTICA DE LA GRAVEDAD DE LA CRISIS ECOLÓGICA

Ante la profusión de instrumentos legislativos y reglamentarios[1] para hacer frente a unos daños ambientales cada vez más complejos e innegables, es imposible negar que existe una plena conciencia de la ilegitimidad ética de los grandes daños antropogénicos. De hecho, la proliferación de tratados, acuerdos, leyes y reglamentos de protección del medio ambiente es un indicador convincente de esta conciencia entre los responsables políticos de los efectos medioambientales adversos de la creciente actividad humana. Cada día que pasa, la crisis ecológica y climática es más grave y más urgente. Por ello, a la percepción de la gravedad del daño ecológico se suma la percepción de la urgencia. Así, cuanto más evidentes son los indicadores[2] de la crisis ecológica[3], más clara es la percepción de la urgencia ecológica, que deja de ser un privilegio de unos pocos científicos ilustrados y se convierte en un conocimiento común y transversal para todos los actores de la sociedad.

1. Conciencia científica

La comprensión de la emergencia ecológica se ha desarrollado dentro de la comunidad científica que estudia los problemas medioambientales que pueden afectar a todo el planeta. Actualmente se destaca

---

[1]   Este texto se centrará especialmente en la legislación europea. Si nos fijamos sólo en el panorama europeo, en el directorio de actos jurídicos de la Unión Europea hay 944 actos bajo el título "medio ambiente" (https://eur-lex.europa.eu/browse/directories/legislation.html?locale=es). A nivel internacional, existen nueve tratados y protocolos multilaterales negociados por la Comisión Económica para Europa de las Naciones Unidas (https://unece.org/about-5).

[2]   Comunicación de la Comisión al Consejo y al Parlamento Europeo (2009) Más allá del PIB: evaluación del progreso en un mundo cambiante COM/2009/0433 final (https://eur-lex.europa.eu/legal-content/ES/TXT/HTML/?uri=CELEX:520 09DC0433&from=HU); OECD, *Key Environmental Indicators*, 2008 (https://www.oecd.org/env/indicators-modelling-outlooks/37551205.pdf).

[3]   En el contexto de este artículo, el término "emergencia ecológica" se utilizará como un concepto amplio que reúne las dos grandes crisis: la crisis climática y la crisis medioambiental.

un grupo de científicos que ha iniciado una investigación sobre los "límites planetarios"[4] y ha creado modelos científicos para comprender la gravedad de los daños medioambientales globales inducidos por el Hombre. Desde 2009, vienen publicando estudios que resumen los avances en la ciencia medioambiental global[5].

2. Conciencia política

Más allá del nivel científico, la conciencia de la crisis ecológica también es evidente a nivel político. Esta conciencia ha llevado a la creación de organismos internacionales con doble legitimidad, científica y política, para producir información objetiva, comparable y validada científica y políticamente sobre los principales problemas medioambientales, como el clima y la biodiversidad. El Grupo Intergubernamental de Expertos sobre el Cambio Climático —IPCC[6]— y el Grupo Intergubernamental de Expertos sobre la Diversidad Biológica y los Servicios de los Ecosistemas —IPBES[7]— elaboran informes que contribuyen al refuerzo de la conciencia política de la emergencia ecológica[8].

---

[4]   El Centro de Resiliencia de Estocolmo (http://www.stockholmresilience.org/) ha realizado una profunda reflexión sobre el estado del planeta y los nueve límites planetarios (http://planetaryboundariesinitiative.org).

[5]   En 2015, W. Stephen *et al.* publicaron un análisis científico sobre el potencial de las perturbaciones humanas para desestabilizar el funcionamiento del sistema terrestre a escala global. El artículo de 2015 "Planetary boundaries: Guiding human development on a changing planet", *Science,* vol. 347, número 6223 (https://www.science.org/doi/10.1126/science.1259855) es una versión actualizada de un artículo científico anterior de 2009, también sobre el tema de los límites planetarios: "Planetary Boundaries" de J. Rockström, ', *Ecology and Society,* vol. 14, n° 2, artículo 32 (http://www.ecologyandsociety.org/vol14/iss2/art32/), que supone el lanzamiento oficial del concepto de límites planetarios, al que entretanto también se le ha dado un enfoque jurídico (Fernández Fernández E. y Malwé C., 2018, "The emergence of the «planetary boundaries» concept in international environmental law: A proposal for a framework convention", *Review of European, Comparative and International Environmental Law,* vol. 28, n° 1, p. 48-56.

[6]   Más información en https://www.ipcc.ch/.

[7]   Más información en https://www.ipbes.net/.

[8]   Por ejemplo, el informe del IPCC *Climate Change and Land: an IPCC special report on climate change, desertification, land degradation, sustainable land*

Dentro de la Unión Europea, el Pacto Verde Europeo dio visibilidad a esta conciencia política anunciando la intención de "transformar un desafío urgente en una oportunidad única"[9]. Desde ahora, la UE y sus Estados miembros están obligados a contribuir a la ambición del Pacto Verde, en consonancia con el principio de integración: "todas las acciones y políticas de la UE deben contribuir a alcanzar los objetivos del Pacto Verde Europeo".

3. Conciencia social

Al mismo tiempo, la conciencia social de la emergencia ecológica se manifiesta en la proliferación de movimientos sociales que, de forma bastante pacífica o más bien violenta, se manifiestan contra la inercia de los poderes públicos ante la evidencia de la destrucción ecológica provocada por el Hombre[10]. En Europa, el informe del Eurobarómetro sobre las actitudes europeas hacia el medio ambiente muestra que el 94% de los ciudadanos encuestados consideran que el medio ambiente es importante o muy importante[11]. A nivel mundial,

---

management, food security, and greenhouse gas fluxes in terrestrial ecosystems - Summary for Policymakers, P. R. Shukla, J. Skea, E. Calvo Buendia, V. Masson-Delmotte, H. O. Pörtner, D. C. Roberts, P. Zhai, R. Slade, S. Connors, R. van Diemen, M. Ferrat, E. Haughey, S. Luz, S. Neogi, M. Pathak, J. Petzold, J. Portugal Pereira, P. Vyas, E. Huntley, K. Kissick, M. Belkacemi, J. Malley (eds.), 2019 (https://www.ipcc.ch/srccl/chapter/summary-for-policymakers/).
Otro ejemplo es el *Global assessment report on biodiversity and ecosystem services of the Intergovernmental Science-Policy Platform on Biodiversity and Ecosystem Services*, E. S. Brondizio, J. Settele, S. Díaz, et H. T. Ngo (eds), *IPBES Secretariat, Bonn, Germany 2019* (https://www.ipbes.net/global-assessment).

[9]   Comunicación de la Comisión al Parlamento Europeo, al Consejo Europeo, al Comité Económico y Social Europeo y al Comité de las Regiones, *El Pacto Verde para Europa*, 2019 (640 final, Bruselas, 11 de diciembre de 2019, https://eur-lex.europa.eu/legal-content/FR/TXT/?qid=1596443911913&uri=CELEX:52019DC0640#document2).

[10] Algunos ejemplos: Earthday.org, Stop Climate Chaos (https://www.stopclimatechaos.ie/), Campaign Against Climate Change (https://www.campaigncc.org/), NextGen America (https://nextgenamerica.org/), Fridays for Future (https://fridaysforfuture.org/), Extinction Rebellion (https://rebellion.global/fr/).

[11] Según el informe del Eurobarómetro sobre las actitudes de los europeos hacia el medio ambiente, en 2020, una media del 53% de los ciudadanos consideraba que el medio ambiente era muy importante y el 41% lo consideraba relativamente importante. Sólo el 6% lo considera poco o nada importante (Eurobarómetro

la mayor encuesta de opinión pública jamás realizada sobre el cambio climático demuestra que la mayoría de la población mundial está en favor de una acción climática importante[12].

4. Conciencia individual

Por último, a nivel individual, las impactantes imágenes de los daños medioambientales han creado una intensa conciencia personal de la emergencia climática y medio ambiental. El aislamiento impuesto por las medidas de contención para controlar el virus Covid-19 desde 2020, ha provocado el reconocimiento de un nuevo tipo de trastorno de salud mental que afecta en particular a la población joven, denominado por la Asociación Americana de Psicología como "eco-ansiedad"[13].

En resumen, en una encrucijada existencial como aquella en la cual nos encontramos[14], cada uno tiene un papel importante: la comunidad científica, que diagnostica la crisis e indica las posibles formas de remediarla; la clase política, que hace opciones políticas y toma decisiones públicas que inevitablemente tienen un profundo efecto en la economía y en las personas; y las comunidades, que aceptan

---

especial 501, *Actitudes de los ciudadanos europeos hacia el medio ambiente*, marzo de 2020 (https://ec.europa.eu/commfrontoffice/publicopinion/index.cfm/Survey/getSurveyDetail/yearFrom/1974/yearTo/2021/surveyKy/2257).

[12]   Véanse, en enero de 2021, los resultados de la votación popular sobre el clima en la que participaron 1,2 millones de personas de 50 países (https://www1.undp.org/content/undp/fr/home/news-centre/news/2021/Worlds_largest_survey_of_public_opinion_on_climate_change_a_majority_of_people_call_for_wide_ranging_action.html).

[13]   S. Clayton, C. Manning, C. Hodge, *Beyond Storms & Droughts: The Psychological Impacts of Climate Change*, APA/ecoAmerica report 2014 (https://ecoamerica.org/wp-content/uploads/2014/06/eA_Beyond_Storms_and_Droughts_Psych_Impacts_of_Climate_Change.pdf). La relación positiva entre la calidad del medio ambiente y la felicidad se analiza y matiza en el Helliwell, J. F., Layard, R., Sachs, J. D., De Neve, J. E., Aknin, L. B., y Wang, S. (Eds.). (2022). World Happiness Report 2022. New York: Sustainable Development Solutions Network. (https://worldhappiness.report/ed/2022/).

[14]   Corey J. A Bradshaw ', "Underestimating the Challenges of Avoiding a Ghastly Future", *Frontiers in Conservation Science*, 13 de enero de 2021, doi: 10.3389/fcosc.2020.615419   (https://www.frontiersin.org/articles/10.3389/fcosc.2020.615419/full).

cambiar los hábitos sociales en materia de transporte, alimentación, comunicación, ocio o consumo. En este contexto, el lema del octavo programa de acción medioambiental de la Unión Europea "invertir las tendencias juntos"[15] cobra todo su sentido.

III. FUENTES DIRECTAS DEL DEBER LEGAL DE ECO-INNOVAR: DECLARACIONES DE EMERGENCIA CLIMÁTICA Y AMBIENTAL

Jurídicamente, todo cambia al pasar de la comprensión científica, del reconocimiento político, de la percepción social y de la conciencia individual de la crisis, a una declaración oficial expresa de emergencia, basada en la crisis ecológica.

El número de declaraciones de emergencia climática y medioambiental por parte de múltiples organizaciones municipales, regionales, estatales e internacionales crece cada día. En septiembre de 2022, las declaraciones oficiales de emergencia climática emitidas abarcan 2.268 jurisdicciones en 39 países, con un total de más de mil millones de ciudadanos[16].

A nivel de la UE, el Parlamento Europeo aprobó una Declaración de Emergencia Climática y Ambiental en noviembre de 2019[17]. La Resolución abarca el territorio de los 27 Estados miembros, lo que equivale a más de 4.000.000 km² y casi 450 millones de habitantes. Este reconocimiento formal de la emergencia climática y medioambiental mediante la declaración del Parlamento Europeo desencadena una serie de nuevas obligaciones para la Unión Europea y los Estados miembros.

Recientemente, se ha puesto de manifiesto en el Pacto Verde Europeo: "Los enfoques convencionales no serán suficientes. Haciendo hincapié

---

[15] "Invertir las tendencias juntos" es el título del 8º Programa de Acción 2021-2030, refrendado por una Decisión del Parlamento Europeo y del Consejo sobre un programa general de acción medioambiental 2030 para la Unión [COM (2020) 652 final Bruselas, 14 de octubre de 2020 (europa.eu)] https://data.consilium.europa.eu/doc/document/ST-12795-2019-INIT/es/pdf.

[16] https://climateemergencydeclaration.org/climate-emergency-declarations-cover-15-million-citizens/.

[17] https://www.europarl.europa.eu/doceo/document/TA-9-2019-0078_ES.html.

en la experimentación, y trabajando en todos los sectores y disciplinas, la agenda de investigación e innovación de la UE adoptará el enfoque sistémico necesario para alcanzar los objetivos del Green Deal"[18].

Aunque la Comisión Europea considera que "la aplicación del principio de innovación está todavía en sus inicios"[19], en el actual contexto político-jurídico-económico-social de la Unión Europea, la innovación puede afirmarse ya como un principio jurídico vinculante. Siempre según la Comisión en *El principio de innovación*, este principio puede deducirse mediante una interpretación sistémica y teleológica de los Tratados[20]. Por ejemplo: en el artículo 3.3 del Tratado de la Unión Europea dice que la UE "promoverá el progreso científico y tecnológico". También en el marco de la política industrial, las acciones de la Unión tienen como objetivo "fomentar un mejor aprovechamiento del potencial industrial de las políticas de innovación, investigación y desarrollo tecnológico" (artículo 173 del Tratado de Funcionamiento de la Unión Europea).

Por su turno, en la Carta de los Derechos Fundamentales de la Unión Europea puede reconocerse un principio implícito de la innovación, ya que ciertos derechos individuales son condiciones previas fundamentales para la innovación. Concretamente, tres derechos y libertades son especialmente importantes para la innovación: la libertad de la ciencia (artículo 13), la libertad de elección de la profesión y el derecho a trabajar (artículo 15): y el derecho a la propiedad, aquí incluida la propiedad intelectual (artículo 17 n. 2). Estos derechos y libertades son esenciales para la innovación, que a menudo es el resultado de la experimentación y del libre ejercicio de las actividades económicas y científicas.

---

[18]   *Communication from the Commission to the European Parliament, the Council, the European Economic and Social Committee and the Committee of the Regions on the European Green Deal* (COM) 640 final. Brussels, 11.12.2019 (página 18) (https://eur-lex.europa.eu/legal-content/PT/TXT/?qid=1596443911 913&uri=CELEX:52019DC0640#document2).

[19]   European Commission (2019) Directorate-General for Research and Innovation, Simonelli, F., Renda, A. *Study supporting the interim evaluation of the innovation principle.* Final report, Centre for European Policy Studies (ed) Publications Office (https://data.europa.eu/doi/10.2777/620609).

[20]   *Ibidem.*

Pasando del derecho europeo, al derecho constitucional de los Estados, la Constitución francesa se destaca por su claro reconocimiento del deber de innovar. En el derecho constitucional francés, la innovación aparece en primer lugar, en el título V sobre las relaciones entre el Parlamento y el Gobierno. En el artículo 37-1 de la Constitución francesa, introducido en 2003, la innovación aparece directamente asociada a la producción jurídica: "las leyes y los reglamentos pueden incluir, con un objetivo y una duración limitados, disposiciones de carácter experimental". La Constitución francesa también concede a los *municipios (Communes*, en derecho francés) autorización para la experimentación jurídica: "en las condiciones previstas por la ley orgánica, y salvo cuando se cuestionen las condiciones esenciales para el ejercicio de una libertad pública o de un derecho constitucionalmente garantizado, las colectividades locales o sus agrupaciones pueden, cuando, según el caso, la ley o el reglamento lo prevean, derogar, a título experimental y por un objeto y una duración limitados, las disposiciones legislativas o reglamentarias que regulan el ejercicio de sus competencias" (artículo 72 §4).

Por último, en lo que respecta a la eco-innovación, la Carta Francesa del Medio Ambiente de 2004, recibe la norma constitucional más relevante en materia de innovación. El artículo 9 de la Carta del Medio Ambiente establece que "la investigación y la innovación deben contribuir a la conservación y mejora del medio ambiente". En la amplia fórmula utilizada en la Carta, la innovación en Francia se aplica a cualquier actividad que contribuya a la preservación y mejora del medio ambiente, incluyendo la innovación científica, tecnológica, social y, por supuesto, jurídica.

En el contexto de la crisis climática y medioambiental, la experimentación jurídica y el derecho a probar instrumentos jurídicos innovadores para superar la crisis climática y ecológica, está totalmente en consonancia con el imperativo de innovación.

En conclusión, la necesidad de innovar para la transición ecológica, tiene un fuerte apoyo jurídico en Europa y además está en línea con lo que la OCDE llama el "imperativo de la innovación"[21].

---

[21]   OECD - Organization for Economic Cooperation and Development (2015) *The innovation imperative. Contributing to productivity, growth and well-being.* Pa-

IV. RELACIONES ENTRE ECO-INNOVACIÓN Y DERECHO

En la relación entre el derecho y la eco-innovación, hay que distinguir el concepto de *Derecho de la eco-innovación* del concepto de *innovación jurídico-ecológica.*

El Derecho de la eco-innovación es el marco jurídico que regula, promueve y apoya las actividades de experimentación científica y tecnológica a través de herramientas jurídicas escogidas para fomentar y facilitar la innovación para la transición ecológica.

Este concepto surge porque el marco jurídico de las actividades tecnológicas y científicas puede favorecer o dificultar la innovación[22]. Por regla general, cuanto menos detallada sea la legislación sobre las actividades, más espacio de maniobra deja para las soluciones innovadoras. Desafortunadamente no existe una "fórmula mágica" para regular la innovación: la inseguridad jurídica puede facilitar la innovación en algunos casos y ser un obstáculo en otros[23].

---

ris (http://dx.doi.org/10.1787/9789264239814-en).

[22] Según la Comisión Europea, "el principio de innovación se introdujo para garantizar que la legislación de la UE sea examinada y diseñada para fomentar la innovación con el fin de obtener beneficios sociales, medioambientales y económicos y para ayudar a proteger a los europeos". Una buena regulación forma parte de la política de innovación", *The Innovation Principle*, 2019, p. 1 (https://ec.europa.eu/info/sites/info/files/research_and_innovation/knowledge_publications_tools_and_data/documents/ec_rtd_factsheet-innovation-principle_2019.pdf).

[23] J. Pelkmans, A. Renda, *How Can EU Legislation Enable and/or Disable Innovation*, Comisión Europea, 2014, p. 17 (https://ec.europa.eu/futurium/en/system/

Por supuesto, más allá de la ley, se pueden utilizar otros medios para promover la eco-innovación: por ejemplo, facilitar el acceso a la financiación[24], la participación en redes de información, nuevas formas de organización social[25], la creación de condiciones empresariales más favorables (como mercados a gran escala, ferias u otras oportunidades para exhibir nuevas tecnologías, productos o servicios).

Por otro lado, la innovación jurídico-ecológica es la creación de instrumentos jurídicos *ex novo* con el objetivo de mejorar el estado del medio ambiente y del clima. El derecho innovador utiliza técnicas jurídicas o conceptos jurídicos novedosos con fines ecológicos. Un ejemplo histórico es la creación del procedimiento administrativo de estudios de impacto ambiental, que en su momento surgió como un nuevo instrumento jurídico desarrollado expresamente para cumplir con los objetivos preventivos y participativos del derecho ambiental. Un ejemplo actual es la incorporación, en el derecho, de conceptos científicos como el concepto de servicios de los ecosistemas, como hizo la directiva europea sobre la responsabilidad por daños medio ambientales[26].

1. *El derecho como palanca de la experimentación científica y tecnológica para la eco-innovación*

El estado del arte de la ciencia del sistema terrestre[27] identifica nueve subsistemas para medir el estado de conservación general del

---

files/ged/39-how_can_eu_legislation_enable_and-or_disable_innovation.pdf).

[24]   Por ejemplo, el Fondo de Innovación regulado por el Reglamento Delegado (UE) 2019/856 de la Comisión, de 26 de febrero de 2019, por el que se completa la Directiva 2003/87/CE del Parlamento Europeo y del Consejo en lo que respecta a las normas de funcionamiento del Fondo de Innovación: https://eur-lex.europa. eu/legal-content/ES/TXT/PDF/?uri=CELEX:32019R0856&from=FR.

[25]   A. Caramizaru y A. Uihlein, *Energy communities: an overview of energy and social innovation*, EUR 30083 EN, Oficina de Publicaciones de la Unión Europea, Luxemburgo, 2020, doi:10.2760/180576, JRC119433.

[26]   Directiva 2004/35/CE del Parlamento Europeo y del Consejo de 21 de abril de 2004 sobre responsabilidad medioambiental en relación con la prevención y reparación de daños medioambientales.

[27]   Stephen W. *et al.*, 2015, "Planetary boundaries: Guiding human development on a changing planet", Science, vol. 347, n° 6223 (http://science.sciencemag.org/content/347/6223/1259855).

sistema terrestre para luego definir los "límites planetarios". Estos límites proporcionan una imagen de la presión humana sobre el planeta. Los nueve subsistemas identificados son el cambio climático, el agotamiento del ozono estratosférico, la acidificación de los océanos, los flujos biogeoquímicos, el cambio de los sistemas de uso del suelo, el uso del agua dulce, la carga de aerosoles atmosféricos, la integridad de la biosfera y las nuevas entidades. En la Unión Europea (UE), el reconocimiento de los límites globales se hizo en 2014 con el 7e Programa General de Acción Medio Ambiental para 2020[28]. Desde entonces, otros instrumentos jurídicos europeos recogen el concepto, como el Plan de Acción de Economía Circular[29].

Entre estas transformaciones globales, hay dos que representan un gran desafío jurídico: el cambio climático y la integridad de la biosfera[30]. Estos dos fenómenos están muy integrados, operan a nivel de todo el sistema terrestre y están conectados con todos los demás límites. Han coevolucionado durante casi cuatro mil millones de años y "deberían reconocerse como límites planetarios esenciales a través de los cuales operan otros límites"[31]. Además de estos límites, la complejidad del clima y la biodiversidad ha provocado la creación de dos plataformas científicas y políticas intergubernamentales para la elaboración de informes científicos objetivos y consensuados sobre la situación y los retos del clima[32] y la biodiversidad[33].

---

[28]   "Vivir bien, respetando los límites de nuestro planeta". Programa general de acción medioambiental de la Unión para 2020, https://ec.europa.eu/environment/pubs/pdf/factsheets/7eap/es.pdf. Este programa fue substituido en 2022 por la Decisión (UE) 2022/591 del Parlamento Europeo y del Consejo de 6 de abril de 2022 relativa al Programa General de Acción de la Unión en materia de Medio Ambiente hasta 2030.

[29]   Comunicación de la Comisión al Parlamento Europeo, al Consejo, al Comité Económico y Social Europeo y al Comité de las Regiones, 2020, "Un nuevo plan de acción de economía circular para una Europa más limpia y competitiva", Bruselas, 11 de marzo de 2020 COM(2020) 98 final.

[30]   Zaccaï E. y Adams W. M., 2012 "How far are biodiversity loss and climate change similar as policy issues?", *Environment Development and Sustainability*, vol. 14, n° 4, p. 557-571.

[31]   Ibidem.

[32]   https://www.ipcc.ch.

[33]   https://www.ipbes.net.

Estos elementos justifican un enfoque jurídico diferenciado tanto para los sistemas climático y biosférico (en comparación con otros sistemas globales) como para las técnicas de ingeniería "pesada", dedicadas a restaurar el estado deseable del clima y la biosfera con relativa rapidez.

De hecho, en el Antropoceno[34], los humanos son la fuerza significativa en los procesos de transformación del planeta. Por tanto, la responsabilidad humana no puede limitarse a una actitud defensiva de protección[35]. Cuando las alteraciones del clima y la biosfera son tan grandes, las simples medidas de conservación son insuficientes[36]. Es necesario ir más allá y "mejorar la calidad del medio ambiente[37]" restaurándolo. Si los Estados quieren preservar un "espacio operativo seguro para la humanidad[38]", esto requiere una acción positiva por su parte, más intervencionista que la simple prohibición de actividades humanas perjudiciales.

---

[34] El concepto fue lanzado por P. J. Crutzen en "Geology of mankind", *Nature*, 2002 vol. 415, p. 23, http://www.geo.utexas.edu/courses/387h/PAPERS/Crutzen2002.pdf).

[35] En 2019, David Takacs describe el enfoque conservacionista tradicional como *"poner una valla alrededor y protegerlo"* "Aggressive solutions to disrupt biodiversity loss", in I. Scott, "Environmental Law. Disrupt", *The Environmental Law Reporter*, vol. 49, n° 1, p. 49 https://elr.info/news-analysis/49/10038/environmental-law-disrupted.

[36] En el caso de los hábitats naturales, los Estados a veces sólo llevan a cabo una conservación pasiva, clasificando los hábitats como zonas protegidas sin poner en marcha medidas de gestión activa y limitándose a establecer prohibiciones. Véase, por ejemplo, la sentencia del Tribunal de Justicia de 5 de septiembre de 2019, *Comisión Europea contra República Portuguesa*, asunto C-290/18 https://eur-lex.europa.eu/legal-content/PT/TXT/HTML/?uri=CELEX:62018CJ0290&from=ES.

[37] Artículo 37 de la Carta de los Derechos Fundamentales de la Unión Europea: "Las políticas de la Unión integrarán y garantizarán con arreglo al principio de desarrollo sostenible un alto nivel de protección del medio ambiente y la mejora de su calidad". (https://www.europarl.europa.eu/charter/pdf/text_es.pdf).

[38] El término "espacio seguro para la humanidad" hace referencia a un determinado estadio del sistema terrestre, que es lo más compatible posible con la vida humana (Rockström J. ', 2009, "Planetary boundaries: Exploring the safe operating space for humanity", Ecology and Society, vol. 14, n° 2, article 32, disponible en ligne sur http://www.ecologyandsociety.org/vol14/iss2/art32/).

En este contexto, la *conservación pasiva se definirá* como un conjunto de prohibiciones de las transformaciones antropogénicas que dejan el clima o los ecosistemas en un estado menos favorable. El punto de partida es un estado bueno o aceptable del clima o de los ecosistemas. El objetivo final es preservar este estado. Diferentemente, la *conservación activa* requiere la adopción de medidas de intervención directa para lograr un estado más favorable. El secuestro geológico de carbono y la restauración de los ecosistemas son ejemplos de acciones que van mucho más allá de la simple conservación pasiva.

En concreto, cuando el estado del clima o de los ecosistemas está ya tan degradado que se producen fenómenos meteorológicos extremos u ocurre la extinción de especies, las medidas de mejora resultan inevitables.

Según la Sociedad para la Restauración Ecológica, el concepto de restauración se define como "el proceso de ayudar a la autorregeneración de los ecosistemas que han sido degradados, dañados o destruidos"[39]. La restauración de los ecosistemas está presente en la legislación medioambiental europea desde hace cuarenta años en la directiva de 1979 sobre la conservación de las aves silvestres[40]. La directiva afirma en su preámbulo que "la preservación, el mantenimiento o el restablecimiento de una diversidad y una superficie suficientes de hábitats es esencial para la conservación de todas las especies de aves[41]".

De hecho, la proximidad de puntos de inflexión en las trayectorias del sistema planetario[42] hace que la simple postura reactiva sea inadecuada y plantea la cuestión de si no sería necesaria una postura más proactiva, basada en tecnologías pesadas y a escala global. Los

---

[39]   https://www.ser-rrc.org/what-is-ecological-restoration/.

[40]   Directiva de 2 de abril de 1979 relativa a la conservación de las aves silvestres (79/409/CEE) (https://eur-lex.europa.eu/LexUriServ/LexUriServ.do?uri=CONSL EG:1979L0409:20081223:ES:PDF).

[41]   Directiva 79/409/CEE mencionada anteriormente, sustituida por la Directiva 2009/147 de 30 de noviembre de 2009 (https://eur-lex.europa.eu/LexUriServ/ LexUriServ.do?uri=OJ:L:2010:020:0007:0025:ES:PDF).

[42]   Stephen W. *et al.* 2018, "Trajectories of the Earth System in the Anthropocene", *Proceedings of the National Academy of Sciences*, vol. 115, n° 33, p. 8252-8259.

avances científicos en las ciencias de la tierra, unidos a una mayor capacidad de interferencia deliberada en sistemas planetarios complejos como el clima y los ecosistemas, exigen un cambio de paradigma también en el derecho ambiental. El derecho debe evolucionar de una protección contra las alteraciones del medio ambiente a una protección centrada en la promoción activa de mejoras medioambientales globales.

Para trasladar estas preocupaciones científicas a la escala política, la idea de gobernar el planeta no es nueva y se viene abordando desde los años 40 con Aldo Leopold (1949); en los 60 con Kenneth E. Boulding (1966) y Buckminster Fuller (1969); en los años 70 con Hans Jonas (1979) y James Lovelock (1979); en las décadas de 1980 y 1990 con Edith Brown Weiss (1984), Alexandre Kiss (1985, 1999), Michel Prieur (2002) y Ulrich Beck (2009); y en el siglo XXI con, por ejemplo, Frank Biermann (2009, 2014), Klauss Bosselmann (2015), Paulo Magalhães *et al.* (2016), Duncan French (2018), Edgar Fernández Fernández y Claire Malwé (2018), Louis Kotzé (2022) y muchos otros.

En el plano político, la Asamblea General de las Naciones Unidas (AGNU) aprobó en 2014 una resolución según la cual "la ciencia del sistema terrestre ha allanado el camino para la gobernanza del sistema terrestre, el derecho basado en la Tierra y la economía basada en la Tierra [...]. Cada uno de estos cambios evolutivos, individualmente y en su conjunto, nos señala una nueva dirección para asegurar el bienestar del planeta y de sus habitantes[43].

Más recientemente, a nivel regional, el Consejo Nórdico de Ministros[44] ha argumentado que "los límites biofísicos del planeta podrían constituir la base para la reforma del derecho ambiental in-

---

[43]   Resolución A/69/322, de 18 de agosto de 2014, por la que se aprueba el informe para el Secretario General de la ONU titulado "Armonía con la Naturaleza", párrafo 12 (https://documents-dds-ny.un.org/doc/UNDOC/GEN/N14/713/40/PDF/N1471340.pdf?OpenElement).

[44]   La cooperación nórdica es una de las formas más amplias de colaboración regional, en la que participan Dinamarca, Finlandia, Islandia, Noruega, Suecia, las Islas Feroe, Groenlandia y las Islas Åland.

ternacional, permitiendo a los gobiernos emprender un camino con base científica para restaurar la armonía con la naturaleza"[45].

Por supuesto, a menudo los ecosistemas degradados, abandonados a su suerte, sin interferencia humana, recuperan espontáneamente el equilibrio ecológico perdido. Por ejemplo, la Directiva Marco del Agua reconoce que:

> Las aguas superficiales y subterráneas son, en principio, recursos naturales renovables. En concreto, la garantía del buen estado de las aguas subterráneas requiere medidas tempranas y una estable planificación a largo plazo de las medidas de protección, debido al lapso natural necesario para su formación y renovación. Este lapso de tiempo ha de tenerse en cuenta en los calendarios de las medidas relativas al logro del buen estado de las aguas subterráneas, así como de las medidas destinadas a invertir cualquier tendencia significativa y sostenida al aumento de la concentración de contaminantes en las aguas subterráneas[46].

Pero en muchos otros casos, los ecosistemas que sufren una degradación permanente o persistente no se recuperan sin la intervención humana. La necesidad de la acción humana existe cuando la simple abstención de la contaminación o la degradación no es suficiente para que el estado de los ecosistemas evolucione de forma natural hacia un buen estado sin que se produzcan daños ambientales significativos o daños a los ecosistemas, hasta el punto de que se vulneren los derechos humanos (derecho a la vida, a la salud, al hogar e incluso a la propiedad).

La ciencia de la ingeniería ha desarrollado el concepto de tecnologías de emisiones negativas (NET)[47] para referirse a la gama de opciones tecnológicas para abordar el calentamiento global a escala

---

[45]   Urho N., Ivanova M., Dubrova A. y Escobar-Pemberthy N., 2019, *International Environmental Governance. Accomplishments and Way Forward*, Copenhague, Nordic Council of Ministers (http://norden.diva-portal.org/smash/get/diva2:1289927/FULLTEXT01.pdf).

[46]   Apartado 28 del preámbulo de la Directiva 2000/60 de 23 de octubre de 2000 (https://eur-lex.europa.eu/legal-content/ES/TXT/?uri=celex%3A32000L0060).

[47]   Minx J. C. *eT AL.* (2018) "Negative emissions. Part 1: Research landscape and synthesis", *Environmental Research Letters*, vol. 13, n° 6, https://doi.org/10.1088/1748-9326/aabf9b; Fuss S. *eT AL.*, 2018, "Negative emissions. Part 2: Costs, potentials and side effects", *Environmental Research Letters*, vol. 13, n° 6, https://doi.org/10.1088/1748-9326/aabf9f.

local. En el caso de la restauración extrema de la biodiversidad y los ecosistemas, conocida como ecoingeniería, *las tecnologías positivas de la biodiversidad* serían las medidas, procedimientos y tecnologías a gran escala destinadas a recrear las condiciones naturales y un estado ecológico deseado[48] cuando la capacidad de recuperación de las especies o los ecosistemas es bastante baja o inexistente.

Pero en las últimas décadas, las tecnologías desarrolladas para controlar los procesos naturales en los ecosistemas y para proteger las especies han experimentado una evolución meteórica que nos permite pensar en ejemplos de manipulación *disruptiva* o extrema, aplicada a una escala geográficamente muy grande, incluso global.

De hecho, existe una diferencia cualitativa entre la regeneración activa que consiste en medidas débiles, casi de mantenimiento —como la siembra para reforestar o densificar las especies autóctonas vulnerables existentes— y la regeneración activa apoyada en técnicas más bien radicales e invasivas —como la recreación, mediante manipulación genética, de especies que han desaparecido de la faz de la Tierra—.

Dada la escala casi global, la alta imprevisibilidad de las consecuencias laterales y el potencial de los efectos indirectos, la *ecoingeniería* puede ser comparable a la *geoingeniería* climática[49/50].

Se trata de ecoingeniería cuando se utilizan medios drásticos para restaurar la calidad del ecosistema. Sucede que la ecoingeniería radical es diferente de la restauración clásica.

---

[48] Sobre el concepto de estado de conservación, véase Maciejewski L. *et al.*, 2016, "État de conservation des habitats: propositions de définitions et de concepts pour l'évaluation à l'échelle d'un site Natura 2000", Revue d'écologie, vol. 71, n° 1, p. 3-20, http://ec.europa.eu/environment/nature/natura2000/platform/documents/extended_summary_by_ctebd_maciejewski_et_al__2016_en.pdf.

[49] Goodell J., 2010, *How to cool the planet. Geoengineering and the audacious quest to fix Earth's climate*, Boston, Houghton Mifflin Harcourt.

[50] Movimientos activistas como Hands Off Mother Earth (http://www.etcgroup.org/content/join-home-hands-mother-earth-campaign) o Geoengeneering Monitor (http://www.geoengineeringmonitor.org/what-is-geoengineering/) también estudian la manipulación del clima.

Hoy en día, la ecoingeniería ha dejado de ser ciencia ficción. Ya existen ejemplos que ilustran el concepto de restauración extrema para ayudar a comprender y medir la magnitud del reto:

- *La reintroducción a gran escala en el medio ambiente de una especie extinguida hace mucho tiempo que probablemente se reproduzca y propague de forma exponencial y sea capaz de interferir de forma significativa con los seres humanos y el medio ambiente.* El proceso, generalmente denominado *desextinción*[51] o biología de la resurrección[52], propone reintroducir voluntariamente en su antiguo hábitat especies carismáticas que se han extinguido en determinadas regiones o incluso extinguido completamente. En este sentido, el concepto de ecoingeniería abarca tanto la reintroducción de especies realmente extinguidas (como el dodo de las islas de Mauricio o el tigre de Tasmania) como la reintroducción masiva en un territorio de especies que han desaparecido de determinados hábitats en una escala temporal más corta (décadas o siglos)[53]. Este es el caso de grandes carnívoros como el lobo[54], pequeños carnívoros como el hurón de patas negras, grandes roedores como el castor[55] o incluso

---

[51]   Siipi H. y Finkelman L., 2017, "The extinction and de-extinction of species", Philosophy & Technology, vol. 30, n° 4, p. 427-441.

[52]   Shapiro B., 2016, "Pathways to de-extinction: How close can we get to resurrection of an extinct species?", Functional Ecology, vol. 31, n° 5, p. 996-1002.

[53]   El hurón de patas negras se duplicó a partir de los genes de un animal que murió hace más de 30 años (https://www.nbcnews.com/news/animal-news/ scientists-clone-first-u-s-endangered-species-n1258310?cid=sm_npd_ms_fb_ ma&fbclid=IwAR0jKR6GITGLW4ppTg1_eeOp3fEhb7TJQVozfj2dXwPGLA-gc9jwopgJz-Po).

[54]   En 2019, Brodie Farquhar detalló la asombrosa cascada de cambios ecológicos positivos desencadenados por la reintroducción de lobos en el Parque Nacional de Yellowstone desde 1995 (https://www.yellowstonepark.com/things-to-do/ wolf-reintroduction-changes-ecosystem).

[55]   El caso ya comprobado de la proliferación del castor en Europa es el resultado de un proceso de reintroducción a pequeña escala que empieza a adquirir proporciones sorprendentes (Le Goff C., 2015, "La reconquête nationale du castor d'Europe", *Revue scientifique Bourgogne-Nature*, n° 21-22, p. 217-222, http:// www.bourgogne-franche-comte-nature.fr/fichiers/pages-217a222-de-bn21-22-cahiers-hd_1518080536.pdf).

aves como la paloma pasajera[56], cuando se reintroducen a gran escala y pueden reproducirse y desplazarse por todo un continente. El caso de la paloma, en particular, es un ejemplo de cría y reintroducción a gran escala; los lobos y los castores no tienen depredadores y, por tanto, también pueden alcanzar niveles de dispersión territorial bastante expresivos.

– *La liberación generalizada de una especie modificada genéticamente para combatir otra especie considerada invasora o plaga.* Por ejemplo, los insectos estériles pueden utilizarse para bloquear la propagación de otros insectos perjudiciales para el ser humano[57].

– *El restablecimiento de los sistemas megahidrológicos mediante la transferencia de cantidades monumentales de agua a través de grandes distancias, lo que requiere gigantescas construcciones hidráulicas para conectar diferentes cuencas o ecosistemas.* Este sería el caso de los proyectos de recarga del Mar de Aral[58],

---

[56] La paloma pasajera era una de las especies más numerosas de la Tierra, que se extinguió repentinamente en 1914 debido a la caza excesiva que redujo el tamaño del grupo, provocando la inesperada desaparición de una especie hipersocial que carecía de la suficiente diversidad genética para sobrevivir en grupos pequeños (Murray G. G. R. *et al.* (2017) "Natural selection shaped the rise and fall of passenger pigeon genomic diversity", Science, vol. 358, n° 6365, p. 951 à 954, http://science.sciencemag.org/content/358/6365/951). La reintroducción de la paloma pasajera en el medio ambiente presupone la creación de palomas pasajeras a partir de la modificación genética de una especie existente estrechamente emparentada (la paloma de cola anillada) y su cría en cautividad antes de su liberación. Este proceso de cinco pasos (*in silico, in vitro, in vivo, ex situ* e *in situ*) comenzó en 2012 (https://reviverestore.org/projects/the-great-passenger-pigeon-comeback/).

[57] La técnica ya se ha utilizado con fines de salud pública en Estados Unidos (https://actualite.housseniawriting.com/science/genetique/2018/08/22/les-moustiques-genetiquement-modifies-la-meilleure-arme-pour-reduire-la-transmission-des-maladies/27620/) y Brasil. En este último país latinoamericano, después de que la Agencia Nacional de Vigilancia Sanitaria de Brasil prohibiera la liberación, la empresa británica Oxitec —productora del mosquito *Aedes aegypti*, modificado genéticamente para ser estéril— ganó en los tribunales: los jueces de Brasilia dictaron una orden judicial a favor de la liberación del mosquito en marzo de 2018 (https://politica.estadao.com.br/blogs/fausto-macedo/wp-content/uploads/sites/41/2018/03/20-vara-JFDF-Decisa%CC%83o-Oxitec-OGM.pdf).

[58] Cathcart R. B. y Badescu V., 2011, "Aral sea partial refilling microproject", S.D. Brunn (dir.), Engineering Earth, Dordrecht, Springer, p. 1541-1547, https://www.researchgate.net/publication/302892518_Aral_Sea_Partial_Refilling_Macroproject.

destruido por el excesivo uso humano, o el trasvase del Mar Rojo[59] al Mar Muerto[60].

Los ejemplos anteriores sirven para demostrar que las técnicas "pesadas" de ingeniería genética, biológica o hidrológica pueden utilizarse para otros objetivos, tan complejos y también a escala global, como las políticas climáticas.

En este sentido, la ecoingeniería para la restauración[61] es diferente de la simple conservación. El objetivo de este último es, sobre todo, evitar la interferencia humana en el medio natural[62], con el fin de garantizar la conservación, a largo plazo, de un determinado equilibrio ecológico considerado bueno o excelente. El restablecimiento, en cambio, se basa en la constatación de que existe un desequilibrio, una degradación o una perturbación que se considera indeseable y que, por lo tanto, es conveniente intervenir para cambiar el estado de cosas y reparar el daño.

En la trilogía de acciones positivas para los ecosistemas —*protección, mejora y restauración*, como en la directiva de aguas[63], o *preser-*

---

[59]   El retroceso del Mar Muerto de más de un metro al año debido a la extracción de aguas subterráneas y al cambio climático ha impulsado un proyecto del Ministerio de Agua e Irrigación del Gobierno de Jordania, a raíz de un protocolo firmado el 9 de diciembre de 2013 entre Jordania, la Autoridad Palestina e Israel en el Banco Mundial en Washington, D.C., en el que todas las partes acordaron poner en marcha la primera fase del proyecto "Mar Rojo, Mar Muerto". El objetivo es desalinizar el agua del Mar Rojo y utilizar una parte para el riego y otra para rellenar el Mar Muerto.

[60]   Si no se hace nada, el Mar Muerto habrá desaparecido en 2050 (Givetash L., 2018, "The Dead Sea is dying. À \$1.5 billion plans aims to resurrect it", 29 novembre, https://www.nbcnews.com/news/world/dead-sea-dying-1-5-billion-plan-aims-resurrect-it-n926066).

[61]   Sobre la restauración en el derecho internacional, véase Telesetsky A., Cliquet A. y Akhtar-Khavari A., 2019, Ecological Restoration in International Environmental Law, Londres, Routledge.

[62]   Véase Takacs D., 2019, "Aggressive solutions to disrupt biodiversity loss", in I. Scott *et al.*, "Environmental Law. Disrupt", The Environmental Law Reporter, vol. 49, nº 1, p. 49 https://elr.info/news-analysis/49/10038/environmental-law-disrupted.

[63]   Según la Directiva Marco del Agua, los programas de medidas de los planes hidrológicos de cuenca deben prever tres tipos sucesivos de medidas para las masas de agua superficiales y subterráneas: protección, mejora y restauración. Cada acción se aplica gradualmente a aguas de diferente calidad: desde las más preservadas, donde el objetivo es sólo la protección, hasta las más degradadas,

vación, mantenimiento o restauración, como en la directiva de diversidad de hábitats de aves[64]— la ecoingeniería sólo persigue el tercer objetivo, la restauración o el restablecimiento, es decir, la recreación más bien artificial de las condiciones de biodiversidad existentes antes de la perturbación de los ecosistemas[65].

Estos ejemplos demuestran que ante la magnitud de las intervenciones restaurativas, se impone la creación de un nuevo marco jurídico de protección a todos los involucrados.

2. *El derecho eco-innovador como palanca de la transición ecológica*

En el derecho de eco-innovación que acabamos de ilustrar, el derecho puede funcionar como catalizador de la innovación socioeconómica, institucional u organizativa. Al revés, en la innovación jurídico-

---

donde el objetivo es la restauración. A medio camino entre ambas, las aguas de calidad intermedia deben ser mejoradas (véase el art. 4-1 de la Directiva 2000/60 de 23 de octubre de 2000 sobre los objetivos de protección).

[64]   Con cierto detalle, la Directiva 2009/147, de 30 de noviembre de 2009, relativa a la conservación de las aves silvestres, enumera las medidas de preservación, mantenimiento o restauración: "Teniendo en cuenta los requisitos mencionados en el artículo 2, los Estados miembros adoptarán todas las medidas necesarias para preservar, mantener o restablecer una diversidad y una superficie suficientes de hábitats para todas las especies de aves contempladas en el artículo 1". 2.– La preservación, el mantenimiento y el restablecimiento de los biotopos y los hábitats incluirá, en primer lugar, las siguientes medidas: a) creación de zonas de protección; b) mantenimiento y desarrollo de acuerdo con los requisitos ecológicos de los hábitats dentro y fuera de las zonas de protección; c) restablecimiento de los biotopos destruidos; d) creación de biotopos" (artículo 3).

[65]   La recuperación del *statu quo ante* es también el objetivo de la Directiva sobre emisiones industriales, en el caso del cierre de un emplazamiento tras el cese definitivo de las actividades industriales. "Tras el cese definitivo de las actividades, el titular evaluará el nivel de contaminación del suelo y de las aguas subterráneas por las sustancias peligrosas pertinentes utilizadas, producidas o emitidas por la instalación. Si la instalación es responsable de una contaminación significativa del suelo o de las aguas subterráneas por sustancias peligrosas relevantes en comparación con el estado identificado en el informe de la situación de partida mencionado en el apartado 2, el titular tomará las medidas necesarias para remediar dicha contaminación, con el fin de restablecer el estado del emplazamiento. Para ello, se podrá tener en cuenta la viabilidad técnica de las medidas previstas" (artículo 22-3 de la Directiva 2010/75, de 24 de noviembre de 2010).

ecológica la propia ley puede ser objeto de innovación para producir beneficios ecológicos. Pero, ¿cómo podemos innovar jurídicamente, a través de un derecho eco-innovador, adaptado a la transición ecológica?

La innovación puede adoptar la forma de diseño de procesos de creatividad, idealización y aplicación sistemática de soluciones jurídicas deliberadamente nuevas, innovadoras o sin precedentes, que sean transformadoras y respondan a las necesidades y desafíos actuales y futuros de la sostenibilidad.

Una de las técnicas jurídicas de innovación jurídico-ecológica es la de los "sandboxes" normativos[66]. Esta técnica de regulación flexible de las innovaciones ha surgido para ensayar nuevos marcos regulatorios para las tecnologías financieras (Fintech, como las criptomonedas, los servicios de crédito innovadores, los nuevos productos de seguros, etc.) y se utiliza en más de 40 países[67], pero puede utilizarse en otros ámbitos[68], para ensayar instrumentos de transformación económica y de conformación social que adopten un enfoque jurídico innovador y respetuoso con el medio ambiente. Las cajas de arena reglamentarias[69] permiten una experimentación reglamentaria segura

---

[66] European Commission, *Study supporting the interim evaluation of the innovation principle*, 2019 p. 4. Final report (https://op.europa.eu/en/publication-detail/-/publication/e361ec68-09b4-11ea-8c1f-01aa75ed71a1).

[67] Consulte la lista completa en el sitio web del Instituto de Teleinformación de la Columbia Business School (https://www8.gsb.columbia.edu/citi/dfs). El Banco Internacional de Reconstrucción y Desarrollo publicó en 2020 la Nota Fintech nº 8, sobre *Experiencias globales de los Sandboxes regulatorios*, con buenas prácticas de los Sandboxes de 24 países (https://documents1.worldbank.org/curated/en/912001605241080935/pdf/Global-Experiences-from-Regulatory-Sandboxes.pdf). El Defensor Especial del Secretario General de las Naciones Unidas para la Financiación Inclusiva para el Desarrollo ha publicado un *informe sobre los "Regulatory Sandboxes"* (https://www.unsgsa.org/sites/default/files/resources-files/2020-09/Fintech_Briefing_Paper_Regulatory_Sandboxes.pdf).

[68] El marco del sandbox en Japón permite el uso de la técnica para demostrar nuevos modelos de negocio (*New Regulatory Sandbox framework in Japan*: https://www.jetro.go.jp/ext_images/en/invest/incentive_programs/pdf/Detailed_overview.pdf.

[69] R. Parenti, *Regulatory Sandboxes and Innovation Hubs for FinTech*, Estudio para la Policy Department for Economic, Scientific and Quality of Life Policies Parlamento Europeo, Luxemburgo, 2020 (https://www.europarl.europa.eu/RegData/etudes/STUD/2020/652752/IPOL_STU(2020)652752_EN.pdf).

en un entorno limitado, de modo que los efectos negativos imprevistos se contienen en el espacio, el tiempo y el número de sujetos implicados.

Por supuesto, toda experimentación jurídica puede dar lugar a una simplificación legislativa[70] y puede implicar la pérdida de seguridad jurídica y riesgos para los clientes, los consumidores, los accionistas, las aseguradoras, los bancos, la competencia, el medio ambiente u otros intereses públicos representados por la administración. Sin embargo, el hecho de que el alcance del "sandbox" sea limitado reduce los riesgos y tiene la ventaja de que la ley puede evolucionar y el marco jurídico de la eco-innovación puede mejorarse.

En definitiva, el beneficio público resulta de la autorización de nuevos productos, servicios innovadores o procesos novedosos que responden mejor a las necesidades del sector, a las necesidades de los consumidores[71], a los intereses públicos subyacentes y, en particular, al interés de proteger o restaurar el medio ambiente.

Un buen ejemplo de eco-innovación jurídica es la nueva ley del clima de Portugal[72] que consagra, por primera vez, el concepto de clima estable como Patrimonio Común de la Humanidad.

Se trata de una norma extremadamente ambiciosa[73], a través de la cual el Parlamento de Portugal decidió, en 2021, practicar un acto

---

[70]   Sobre la simplificación legislativa en la Unión Europea, véase https://eur-lex.europa.eu/summary/glossary/legislation_simplification.html?locale=fr.

[71]   En Brasil, en 2020 y 2021, los "cajones de arena" (cuya normativa está disponible en http://www.labinovacaofinanceira.com/wp-content/uploads/2020/03/ Sand_box_lab_vs8_web.pdf) aplicados a los servicios de seguros han permitido la creación de nuevos productos como el seguro intermitente de automóviles, el seguro instantáneo para el robo de teléfonos móviles, el seguro de salud para mascotas, etc. (más información: http://www.susep.gov.br/setores-susep/ditec/ perguntas-e-respostas-sobre-o-sandbox-regulatorio#1). Sin el sistema sandbox, ninguno de estos nuevos productos habría aparecido en el mercado, debido a la inflexibilidad de las normas legales aplicables al sector de los seguros.

[72]   Artículo 15 de la Ley 98/2021, de 31 de diciembre (https://files.dre. pt/1s/2021/12/25300/0000500032.pdf).

[73]   Artículo 15 "Política exterior climática.
1.– El Gobierno adopta una visión global e integrada de la consecución de los objetivos climáticos, respetando el límite del uso sostenible de los recursos naturales del planeta y las vías de desarrollo de cada país, defendiendo activamente, en materia de política exterior en el contexto de la diplomacia del clima:

jurídico unilateral susceptible de producir efectos jurídicos interna y externamente. Se trata del reconocimiento de un nuevo objeto jurídico —el clima estable, en las condiciones del Holoceno—, como patrimonio de la Humanidad, una situación similar a la de la Luna[74] y de la Zona[75] (fondos marinos y oceánicos y su subsuelo fuera de los límites de la jurisdicción nacional). Además, este patrimonio es un patrimonio mixto, al mismo tiempo material e inmaterial, lo que lo hace semejante al patrimonio cultural de la UNESCO[76].

---

a) Refuerzo, anticipación y cumplimiento de los objetivos de reducción de emisiones de gases de efecto invernadero, de forma suficiente para no superar el límite de 1,5°C de calentamiento global, respecto a los niveles preindustriales;
b) Compromisos internacionales vinculantes y efectivos en materia climática y de preservación del medio ambiente y la biodiversidad;
c) La densificación de la protección penal internacional del medio ambiente;
d) La definición del concepto de refugiado climático, su estatus y su reconocimiento por parte del Estado portugués;
e) Cooperación internacional y solidaridad con los países del sur global, brindando apoyo para la implementación de las medidas previstas en el Marco de Sendai para la Reducción del Riesgo de Desastres 2015-2030;
f) Reconocimiento por las Naciones Unidas del clima estable como Patrimonio Común de la Humanidad.
2.– La política exterior promueve la lucha contra la fuga de carbono y el dumping climático, concretamente a través de la convergencia internacional de estándares ambientales en los acuerdos comerciales y el alcance de los precios del carbono, asegurando su impacto en las importaciones.
3.– El Estado promueve la adopción e implementación de estándares de sustentabilidad en los acuerdos internacionales, particularmente en los acuerdos comerciales.
4.– El Estado tiene en cuenta los riesgos climáticos como fuentes y multiplicadores de la inestabilidad global, concretamente en su política de vecindad.
5.– El Estado colabora y participa, en el marco de las relaciones internacionales, en los mecanismos de ayuda a los países y ciudadanos afectados por fenómenos climáticos extremos y sus consecuencias".

[74]   Tratado sobre los principios que deben regir las actividades de los Estados en la exploración y utilización del espacio ultraterrestre, incluso la Luna y otros cuerpos celestes, de 1967 (https://www.unoosa.org/pdf/publications/STSPACE11S.pdf).

[75]   Convención de las Naciones Unidas sobre el Derecho del Mar de 1984 (https://treaties.un.org/doc/Publication/UNTS/Volume%201833/volume-1834-A-31363-Spanish.pdf).

[76]   Convención de UNESCO de 2003 para la Salvaguardia del Patrimonio Cultural Inmaterial (https://ich.unesco.org/es/convenci%C3%B3n).

Para asegurar que esta innovación produce los deseados efectos jurídicos, se creó, asimismo, una nueva obligación exterior para el gobierno de Portugal: la obligación de desarrollar una diplomacia climática que conduzca al reconocimiento del mismo estatuto por Naciones Unidas.

Es más: además de auto-vinculaciones internacionales, el artículo incluye compromisos internacionales de actuación gubernativa en el plan del ordenamiento jurídico interno. Esto significa que, más allá de la exigencia de cumplimiento por los socios internacionales de Portugal, el cumplimiento de tales compromisos unilateralmente asumidos podrá ser exigido ante los tribunales del país.

Son dos, las obligaciones de naturaleza doble, a la vez internacional e interna:

a) "el refuerzo, anticipación y cumplimiento de los objetivos de reducción de emisiones de gases de efecto invernadero, de forma suficiente para no superar el límite de 1,5°C de calentamiento global, respecto a los niveles preindustriales"

c) "la densificación de la protección penal internacional del medio ambiente";

Este artículo configura una innovación jurídica al crear un nuevo bien jurídico —el "clima estable"— cuya protección va a exigir fuertes medidas de carácter vinculativo y de contenido muy concreto. La política de cambio climático se juridifica y pierde su tradicional carácter ampliamente discrecionario y libremente disponible.

V. CONCLUSIÓN

En un tiempo de emergencia medio ambiental y climática, el imperativo de innovación se impone a todas las ciencias, incluyendo la jurídica. La adopción de estrategias jurídicas diseñadas para apoyar la transición ecológica es un eslabón fundamental de la escalera rumbo al desarrollo sostenible[77]. Si el Derecho está en el centro de los pro-

---

[77]   Sobre el principio de innovación en la Agenda 2030, ver Isabel Hernández San Juan, 2019, "Principios de investigación e innovación", in Yann Aguila Carlos de

cesos de cambio, podrá asegurar la transformación, no creará riesgos innecesarios y garantizará que no se dejará a nadie atrás.

BIBLIOGRAFÍA

ASAMBLEA GENERAL DE LAS NACIONES UNIDAS (2014) Resolución A/69/322, de 18 de agosto de 2014, *Armonía con la Naturaleza*, (https://documents-dds-ny.un.org/doc/UNDOC/GEN/N14/713/40/PDF/N1471340.pdf?OpenElement)

ASSEMBLEIA DA REPÚBLICA PORTUGUESA (2021) *Lei de Bases do Clima*, Lei 98/2021, de 31 de dezembro, (https://files.dre.pt/1s/2021/12/25300/0000500032.pdf)

CARAMIZARU A. y UIHLEIN, A. (2020) *Energy communities: an overview of energy and social innovation*, EUR 30083 EN, Oficina de Publicaciones de la Unión Europea, Luxemburgo (doi:10.2760/180576, JRC119433).

CATHCART R. B. y BADESCU V. (2011), "Aral sea partial refilling microproject", S. D. Brunn (dir.), *Engineering Earth*, Dordrecht, Springer, p. 1541-1547, (https://www.researchgate.net/publication/302892518_Aral_Sea_Partial_Refilling_Macroproject)

CLAYTON, S.; MANNING, C.; HODGE, C. (2014) *Beyond Storms & Droughts: The Psychological Impacts of Climate Change*, APA/ecoAmerica report 2014 (https://ecoamerica.org/wp-content/uploads/2014/06/eA_Beyond_Storms_and_Droughts_Psych_Impacts_of_Climate_Change.pdf)

COMISIÓN EUROPEa (2009) Comunicación al Consejo y al Parlamento Europeo *Más allá del PIB: evaluación del progreso en un mundo cambiante* COM/2009/0433 final (https://eur-lex.europa.eu/legal-content/ES/TXT/HTML/?uri=CELEX:52009DC0433&from=HU)

COMISIÓN EUROPEA (2019) Reglamento Delegado 2019/856 de 26 de febrero de 2019 por el que se complementa la Directiva 2003/87/CE del Parlamento Europeo y del Consejo en lo que respecta al funcionamiento del *Fondo de Innovación* (https://eur-lex.europa.eu/legal-content/ES/ALL/?uri=CELEX:32019R0856)

COMISIÓN EUROPEA (2020) Comunicación de la Comisión al Parlamento Europeo, al Consejo, al Comité Económico y Social Europeo y al Comité de las Regiones, *Un nuevo plan de acción de economía circular para una Europa más limpia y competitiva*, Bruselas, 11 de marzo de

Miguel Perales Víctor Tafur Teresa Parejo (eds.) *Principios de Derecho Ambiental y Agenda 2030*, Tirant lo Blanch.

2020 COM(2020) 98 final (https://eur-lex.europa.eu/legal-content/ES/TXT/?uri=CELEX%3A52020DC0098).

CONSEJO (1979) Directiva de 2 de abril de 1979 relativa a la *conservación de las aves silvestres* (79/409/CEE) (https://eur-lex.europa.eu/LexUriServ/LexUriServ.do?uri=CONSLEG:1979L0409:20081223:ES:PDF).

CRUTZEN, P. J. (2002) "Geology of mankind", *Nature*, vol. 415, p. 23, (http://www.geo.utexas.edu/courses/387h/PAPERS/Crutzen2002.pdf).

EUROPEAN COMMISSION (2019) Communication from the Commission to the European Parliament, the Council, the European Economic and Social Committee and the Committee of the Regions on the *European Green Deal* (COM) 640 final. Brussels, 11.12.2019 (https://eur-lex.europa.eu/legal-content/PT/TXT/?qid=1596443911913&uri=CELEX:52019DC0640#document2)

EUROPEAN COMMISSION (2019) Directorate-General for Research and Innovation, Simonelli, F., Renda, A. *Study supporting the interim evaluation of the innovation principle.* Final report, Centre for European Policy Studies (ed) Publications Office (https://data.europa.eu/doi/10.2777/620609).

EUROPEAN COMMISSION (2019) *The Innovation Principle,* (https://ec.europa.eu/info/sites/info/files/research_and_innovation/knowledge_publications_tools_and_data/documents/ec_rtd_factsheet-innovation-principle_2019.pdf).

EUROPEAN COMMISSION (2020) *Attitudes of Europeans towards the Environment,* Special Eurobarometer 501, marzo de 2020 (https://europa.eu/eurobarometer/surveys/detail/2257)

FERNÁNDEZ FERNÁNDEZ E. y MALWÉ C. (2018) "The emergence of the «planetary boundaries» concept in international environmental law: A proposal for a framework convention", *Review of European, Comparative and International Environmental Law*, vol. 28, nº 1, p. 48-56 (https://ur.booksc.eu/book/73006222/3168f6)

FUSS S. *et al.* (2018) "Negative emissions. Part 2: Costs, potentials and side effects" *Environmental Research Letters*, vol. 13, nº 6, (https://doi.org/10.1088/1748-9326/aabf9f)

GOODELL J. (2010) *How to cool the planet. Geoengineering and the audacious quest to fix Earth's climate,* Boston, Houghton Mifflin Harcourt

HELLIWELL, J. F., LAYARD, R., SACHS, J. D., DE NEVE, J. E., AKNIN, L. B., y WANG, S. (Eds.). (2022). *World Happiness Report 2022.* New York: Sustainable Development Solutions Network. (https://worldhappiness.report/ed/2022/)

HERNÁNDEZ SAN JUAN, Isabel (2019) "Principios de investigación e innovación", in *Principios de Derecho Ambiental y Agenda 2030*, Yann

Aguila Carlos de Miguel Perales Víctor Tafur Teresa Parejo (eds.) Tirant lo Blanch.

IPCC (2019) *Climate Change and Land: an IPCC special report on climate change, desertification, land degradation, sustainable land management, food security, and greenhouse gas fluxes in terrestrial ecosystems - Summary for Policymakers*, P. R. Shukla, J. Skea, E. Calvo Buendia, V. Masson-Delmotte, H. O. Pörtner, D. C. Roberts, P. Zhai, R. Slade, S. Connors, R. van Diemen, M. Ferrat, E. Haughey, S. Luz, S. Neogi, M. Pathak, J. Petzold, J. Portugal Pereira, P. Vyas, E. Huntley, K. Kissick, M. Belkacemi, J. Malley (eds.) (https://www.ipcc.ch/srccl/chapter/summary-for-policymakers/)

LE GOFF C. (2015) "La reconquête nationale du castor d'Europe", *Revue scientifique Bourgogne-Nature*, nᵒ 21-22, p. 217-222, (http://www.bourgogne-franche-comte-nature.fr/fichiers/pages-217a222-de-bn21-22-cahiers-hd_1518080536.pdf)

MACIEJEWSKI L. *et al.* (2016) "État de conservation des habitats: propositions de définitions et de concepts pour l'évaluation à l'échelle d'un site Natura 2000", *Revue d'écologie*, vol. 71, nᵒ 1, p. 3-20, (http://ec.europa.eu/environment/nature/natura2000/platform/documents/extended_summary_by_ctebd_maciejewski_et_al__2016_en.pdf)

MINX J. C. *et al.* (2018) "Negative emissions. Part 1: Research landscape and synthesis", *Environmental Research Letters*, vol. 13, nᵒ 6, (https://doi.org/10.1088/1748-9326/aabf9b)

MURRAY G. G. R. *et al.* (2017) "Natural selection shaped the rise and fall of passenger pigeon genomic diversity", *Science*, vol. 358, nᵒ 6365, p. 951 à 954, (http://science.sciencemag.org/content/358/6365/951)

OECD - Organization for Economic Cooperation and Development (2015) *The innovation imperative. Contributing to productivity, growth and well-being.* Paris (http://dx.doi.org/10.1787/9789264239814-en)

OECD, *Key Environmental Indicators* (2008) (https://www.oecd.org/env/indicators-modelling-outlooks/37551205.pdf).

ONU (1967) *Tratado sobre los principios que deben regir las actividades de los Estados en la exploración y utilización del espacio ultraterrestre, incluso la Luna y otros cuerpos celestes* (https://www.unoosa.org/pdf/publications/STSPACE11S.pdf)

ONU (1984) *Convención de las Naciones Unidas sobre el Derecho del Mar* (https://treaties.un.org/doc/Publication/UNTS/Volume%201833/volume-1834-A-31363-Spanish.pdf).

PARENTI, R. (2020) *Regulatory Sandboxes and Innovation Hubs for FinTech*, Policy Department for Economic, Scientific and Quality of Life

Policies, Luxemburg, (https://www.europarl.europa.eu/RegData/etudes/
STUD/2020/652752/IPOL_STU(2020)652752_EN.pdf)

PARLAMENTO EUROPEO Y CONSEJO (2000) Directiva 2000/60 de 23
de octubre de 2000 que establece un marco comunitario de actuación en
el ámbito de la *política de aguas* (https://eur-lex.europa.eu/legal-content/
ES/TXT/?uri=celex%3A32000L0060)

PARLAMENTO EUROPEO Y CONSEJO (2004) Directiva 2004/35/CE de
21 de abril de 2004 sobre *responsabilidad medioambiental en relación
con la prevención y reparación de daños medioambientales* (https://eur-
lex.europa.eu/LexUriServ/LexUriServ.do?uri=OJ:L:2004:143:0056:0075
:es:PDF)

PARLAMENTO EUROPEO Y CONSEJO (2009) Directiva 2009/147/CE de
30 de noviembre de 2009 relativa a la *conservación de las aves silvestres*
(https://eur-lex.europa.eu/LexUriServ/LexUriServ.do?uri=OJ:L:2010:020
:0007:0025:ES:PDF)

PARLAMENTO EUROPEO Y CONSEJO (2013) Decisión no 1386/2013/
UE de 20 de noviembre de 2013, relativa al *Programa General de Acción
de la Unión en materia de Medio Ambiente hasta 2020* "Vivir bien,
respetando los límites de nuestro planeta" (https://eur-lex.europa.eu/
legal-content/ES/ALL/?uri=celex:32013D1386)

PARLAMENTO EUROPEO Y CONSEJO (2022) Decisión (UE) 2022/591
de 6 de abril de 2022 relativa al Programa General de Acción de la Unión
en materia de Medio Ambiente hasta 2030 (https://www.boe.es/buscar/
doc.php?id=DOUE-L-2022-80590)

PARLAMENTO EUROPEO, CONSEJO Y COMISIÓN (2020) Proclamación
Solemne de la *Carta de los Derechos Fundamentales de la Unión
Europea* (2000/C 364/01) (https://www.europarl.europa.eu/charter/pdf/
text_es.pdf)

PELKMANS, A. RENDA, (2014) *How Can EU Legislation Enable and/or
Disable Innovation*, Comisión Europea, (https://ec.europa.eu/futurium/
en/system/files/ged/39-how_can_eu_legislation_enable_and-or_disable_
innovation.pdf)

ROCKSTRÖM J. *et al.* (2009), "Planetary boundaries: Exploring the safe
operating space for humanity", *Ecology and Society*, vol. 14, n° 2, article
32, http://www.ecologyandsociety.org/vol14/iss2/art32/

SHAPIRO B., 2016, "Pathways to de-extinction: How close can we get
to resurrection of an extinct species?" *Functional Ecology*, vol. 31,
n° 5, p. 996-1002 (https://besjournals.onlinelibrary.wiley.com/doi/
full/10.1111/1365-2435.12705)

SIIPI H. y FINKELMAN L. (2017) "The extinction and de-
extinction of species", *Philosophy & Technology*, vol.

30, nº 4, p. 427-441. (https://www.researchgate.net/publication/310592888_Thc_Extinction_and_De-Extinction_of_Species)

STEPHEN W. *et al.* (2015) "Planetary boundaries: Guiding human development on a changing planet", *Science*, vol. 347, nº 6223 (http://science.sciencemag.org/content/347/6223/1259855).

STEPHEN W. *et al.* (2018) "Trajectories of the Earth System in the Anthropocene", *Proceedings of the National Academy of Sciences*, vol. 115, nº 33, p. 8252-8259 (https://www.pnas.org/doi/pdf/10.1073/pnas.1810141115)

TAKACS D. (2019) "Aggressive solutions to disrupt biodiversity loss", in I. Scott *et al.*, "Environmental Law. Disrupt", *The Environmental Law Reporter*, vol. 49, nº 1, p. 49 https://elr.info/news-analysis/49/10038/environmental-law-disrupted

TELESETSKY A., CLIQUET A. y AKHTAR-KHAVARI, A. (2019) *Ecological Restoration in International Environmental Law*, Londres, Routledge

TRIBUNAL DE JUSTICIA (2019) *Comisión Europea contra República Portuguesa*, asunto C-290/18 de 5 de septiembre de https://eur-lex.europa.eu/legal-content/PT/TXT/HTML/?uri=CELEX:62018CJ0290&from=ES

UNESCO (2003) *Convención para la Salvaguardia del Patrimonio Cultural Inmaterial* (https://ich.unesco.org/es/convenci%C3%B3n).

URHO N., IVANOVA M., DUBROVA A. y ESCOBAR-PEMBERTHY, N. (2019) *International Environmental Governance. Accomplishments and Way Forward*, Copenhague, Nordic Council of Ministers (http://norden.diva-portal.org/smash/get/diva2:1289927/FULLTEXT01.pdf)

ZACCAÏ E. y ADAMS, W. M. (2012) "How far are biodiversity loss and climate change similar as policy issues?", *Environment Development and Sustainability*, vol. 14, nº 4, p. 557-571 (https://ideas.repec.org/a/spr/endesu/v14y2012i4p557-571.html)

Capítulo 4

Avances en el desarrollo de la Ley de Cambio Climático y Transición Energética[1]

JOSÉ FRANCISCO ALENZA GARCÍA
Catedrático de Derecho Administrativo
Universidad Pública de Navarra

I. UNA LEY PARA UNA NUEVA ERA: LA LEY DE CAMBIO CLIMÁTICO Y TRANSICIÓN ENERGÉTICA

La Ley 7/2021, de 21 de mayo, de cambio climático y transición energética (LCCTE, en adelante) es la primera que en nuestro país se enfrenta al cambio climático desde una perspectiva global, transversal e integradora.

Como he señalado en otro lugar[2], la LCCTE forma parte de la legislación climática que está abriendo una nueva era de transición hacia una economía hipocarbónica en la que se pueda lograr, lo antes posible, la deseada neutralidad climática. Esa nueva legislación climática indica que la época de los planes, programas y estrategias contra el cambio climático y el derecho blando que incorporaban ha concluido y que comienza una etapa de *hard law* climático[3]. Caracteriza a

---

[1]   Este trabajo se realiza en el marco del Proyecto de Investigación titulado "Derecho de la biodiversidad y cambio climático: trama verde, suelos y medio marino", (Ref: PID2020-115505RB-C22, Programa Estatal de I+D+i Orientada a los Retos de la Sociedad, del Plan Estatal de Investigación Científica y Técnica y de Innovación 2017-2020, Ministerio de Ciencia e Innovación).

[2]   ALENZA GARCÍA, J. F., "Una ley para una nueva era (sobre la ley española de cambio climático y transición energética)", *Medio ambiente & Derecho: Revista electrónica de Derecho Ambiental*, nº 38-39, 2021.

[3]   Ejemplos de esa nueva legislación climática son la Ley alemana de cambio climático de 12 de diciembre de 2019 o la Ley francesa de 22 de agosto de 2021 de lucha contra el cambio climático y fortalecimiento de la resiliencia frente a sus efectos, así como las leyes autonómicas que antecedieron a la LCCTE: Ley 16/2017, de 1 de agosto, de Cambio Climático de Cataluña; Ley 8/2018, de 8 de octubre, de medidas frente al cambio climático y para la transición hacia un

dicha legislación el impulso de transformaciones radicales de nuestra realidad social, energética y económica. En este sentido, la LCCTE no oculta su ferviente vocación transformadora cuando afirma en su preámbulo que los objetivos de la ley sólo se alcanzarán mediante "un cambio profundo en los patrones de crecimiento y desarrollo".

En consonancia con esa finalidad metamórfica, la LCCTE establece las bases para un nuevo modelo energético en el que se abandona la energía de origen fósil y se fomenta la procedente de fuentes renovables, se impone el enfoque climático en las políticas públicas, se apuesta por una movilidad sostenible y libre de emisiones y sitúa al cambio climático en el centro de las preocupaciones políticas, económicas y sociales[4].

No obstante, debe advertirse que el contenido de la LCCTE es más programático y propositivo que vinculante. En lugar de una ley de reducida extensión que se limitara a la fijación de objetivos y a la imposición del enfoque climático, se ha optado por una ley de amplio y heterogéneo contenido, que se proyecta sobre los principales sectores implicados en la lucha climática. El problema es que esa extensa proyección se ha hecho de manera superficial y sin el vigor suficiente para establecer medidas directamente transformadoras, limitándose a establecer previsiones y criterios generales que deberán ser desarrollados más adelante. Por eso, la LCCTE se muestra en muchos aspectos como una ley apocada y tímida, que se limita a señalar el camino, sin imponer por sí misma avances decididos y aplazando las determinaciones de carácter vinculante.

En efecto, uno de los rasgos más patentes de la LCCTE es su desigual densidad normativa. Conviven disposiciones muy concretas, con otras previsiones de índole meramente programática que quedan condicionadas a su futura concreción mediante normas y planes de diversa índole. Por ello, la LCCTE se presenta más como una ley ha-

---

4   nuevo modelo energético de Andalucía; y la Ley 10/2019, de 22 de febrero, de cambio climático y transición energética de las Islas Baleares.
Un estudio completo de los contenidos de la ley puede verse en la obra colectiva *Estudios sobre cambio climático y transición energética*, (eds.: ALENZA GARCÍA, J. F. y MELLADO RUIZ, L.), Madrid, Marcial Pons, 2022.

bilitadora[5] que como una ley de directa aplicación a los ciudadanos, lo que explica que carezca de régimen sancionador.

A pesar de todo, considero que la LCCTE ha de ser bienvenida. Parafraseando la célebre frase de Neil Armstrong cuando el hombre llegó a la luna, podría decirse que la LCCTE constituye un pequeño paso para la legislación climática, pero es un gran paso para la "climaticidad". No debe desdeñarse que haya asumido una finalidad ambiciosa (la neutralidad climática) alineada con los objetivos y estrategias internacionales sobre cambio climático y que pretenda impulsar una transformación profunda del sistema energético implicando, además, a sectores muy diversos (transportes, edificación, sistema fiscal y financiero). Además, en lo que supone a mi juicio la aportación más trascedente de la LCCTE, impone un enfoque climático en todo tipo de actuaciones y decisiones públicas —y de algunas privadas— con incidencia climática.

Es cierto que podría haberse elaborado una ley más ambiciosa en sus objetivos y sus contenidos, con unas determinaciones más directas, profundas y agravadas. No obstante, es indudable que la recepción en un texto legislativo del objetivo de la neutralidad climática y la imposición del necesario enfoque filoclimático en todas las políticas y normas con incidencia sobre el clima, ha abierto una nueva era del Derecho ambiental y contra el cambio climático, sentando las bases para impulsar y generalizar un desarrollo sostenible hipocarbónico.

Un año después de su promulgación cabe hacer un análisis de los desarrollos de la LCCTE para comprobar los avances que se han producido en la aplicación de las genéricas previsiones legales. Ese es el objetivo de este trabajo que agrupará las actuaciones más significativas en tres sectores: transición energética y energías renovables, movilidad sostenible y gobernanza climática. Pero, antes, conviene

---

[5]   La gran mayoría de los preceptos de la ley se dirigen a la acción del Gobierno y de las Administraciones públicas. Es el caso de las disposiciones sobre planes y estrategias (arts. 3 a 6, 17 a 25, 27, disp. adic. 9ª), sobre medidas de fomento (arts. 8, 11, 12, 14.1, 16, 26, disp. adic. 8ª) sobre futuros desarrollos reglamentarios y reformas legales (arts. 7.2, 13.2, 15.9, 16.1, 30.1, 31.1, 35, 36, 39.1 y 40, disp. adic. 4ª, 6ª y 7ª), o sobre obligaciones de información y de vigilancia (art. 15 y 40).

recordar algunas circunstancias recientes que ratifican la urgencia y la necesidad de actuar contra el cambio climático.

II. UN AÑO QUE RATIFICA LA NECESIDAD DE LA LUCHA CONTRA EL CAMBIO CLIMÁTICO

Las noticias y datos sobre el cambio climático durante el año posterior a la LCCTE han ratificado la necesidad de luchar contra el cambio climático y de acelerar, en la medida de los posible, las acciones de mitigación y de adaptación al mismo.

Más allá de las cifras de temperaturas, precipitaciones y acontecimientos extremos (inundaciones, tornados, sequías, etc.) que continuamente superan los registros existentes, la tercera entrega del Sexto Informe de Evaluación del IPPC (abril de 2022) ha advertido que el cambio climático es generalizado (se observan cambios en el clima de la Tierra en todas las regiones y en el sistema climático en su conjunto), rápido y se está intensificando (muchos de las alteraciones observadas en el clima no tienen precedentes en miles y en cientos de miles de años), haciendo que algunos cambios que ya se están produciendo, como el aumento del nivel del mar, no se podrán revertir hasta dentro de varios siglos o milenios. Por ello, se advierte que para evitar que el objetivo de no sobrepasar el calentamiento en 1'5ºC o incluso en 2ºC se convierta en un objetivo inalcanzable, lo que se haga en los próximos años resultará crítico. No obstante, concluye el informe que todavía existen opciones para reducir el 50% de las emisiones en 2030.

La lucha contra el cambio climático, por tanto, no admite aplazamientos, ni demoras y urge la adopción de decisiones que impulsen vigorosamente la transición energética, la disminución de las emisiones y la adaptación al cambio climático.

En el plano de la litigación climática, en este año se ha producido una nueva condena judicial a un Estado europeo, después de las que afectaron a Holanda y a Francia. El Tribunal Constitucional de Alemania, en una resolución de 24 de marzo de 2021, afirmó que el cambio climático es irreversible, lo que significa que el mandato constitucional de protección del clima seguirá aumentando progresivamente. Por esa razón, considera que los compromisos adoptados de reducción de gases de efecto invernadero, que aplazan la mayor parte de la reducción para después de 2030, no son aceptables porque ello supone una carga excesiva para las generaciones jóvenes[6].

En el plano político y legislativo, cabe destacar la promulgación de una nueva ley autonómica climática (Ley Foral 4/2022, de 22 de marzo, de cambio climático y transición energética); la aprobación de importantes documentos en materia de adaptación climática y de autoconsumo energético[7]; así como algunos desarrollos normativos previstos en la LCCTE a los que me referiré a continuación, agrupándolos en tres ámbitos principales: la transición energética, la movilidad sostenible y la gobernanza climática.

III. LA TRANSICIÓN ENERGÉTICA Y EL IMPULSO A LAS ENERGÍAS RENOVABLES

El objetivo europeo de la neutralidad climática y la finalidad y principio rector de la LCCTE de descarbonizar la economía exigen avanzar en la transición energética y en la potenciación de las energías renovables. La LCCTE prevé una reforma profunda del marco normativo en materia de energía que impulse determinadas acciones (D. F. 1ª). Esa reforma general no se ha producido, ni siquiera se ha proyectado. Lo que sí se han aprobado han sido modificaciones parciales de ese marco normativo para impulsar las energías renovables, que paso seguidamente a comentar.

---

[6]   Sobre esta sentencia véase PIELOW, J. C. y HERNÁNDEZ GALVIS, D., "El futuro de los hidrocarburos y los combustibles fósiles: un acercamiento desde la perspectiva del Derecho comparado y bajo consideración especial del sector del carbón", en ALENZA GARCÍA, J. F. y MELLADO RUIZ, L. (eds.), *Estudios sobre cambio climático y transición energética*, Madrid, Marcial Pons, 2022, pp. 675-70; y RUIZ PRIETO, M., "Cambio climático y derechos fundamentales diacrónicos: la sentencia alemana del cambio climático y su doctrina", *REALA*, núm. 17, 2022, pp. 78-93.

[7]   El más importante ha sido la aprobación, en diciembre de 2021, del Programa de Trabajo 2021-2025 del PNACC, que detalla las medidas que deben aplicarse en los cinco primeros años de aplicación del PNACC. También cabe destacar la aprobación, en diciembre de 2021, de la Hoja de Ruta para impulsar el autoconsumo en el marco del marco estratégico de energía y clima.

1. Apoyo a las energías renovables y fomento de la eficiencia energética

El RDL 23/2020, de 23 de junio, por el que se aprueban medidas en materia de energía en otros ámbitos para la reactivación económica, incorpora tres tipos de medidas para el impulso de la transición energética.

En primer lugar, mejora el marco normativo para el desarrollo ordenado y el impulso de las energías renovables en los siguientes aspectos: criterios de ordenación del acceso y de la conexión a las redes de transporte y distribución de electricidad; reformulación del régimen retributivo específico de las instalaciones de producción de energía eléctrica a partir de fuentes de energía renovables (previsión de un marco retributivo basado en el reconocimiento a largo plazo de un precio fijo por la energía que se otorgará mediante procedimientos de concurrencia competitiva); y simplificación del régimen de autorizaciones de las instalaciones de producción de energía eléctrica.

En segundo lugar, modifica la LSE para impulsar nuevos modelos de negocio en el sector energético. Se definen las figuras de nuevos sujetos como los titulares de las instalaciones de almacenamiento, los agregadores independientes, o las comunidades de energías renovables. La admisión de esos nuevos sujetos en la LSE es positiva, aunque la reforma se queda muy corta, ya que para un verdadero impulso a su operatividad es necesario, además de la definición de estas figuras, un desarrollo más amplio del régimen jurídico de su actividad.

En tercer lugar, el RDL establece medidas para el fomento de la eficiencia energética para lo cual, entre otras previsiones, se modifica la regulación del sistema nacional de obligaciones de eficiencia energética y de las obligaciones de ahorro individuales, así como la forma de cumplimiento de dichas obligaciones y los Certificados de Ahorro Energético.

2. Las nuevas subastas de energías renovables

Las previsiones del RDL 23/2020 sobre un régimen retributivo específico para las energías renovables en régimen de concurrencia competitiva fueron desarrolladas por el RD 960/2020, de 3 de noviembre por el que se regula el régimen económico de energías renovables para las instalaciones de producción de energía eléctrica[8].

La principal novedad del nuevo sistema es que pasa de unas subastas de capacidad (que retribuían la inversión) a unas subastas que tienen en cuenta la diversidad de tecnologías renovables con bajos costes de explotación. El RD también establece que las convocatorias de las subastas tengan en cuenta las particularidades de las comunidades de energías renovables para que puedan competir por el acceso al marco retributivo en igualdad con otros participantes. En tercer lugar, se prevé que las instalaciones de pequeña magnitud (cuya potencia instalada sea inferior a 5 MW) y los proyectos de demostración puedan quedar eximidas de la subasta para el acceso al marco retributivo[9].

3. La cuestionable "agilización" de la autorización de proyectos de energías renovables de competencia de la Administración General del Estado

El RD-L 6/2022 por el que se adoptan medidas urgentes en el marco del Plan Nacional de respuesta a las consecuencias económicas y sociales de la guerra en Ucrania. Se trata de medidas en el ámbito energético, en materia de transportes, de apoyo al tejido económico y empresarial y, por último, también incluye medidas de apoyo a trabajadores y colectivos vulnerables.

En materia energética se incluyen ayudas a la industria; se actualiza el régimen retributivo específico de la producción de energía eléctrica a partir de fuentes de energía renovables; se modifican algunos aspectos de los concursos de acceso; se impone una reducción de la intensidad de las emisiones de gases de efecto invernadero durante el ciclo de vida de los combustibles y energía suministrados en trans-

---

[8]   Sobre el régimen de las subastas véase CUESTA ADÁN, A., "Retribución de las energías renovables (II): las subastas de energías renovables", en ALENZA GARCÍA, J. F. y MELLADO RUIZ, L. (eds.), *Estudios sobre cambio climático y transición energética*, Madrid, Marcial Pons, 2022, pp. 177-200.

[9]   La primera subasta para el otorgamiento del régimen económico de energías renovables conforme al nuevo sistema fue regulada por la Orden TED/1161/2020, de 4 de diciembre. La primera subasta fue convocada por Resolución de 10 de diciembre de 2020 y la segunda por Resolución de 8 de septiembre de 2021.

porte; y se aprueban ciertas disposiciones para la agilización de los procedimientos de proyectos de energías renovables.

De todas estas medidas me detendré en el examen del procedimiento de determinación de afección ambiental para determinados proyectos de energías renovables, porque contiene algunas previsiones que, a mi juicio, suponen una cierta regresión respecto de la protección ambiental anterior y, además, dota de eficacia jurídica un instrumento que hasta ahora sólo tenía carácter informativo[10].

El procedimiento de determinación de afecciones ambientales —que carece de carácter básico[11]— está previsto para específicos proyectos de energías renovables que cumplan conjuntamente determinados requisitos de conexión, de tamaño y de ubicación, eximiéndoles del procedimiento de evaluación ambiental. Con el procedimiento de determinación de afecciones ambientales se simplifica la evaluación ambiental y, además, se agiliza su autorización sustantiva al dotarles de carácter urgente y refundir ciertos trámites[12].

Este nuevo régimen es cuestionable, al menos, en tres aspectos:

1º. Efecto regresivo. El objeto del informe de afección ambiental es determinar si el proyecto debe someterse a un procedimiento de evaluación ambiental, o si puede tramitarse el procedimiento de autorización sustantiva (art. 6.3, d). Es decir, pretende allanar su evaluación ambiental, ya que se aplica a proyectos que estaban sometidos a una evaluación de impacto ambiental ordinaria o simplificada. Con este

---

[10]   Un análisis completo de este procedimiento puede verse en LOZANO CUTANDA, B., "Real Decreto Ley 6/2022: el nuevo procedimiento de determinación de afección ambiental aplicable a determinados proyectos de energías renovables", *Actualidad Jurídica Ambiental*, nº 123, 9 de mayo de 2022.

[11]   Artículo 6.6; "El procedimiento regulado en este artículo no tiene carácter básico y por tanto sólo será de aplicación a la Administración General del Estado y a sus organismos públicos. No obstante, en su ámbito de competencias, las Comunidades Autónomas podrán aplicar lo dispuesto en este artículo únicamente para los proyectos a los que se refiere el apartado 1".

[12]   Para ello, el RDL 6/2022 declara de urgencia los procedimientos de autorización de los proyectos de generación mediante energías renovables competencia de la Administración General del Estado (art. 7) y se prevé que se efectúe de manera conjunta la tramitación y resolución de las autorizaciones previa y de construcción, se unifican diversos trámites de dichos procedimientos autorizatorios y se reducen los plazos de tramitación (art. 7.1).

procedimiento se elimina esa sujeción, salvo que el informe no sea favorable e imponga la tramitación de la correspondiente evaluación ambiental. Los proyectos que pueden someterse al procedimiento de determinación de afección ambiental no afectan a los proyectos del Anexo I de la Directiva de evaluación ambiental, por lo que no se incumple la normativa europea. Sin embargo, existe cierto efecto regresivo en la instauración de este procedimiento porque, como ha señalado Lozano Cutanda, supone dejar sin efecto la protección adicional que había establecido la legislación básica estatal al someter a evaluación ambiental a proyectos no incluidos en el anexo I de la Directiva[13].

2º. La cuestionable atribución de efectos jurídicos a la "zonificación ambiental para la implantación de energías renovables". Uno de los principios rectores de la LCCTE es el de la "cohesión social y territorial, garantizándose, en especial, la armonización y el desarrollo económico de las zonas donde se ubiquen las centrales de energías renovables respetando los valores ambientales" (art. 3, d). Para materializar dicho principio y evitar que las nuevas instalaciones de producción energética a partir de energías renovables no produzcan un impacto severo sobre la biodiversidad y otros valores naturales, la LCCTE dispuso el establecimiento de "una zonificación que identifique zonas de sensibilidad y exclusión por su importancia para la biodiversidad, conectividad y provisión de servicios ecosistémicos, así como sobre otros valores ambientales" (art. 21.2). El mismo precepto encomienda al Ministerio para la Transición Ecológica y el Reto Demográfico la elaboración de "una herramienta cartográfica que refleje esa zonificación, y velará, en coordinación con las Comunidades Autónomas, para que el despliegue de los proyectos de energías renovables se lleve a cabo, preferentemente, en emplazamientos con menor impacto". Esa herramienta ya ha sido elaborada por el Ministerio de Transición Ecológica, aunque carece de carácter vinculante, teniendo efectos meramente informativos[14].

---

13   LOZANO CUTANDA, B., "Real Decreto Ley 6/2022...", cit., p. 8.
14   La zonificación de la sensibilidad ambiental del territorio ante grandes proyectos de instalaciones de renovables distingue cinco clases de sensibilidad (máxima, muy alta, alta, moderada y baja). Según su propia definición, la zonificación es una aproximación metodológica orientativa para conocer desde fases tempranas

Pues bien, el RDL 6/2022 otorga una eficacia jurídica a esa zonificación ambiental dado que es uno de los requisitos de la ubicación de los proyectos sometidos al procedimiento de determinación de la afección ambiental[15]. Esta previsión presenta serias dudas en cuanto a su idoneidad —ya que una herramienta meramente metodológica y simplificadora de la realidad no puede servir para sustituir o eludir una evaluación ambiental— y también en cuanto a su encaje competencial[16].

3º. Dudosos trámites procedimentales. El procedimiento carece, contrariamente a lo habitual en procedimientos ambientales, de información pública. Además, el informe con el que termina el procedimiento, aunque es objeto de publicidad, no puede ser "objeto de recurso alguno, sin perjuicio de los que, en su caso, procedan en vía administrativa y judicial frente al acto de autorización del proyecto" (art. 6.5). Se prevé una regla similar a la irrecurribilidad de las declaraciones de impacto ambiental. Sin embargo, la falta de participación ciudadana y el retraso en el acceso a la justicia que supone la inimpugnabilidad del informe, no resultan plenamente acordes con los principios del Convenio de Aarhus.

IV. DIFICULTADES PARA LA IMPLANTACIÓN DE UNA MOVILIDAD SOSTENIBLE E HIPOCARBÓNICA

La LCCTE presta una atención especial a la movilidad y al transporte dado que es uno de los sectores que emite más gases de efecto

---

los condicionantes ambientales (puede verse en https://www.miteco.gob.es/es/calidad-y-evaluacion-ambiental/temas/evaluacion-ambiental/zonificacion_ambiental_energias_renovables.aspx).

[15] Artículo 6.1, c): "Proyectos que, no ubicándose en medio marino ni en superficies integrantes de la Red Natura 2000, a la fecha de la presentación de la solicitud de autorización por el promotor estén ubicados íntegramente en zonas de sensibilidad baja según la "Zonificación ambiental para la implantación de energías renovables", herramienta elaborada por el Ministerio para la Transición Ecológica y el Reto Demográfico".

[16] Como ha señalado Lozano Cutanda en caso de que esa zonificación ambiental no coincida con la planificación energética que es competencia de la Comunidad Autónoma (y podríamos añadir también a la ordenación territorial y ambiental) puede provocar conflictos competenciales (cit., p. 7).

invernadero. La LCCTE encomienda al Gobierno la elaboración de un proyecto de ley de movilidad sostenible (D. F. 8ª) para complementar y reforzar las determinaciones que la propia ley establece sobre los combustibles, sobre el transporte y sobre la promoción de la movilidad sin emisiones. Una de sus medidas más relevantes es la obligación que impone a los municipios de más de 50000 habitantes de introducir medidas de mitigación incluyendo, entre otras, el establecimiento de zonas de bajas emisiones antes de 2023 (art. 14.1).

Este año se han conocido ya dos proyectos normativos (sobre ley de movilidad sostenible y sobre zonas de bajas emisiones). Pero antes de comentarlos, conviene analizar las dificultades para establecer medidas para una movilidad sostenible de acuerdo con la doctrina establecida por el TSJ de Cataluña al anular la Ordenanza de Barcelona que establecía una ZBE.

1. La anulación de la Zona de Bajas Emisiones de Barcelona

1.1. La exigencia de motivación de la proporcionalidad de la restricción del tráfico motorizado

La Ordenanza del Ayuntamiento de Barcelona relativa a la restricción de la circulación de determinados vehículos en la ciudad de Barcelona que aprobaba en ella una Zona de Bajas Emisiones (ZBE) fue anulada por la Sección 5ª de la Sala Contencioso administrativo del TSJ de Cataluña, al resolver los recursos presentados por varias asociaciones[17] en seis sentencias dictadas el 21 de marzo de 2022[18].

---

[17] Los recursos fueron presentados por la Asociación Plataforma de afectado por las restricciones circulatorias, la Associació de Families nombroses de Catalunya, el Gremi provincial de Tallers de reparació i manteniment de automóbils de Barcelona, el Gremi de Transport i Maquinaria de la contrucció de Catalunya, la Associació general d'Autonoms-Pimes transportistes de Catalunya; la Federación catalana de Transporte de Barcelona ("transcalit"), la Asociación de Transportistas agrupados Condal (Astac Condal) y Transprime spanish shippers council; la Federació empresarial catalana d'Autotransport de Viatgers (FECAV); y la Associació d'Empresaris de Transport Discrecional de Catalunya (AUDICA).

[18] Sirva como referencia la sentencia ECLI:ES:TSJCAT:2022:1576.

Se trata de una extensa sentencia que analiza numerosos motivos de impugnación. Aquí me referiré a los tres que considero más relevantes.

a) Competencia municipal y derechos afectados por la ordenanza (FJ 2º)

La sentencia señala que la competencia municipal para aprobar una Ordenanza para el establecimiento de una restrictiva ZBE tiene un indudable fundamento constitucional y legal. Los objetivos de la mejora de la calidad ambiental y de reconducción del cambio climático están en consonancia con los arts. 43 y 45 de la CE y del art. 27 del Estatuto de Cataluña. Las medidas limitativas que se establecen para alcanzar dichos objetivos entran en conflicto con el derecho de los ciudadanos a la movilidad en general y, en particular, con el principio de libertad económica del art. 38 CE, porque la Ordenanza establece una prohibición de circulación por la ZBE en todos los días y horas laborales para vehículos sin distintivo ambiental, que comprende la ciudad de Barcelona, con las únicas excepciones de la zona portuaria y la de montaña, y que incluye a todos los vehículos profesionales.

Para resolver el conflicto entre el objetivo ambiental de interés general y la afección a los derechos y libertades restringidos debe analizarse si las medidas limitativas introducidas por la Ordenanza impugnada están motivadas suficientemente y se presentan como adecuadas y proporcionadas; es decir, si está justifica su idoneidad para alcanzar el objetivo deseado de la forma menos restrictiva posible, tal como establecen los arts. 4 de la LRJS y art. 5 de la LGUM.

b) Restricciones establecidas por la Ordenanza y delimitación territorial de la ZBE

La sentencia analiza las diversas medidas restrictivas de la ZBE: vehículos afectados y excluidos, validez del distintivo ambiental utilizado, extensión de la prohibición de circulación (que es máxima, puesto que impide el acceso a la ZBE y también la circulación a los vehículos que estén dentro de la zona y que se impone para todos los días laborales, de lunes a viernes, de 7.00 a 20.00), las medidas transitorias y las autorizaciones de acceso. Advierte la sentencia que ni en las memorias ni en la documentación preparatoria se aprecia el estudio de medidas alternativas o menos restrictivas cuando es evidente que existen (zonificación por anillo o por subáreas, prohibición de acceso o de estacionamiento, condicionamiento de la circulación al número de personas que usan el vehículo, etc.) y que deberían haberse valorado.

En cuanto a la delimitación territorial de la ZBE, la sentencia considera que, aunque en el momento de aprobarse la ordenanza no existía una definición legal de ZBE, este concepto parece remitirse a un espacio acotado o limitado en el que se limita el acceso a los vehículos más contaminantes. En el caso de la Ordenanza de Barcelona, la ZBE alcanza la extensión de la mayor parte del término municipal de Barcelona, así como a otros municipios, por lo que desborda el ámbito estrictamente municipal, además de disgregar la equivalencia entre "zona" y "porción del territorio", pues la ZBE alcanza a todo el territorio municipal donde se desarrolla habitualmente el núcleo de vida ciudadana, pues únicamente se excluye la zona portuaria y la zona de montaña. "En este sentido —advierte la sentencia— podríamos decir que más que una "zona" lo que se regula es una "ciudad" de bajas emisiones, que además se extiende a las poblaciones limítrofes que constituyen la conurbación de Barcelona. Desde esta perspectiva, podría afirmarse que la naturaleza ZBE así delimitada es más cercana a una zona de intervención ambiental, propia de un instrumento de planificación, más concretamente un plan de acción".

No obstante, ello no supone una causa de nulidad ya que no contradice ningún precepto legal. Sin embargo, la extraordinaria amplitud de la ZBE, sin distinción de anillos o subáreas, será un elemento importante en la valoración de la proporcionalidad de la ordenanza. Especial importancia se da al hecho de que no se tiene en cuenta la diferente calidad del aire en las distintas áreas de la ciudad. Como indica la sentencia, "desde el punto de vista de la motivación, la asimetría de los datos de contaminación y la extensión de la ZBE, hacían exigible que se ponderaran medidas alternativas o menos restrictivas en subzonas, áreas o anillos en función de los datos de contaminación, lo cual no se hace en toda la tramitación del expediente".

En definitiva, la sentencia considera que la extensión de la ZBE, que desborda el concepto de ámbito territorial limitado, "exige un mayor rigor de motivación desde el punto de vista de la proporcionalidad, pues el contenido de las limitaciones se intensifica notablemente si, como en el caso, son uniformes y de carácter general" sin establecer una zonificación por anillos de transición o por núcleos.

c) Impacto presupuestario, económico y social de la Ordenanza

La sentencia considera que las consecuencias económicas y sociales no han sido ponderadas suficientemente en la tramitación de la Ordenanza. Tampoco se han valorado suficientemente los efectos sobre la competencia y el mercado, singularmente en el sector del transporte[19]. La sentencia destaca que no se ha tenido en cuenta que los más afectados por las restricciones "son los colectivos que no tienen capacidad económica para cambiar su vehículo por uno con distintivo ambiental" (FJ 6.5).

La conclusión de la sentencia es que "la intensidad y alcance general de las restricciones, exigía que se cumplieran los requisitos de motivación (…) para valorar impacto de las medidas en el mercado y la competencia, tanto en el ámbito del transporte, como en el de los negocios relacionados con la automoción de la ZBE. En el expediente no se realiza un análisis suficiente de las alternativas, ni de las consecuencias económicas, sociales y sobre el mercado y competencia que producen las medidas, ni se evalúan suficientemente los costes y beneficios que implica el proyecto de disposición para sus destinatarios, así como las cargas administrativas que supone la promulgación de la Ordenanza".

---

[19] Un voto particular, concurrente con el fallo de la sentencia, discrepa en la motivación de la misma, y da especial trascendencia a la falta de estudio de otras medidas menos restrictivas como la potenciación del transporte público y el reequipamiento de los vehículos, aludiendo a la falta de análisis de la huella ambiental y "valorando aquella economía circular que permite utilizar el producto hasta su vida útil, minimizando al tiempo la emisión de gases a la atmósfera y también con ello la producción de residuos". Y concluye: "desde esta óptica adquiere una especial importancia la motivación porque las medidas de restricción deben adoptarse cuando todas las medidas que tienen menor impacto han resultado insuficientes (desde las de menor coste, sumideros naturales, otras como el reequipamiento, y el fomento previo del transporte público".

En definitiva, las medidas aplicables en la ZBE se consideran de máxima restricción —por su extensión geográfica sin distinción de subáreas, por el tipo de vehículos afectados, y por el horario al que se extiende—, sin que se hayan ponderado medidas alternativas menos restrictivas, apreciándose además la insuficiencia o ausencia de informes socioeconómicos que justificaran y motivaran suficientemente la proporcionalidad de las medidas. Esos vicios sustanciales determinan, según la sentencia, la nulidad de la Ordenanza.

1.2. Razones para la discrepancia: el nuevo paradigma ambiental debe tenerse en consideración al valorar la proporcionalidad de las restricciones

La sentencia contó con un interesante voto particular discrepante, del que me interesan destacar las siguientes ideas:

a) La valoración de la proporcionalidad de las restricciones de tráfico debe tener en cuenta el cambio de paradigma ambiental:

> "El principio de proporcionalidad no es neutro, responde a una determinada escala de valores. El juicio de proporcionalidad se lleva a cabo en una atmósfera de muy escasa densidad jurídica, en la que el tribunal actúa en una función de naturaleza arbitral, y lo hace con base en una concreta valoración de razonabilidad de las medidas objeto de enjuiciamiento, concepto éste que no tiene naturaleza absoluta y unívoca, ni queda exento de un componente significativo de subjetividad
>
> En este sentido cabe llamar la atención sobre el cambio de paradigma en el que estamos inmersos en lo que se refiere al valor del medioambiente en todos los procesos de toma de decisiones, tanto decisiones públicas como privadas. En lo que se refiere al ambiente atmosférico, los acuerdos de París, la Directiva 50/08, la legislación interna de calidad del aire, o la Ley de cambio climático y transición energética de 2021 son muestras de ello.
>
> A los efectos de valorar la proporcionalidad de las medidas que introduce la ordenanza la sentencia de la mayoría toma en consideración los derechos a la salud y al medio ambiente, por un lado, y los derechos a la movilidad de las personas y la libertad económica —la libertad de empresa—. por otro; todos ellos de rango constitucional".

b) Infravaloración del problema ambiental y sobrevaloración del derecho de movilidad individual en vehículos contaminantes.

> "Considero en este sentido que la sentencia infravalora el problema de contaminación ambiental para conceder la máxima relevancia a los

costes que impone la ordenanza. En cuanto a estos últimos, entiendo que hay que matizar la importancia que se otorga al derecho de movilidad individual.

En efecto, ciertamente la ordenanza introduce una limitación de movilidad durante horario laboral de determinados vehículos, los calificados como más contaminantes. Una medida que afecta notablemente a los usuarios de los mismos. Ahora bien, no se puede presuponer que la ordenanza afecta frontalmente el derecho individual a la movilidad, sin más. Lo que afecta la ordenanza es la movilidad de algunos ciudadanos y de una determinada forma; esto es, el traslado mediante vehículos contaminantes.

La ordenanza no impide la movilidad de los ciudadanos, sino que condiciona la forma en la que éstos ejercitan tal derecho, imponiendo pues una movilidad sostenible, y la ciudad ofrece buenas alternativas en este sentido.

En este contexto, no se puede olvidar que existe el derecho a la movilidad, pero no el derecho a contaminar".

c) Cambio cultural sobre el uso del vehículo privado en la movilidad urbana.

"Cabe considerar también el notable cambio cultural que se ha ido imponiendo en lo que se refiere al uso del vehículo privado como medio de traslado ordinario de los ciudadanos en las grandes concentraciones urbanas. El caso es que, como señala la sentencia de la mayoría, las restricciones se referirían a los turismos a gasolina desde el año 2000, y a los vehículos diésel homologados con anterioridad al año 2006. Por tanto, estamos ante restricciones que afectan a vehículos que en el mejor de los casos tienen una antigüedad mínima de 20 años en unos casos, 14 años en otros.

La sentencia de la mayoría pone especial énfasis en el sacrificio que las restricciones imponen a los titulares de los vehículos afectados, y, en efecto, se trata de un sacrificio significativo, pero no se puede despacharla valoración sin tener en cuenta que se trata de vehículos ya venerables que en muchos casos están ya amortizados".

d) El derecho al medio ambiente exige una acción pública permanente y preventiva.

"No se puede contemplar la intervención pública en materia medioambiental como una intervención puntual limitada situaciones extremas, sino como una acción de naturaleza permanente y netamente preventiva.

Consiguientemente, la legitimación de los poderes públicos para establecer restricciones no queda limitada a las situaciones en la que se hayan desencadenado ya los episodios patológicos de contaminación; esto es, a los casos en los que se hayan superado los valores límite.

De acuerdo con la función preventiva que corresponde a los poderes públicos, hay que admitir plenamente su legitimidad de para establecer actuaciones y limites que impidan episodios futuros de contaminación cuando todavía no se han producido. El principio de proporcionalidad no puede actuar en contra de la posibilidad de introducir restricciones en situaciones que, como es el caso de la ciudad de Barcelona a la vista de su historia reciente, deben extremar la prevención respecto el riesgo de contaminación atmosférica. (…)

Por otro lado, no solo se trata del carbono o los contaminantes atmosféricos que admita el medio ambiente de la ciudad de Barcelona, sino también el que admite la atmosfera del planeta, para la que es indiferente que el origen geográfico de la contaminación este en un barrio o en otro".

En suma, el voto particular tampoco considera inadmisible la declaración como ZBE de una zona tan amplia y restrictiva como la de la Ordenanza impugnada, siempre que esté debidamente justificada su proporcionalidad. Considera que no cabe exigir una justificación exhaustiva de todas las medidas de la Ordenanza, aunque sí entiende que la ausencia de un análisis de las alternativas menos restrictivas es una omisión relevante para enjuiciar la proporcionalidad de la norma.

2. *Proyectos normativos sobre movilidad sostenible*

2.1. El Proyecto de Real Decreto por el que se regulan las Zonas de Bajas Emisiones

La LCCTE prevé la adopción de planes de movilidad sostenible en los municipios de más de 50000 habitantes (y en los de más de 20000 habitantes que superen los niveles límite de contaminantes) que deben incluir zonas de bajas emisiones (art. 14.1).

Con la finalidad de aportar seguridad jurídica mediante una legislación homogénea en todo el territorio nacional, en abril de 2022, se abrió el periodo de información pública de un Proyecto de Real Decreto por el que se regulan las Zonas de Bajas Emisiones en el que se establecen los requisitos mínimos que deben cumplir.

El Proyecto estipula que las ZBE tienen que ser definidas y reguladas por las entidades locales en sus ordenanzas de movilidad sostenible, debiendo establecer objetivos cuantificables para los distintos objetivos de las ZBE (mejora del aire y del medio ambiente sonoro, mitigación del cambio climático, impulso del cambio modal hacia modos de transporte más sostenibles y eficiencia energética en los medios de transporte). Entre otros requisitos que deben cumplir los proyectos de ZBE, el proyecto establece los contenidos mínimos de los proyectos de ZBE, el sistema de gobernanza y de participación pública, el sistema de monitorización y seguimiento, así como los plazos de revisión.

De entre todas las previsiones del proyecto de Real Decreto, cabe destacar el deber de incluir medidas en las ZBE (como prohibiciones o restricciones de acceso, circulación y aparcamiento de vehículos según su potencial contaminante) que impulsen el cambio modal hacia medios de transporte más sostenibles, de acuerdo con la siguiente jerarquía por modos de transporte (art. 5.1): 1°. Peatón. 2°. Bicicleta. 3°. Transporte público. 4°. Vehículos con alta ocupación y movilidad compartida. 5°. Automóviles motorizados particulares. Además, se precisa que cuando se permita el acceso de vehículos motorizados, se priorizará el acceso de los vehículos 0 emisiones.

2.2. El Anteproyecto de Ley de Movilidad Sostenible

El Anteproyecto de Ley de Movilidad Sostenible es un extenso texto articulado (consta de 107 artículos estructurados en nueve títulos) que parte de la idea de que el sistema de transportes español se encuentra entre los mejores del mundo, aunque precisa adaptarse a una nueva etapa de profundos cambios propiciados por las nuevas tecnologías, la automatización, los retos ambientales, los aspectos sociales y la concentración de la población en grandes núcleos urbanos. El anteproyecto señala que se centra en dar respuesta las necesidades de movilidad cotidiana de la ciudadanía de una manera sostenible, así como mejorar la regulación del transporte de mercancías de los sistemas productivos, aprovechando la potencialidad de la digitalización y las nuevas tecnologías.

La ley se presenta con el objetivo de establecer las condiciones necesarias para que la ciudadanía y las empresas puedan "disfrutar de un sistema de movilidad sostenible, justo e inclusivo como herramienta para lograr una mayor cohesión social y territorial, contribuir a un desarrollo económico resiliente y alcanzar los objetivos de reducción

de gases de efecto invernadero y calidad del aire" (art. 1.1). Proclama
el reconocimiento del "derecho a la movilidad sostenible" (art. 4) y se
inspira en unos principios rectores entre los que destacan los relativos
a la sostenibilidad ambiental, a la resiliencia climática, al fomento de
la ciudad de proximidad y a los compromisos climáticos internacionales asumidos por España (art. 5).

El Anteproyecto dedica su título II al fomento de la movilidad sostenible. Más allá de los instrumentos de planificación y de gestión de
la movilidad, destaca la consagración de una jerarquía del sistema de
medios de movilidad en el ámbito urbano, que se define en los siguientes términos (art. 28.1):

> "Con el fin de dar cumplimiento a los principios rectores de la mo-
> vilidad y atendiendo a los efectos sobre el medioambiente y la salud, en
> el ámbito urbano las administraciones públicas velarán por incentivar y
> promover los medios y modos de movilidad en los entornos metropolita-
> nos, en el orden siguiente:
>
> a) La movilidad activa, primando especialmente la movilidad a pie,
> la movilidad en bicicleta y la movilidad de las personas con discapacidad
> que transitan por las zonas peatonales en silla de ruedas con o sin motor,
> aparatos similares autorizados, a velocidad del paso humano.
>
> b) El transporte público colectivo.
>
> c) Los esquemas de movilidad de alta ocupación que supongan un be-
> neficio en términos de reducción de externalidades, ocupación del espacio
> público u otros.
>
> d) El vehículo privado, primando en todo caso, las tecnologías que
> supongan menores emisiones contaminantes y de gases de efecto inverna-
> dero, así como los vehículos que supongan menor ocupación del espacio
> público".

Otras medidas previstas son la planificación urbana para el fomento de la movilidad activa, la posibilidad de reservar carriles a determinados vehículos, el uso y suministro de fuentes de energía alternativas
en puertos y en aeropuertos, el cálculo e información de la huella de
carbono del transporte, y la promoción de sistemas de gestión ambiental y de la energía en los servicios y en las infraestructuras de
transporte.

Como puede apreciarse, nos encontramos ante otro texto normativo que anuncia profundas transformaciones y un cambio en la jerarquía de los modos de transporte, que puede anunciar un cambio
de paradigma.

3. Hacia un cambio de paradigma en la movilidad sostenible

La transición a una movilidad verdaderamente sostenible no será fácil. La implantación de la nueva jerarquía de los medios de movilidad prevista en los dos proyectos normativos señalados (que, por cierto, es de esperar que en los textos que se aprueben se eliminen las diferencias apreciables entre ellas) tampoco lo será.

No obstante, las consecuencias jurídicas que tendrá la aprobación de esa nueva normatividad de la movilidad sostenible y, muy especialmente, el establecimiento de una jerarquía de los modos de movilidad allanará el camino de la transición. Así, por ejemplo, la doctrina establecida en las SSTSJ de Cataluña de 21 de marzo de 2002 que anularon la Ordenanza de Barcelona que establecía la ZBE ya no podrá mantenerse. Más bien, se impondrán las ideas latentes en el voto particular discrepante.

En él se advertía que el cambio de paradigma en la valoración de la protección ambiental debía tenerse en cuenta a la hora de examinar la proporcionalidad de las restricciones de tráfico. Ese cambio de paradigma informará ya no solo la legislación ambiental y climática que exige el establecimiento de zonas de bajas emisiones, sino también la legislación de movilidad que impone unas nuevas formas de desplazamiento en la ciudad.

El voto particular también alude al cambio cultural apreciable sobre el uso del vehículo privado en la movilidad urbana. Cuando se aprueben los proyectos normativos sobre movilidad sostenible, no estaremos solo ante un mero cambio cultural: el cambio también será legal, puesto que relega al uso del vehículo particular al último escalón de la jerarquía de los modos de movilidad.

Esto significará, a mi juicio, un cambio radical en la manera de valorar la proporcionalidad de las restricciones al tráfico motorizado. Esas restricciones ya no pueden ser consideradas como un recorte o limitación del derecho a la movilidad, ya que la movilidad deberá ejercitarse preferentemente mediante otras formas (a pie, en bici, en transporte público, etc.). Es más, si hasta ahora se exigía justificar y motivar las restricciones del tráfico motorizado, la nueva jerarquía de modos de transporte establecida legalmente exigirá todo lo contrario: justificar las limitaciones que el tráfico motorizado contaminante entrañan para los modos de movilidad preferentes y que obstaculizan, limitan o impiden el desplazamiento a pie, en bicicleta, en transporte público, en vehículos de alta ocupación, o en vehículos menos contaminantes.

V. GOBERNANZA CLIMÁTICA: PRIMERA EXPERIENCIA DE LA ASAMBLEA CIUDADANA PARA EL CLIMA Y RETRASO DEL COMITÉ DE PERSONAS EXPERTAS EN CAMBIO CLIMÁTICO

La LCCTE dedica su título IX a la gobernanza y participación pública. Entre las medidas que en él se recogen destacan la creación del Comité de Personas Expertas de Cambio Climático y Transición Energética y de una Asamblea Ciudadana para el Clima[20].

El Comité de Personas Expertas todavía no está funcionando, porque no se ha aprobado la norma reglamentaria que debe ordenar su organización y funcionamiento[21].

En cambio, la Asamblea Ciudadana para el Clima no solo ha comenzado a funcionar[22] sino que incluso ha culminado su primer mandato. Compuesta por cien personas seleccionadas aleatoriamente (pero representando la diversidad de la sociedad española) y asesorada por un grupo de expertos independientes de carácter consultivo han celebrado seis asambleas para debatir y formular recomendaciones en torno a la pregunta: "Una España más segura y justa ante el cambio climático, ¿cómo lo hacemos?"[23]. El Informe Final con 172 Recomendaciones se ha remitido al Gobierno y agrupadas en cinco áreas: consumo; alimentación y uso del suelo; trabajo; comunidad, salud y cuidados; y ecosistemas.

---

[20]   Un estudio detallado de estas medidas puede verse en PLAZA MARTÍN, C., "Gobernanza y participación pública frente al cambio climático", en ALENZA GARCÍA, J. F. y MELLADO RUIZ, L. (eds.), *Estudios sobre cambio climático y transición energética*, Madrid, Marcial Pons, 2022, pp. 633-654.

[21]   El 13 de mayo de 2022 se abrió la información pública sobre un proyecto de Real Decreto por el que se regula el Comité de Personas Expertas de Cambio Climático y Transición Energética.

[22]   La Orden TED/1086/2021, de 29 de septiembre, reguló su composición, organización y funcionamiento.

[23]   Artículo 3.1 de la Orden TED/1086/2021.

Está por ver la eficacia de estos nuevos instrumentos de participación ciudadana y de consulta cuyas recomendaciones y propuestas se suman a las que puedan proceder de otros órganos consultivos en materia climática y ambiental ya existentes.

VI. REFLEXIONES FINALES

La LCCTE se presenta como una ley profundamente transformadora en diversos ámbitos para facilitar la consecución del ambicioso (e imprescindible) objetivo de la neutralidad climática. Sin embargo, la aplicación de sus previsiones requiere un notable esfuerzo en sus desarrollos reglamentarios, en los instrumentos de planificación y en la integración de la cuestión climática en las políticas sectoriales.

La valoración que cabe hacer de las aplicaciones de la LCCTE en su primer año de vigencia es de insuficiencia. Los avances han sido escasísimos y excesivamente tímidos. Tan solo son apreciables en tres ámbitos (energía, movilidad y gobernanza) y han resultado decepcionantes.

Ha continuado el parcheo de la legislación del sector eléctrico para la introducción de parciales, fragmentarias y asistemáticas modificaciones para el impulso de las energías renovables y de otras actuaciones necesarias para la transición energética. No termina de llegar una verdadera reforma integral del sector eléctrico que imponga la transición energética con la premura que es necesaria.

En el ámbito de la movilidad sostenible existen proyectos normativos en tramitación que pueden asentar un cambio real en los modos de transporte y de movilidad. Su aprobación es necesaria para evitar las dificultades en la puesta en marcha de medidas transformadoras de la movilidad urbana, como las que se han podido apreciar en las sentencias que anularon la Ordenanza de movilidad de Barcelona.

El tercer campo donde se han producido novedades es el de la gobernanza climática. Habrá que esperar para comprobar si el trabajo realizado por la Asamblea Ciudadana y sus numerosas recomendaciones son acogidas por los poderes normativos.

Hay que ser conscientes de que —como advirtió Thomas Kuhn en relación con las revoluciones científicas— los cambios de paradigma no se producen con facilidad (siempre encuentran la férrea resistencia de los partidarios del paradigma imperante), ni con rapidez (pueden demorarse más de una generación). Sin embargo, la imperiosa necesidad de mitigar el cambio climático y de adaptarse a él, no admite retrasos, ni moratorias. Debemos seguir avanzando sin pausa… y con prisa.

Capítulo 5

Estudio comparativo de las Leyes Autonómicas de Catalunya, Andalucía, Illes Balears y Navarra para lograr la mitigación y adaptación al cambio climático

AITANA DE LA VARGA PASTOR[1]
Profesora Agregada de Derecho Administrativo
Universitat Rovira i Virgili

I. INTRODUCCIÓN

El Acuerdo de París firmado en 2015 prevé la gobernanza multinivel de los agentes públicos, por lo que las Comunidades autónomas (en adelante, CCAA) toman un papel relevante como *subnational Entities* junto con el resto de actores[2]. Esto ha llevado a que algunas CCAA hayan promulgado sus respectivas leyes autonómicas, así como planes y estrategias para lograr la mitigación y adaptación del cambio climático por la que aboga el Acuerdo de París. Asimismo, la UE ha incorporado sus objetivos en su ordenamiento y ha adoptado su vinculación, entre otros, con la aprobación de la ley europea del clima[3]. Finalmente, y aunque con mucho retraso en el ámbito estatal

---

[1] Profesora Agregada (contratada doctora) de derecho administrativo del departamento de derecho público de la Universitat Rovira i Virgili (URV) aitana.delavarga@urv.cat. Este trabajo se ha desarrollado en el marco del proyecto financiado por el Ministerio de ciencia e innovación y la Agencia Estatal de Investigación con número de referencia:PID2020-115551RA-I00. Una versión inicial de este trabajo se encuentra en AFDUAM 26 (2021).

[2] Sobre esta cuestión, véase, entre otros RODRÍGUEZ BEAS, M., "La incidencia del acuerdo de París en las políticas públicas catalanas frente al cambio climático: la ley 16/2017, de 1 de agosto, del cambio climático". *Revista Catalana de Dret Ambiental*, Vol. 9, Núm. 2, 2018.

[3] Aprobada por el Reglamento (UE) 2021/119 del Parlamento Europeo y del Consejo de 30 de junio de 2021 por el que se establece el marco para lograr la

se promulgó la Ley 7/2021, de 20 de mayo, de cambio climático y transición energética (en adelante, LCCTE)[4].

Por el momento, los territorios autonómicos que han redactado legislación climática propia son Catalunya, con la Ley 1/2017, de 1 de agosto, *de canvi climàtic* (LCCC)[5], Andalucía, con la Ley 8/2018, de 8 de octubre, de medidas frente al cambio climático[6] y para la transición hacia un nuevo modelo energético en Andalucía, Illes Balears, con la Ley 10/2019, de 22 de febrero, de *canvi climàtic i transició energètica*[7] y Navarra, con la Ley Foral 4/2022, de 22 de marzo, de cambio climático y transición energética. Las tres primeras se aprobaron con anterioridad a la LCCTE y, por lo tanto, cabrá ver cómo les afectará, en tanto que se trata de legislación básica. La ley navarra, en cambio, tiene en cuenta en sus disposiciones, al ser aprobada con posterioridad a la LCCTE. Existen otras seis comunidades autónomas que han iniciado la tramitación de normativa autonómica. Se trata de Aragón, Asturias, Canarias, Comunidad Valenciana, La Rioja y País Vasco.

El cambio climático y la transición energética forman parte del concepto de medio ambiente, en tanto que concepto amplio, por lo que se enmarca en el artículo competencial 149.1.23 de la CE, sobre protección del medio ambiente que otorga la competencia legislati-

---

neutralidad climática y se modifican los Reglamentos (CE) n.o 401/2009 y (UE) 2018/1999 ("Legislación europea sobre el clima").

[4]   ALENZA GARCÍA, J. F., "Una ley para una nueva era (sobre la ley española de cambio climático y transición energética)", *Medio Ambiente & Derecho: Revista electrónica de derecho ambiental*, ISSN-e 1576-3196, Nº 38-39, 2021.

[5]   Véase, entre otros, DE LA VARGA PASTOR, A., "Estudio de la ley catalana 16/2017, de 1 de agosto, de cambio climático, y análisis comparativo con otras iniciativas legislativas subestatales" Revista Catalana de Dret Ambiental, Vol. 9, Núm. 2, 2018.

[6]   Véase entre otros, MORA RUIZ, M., "La respuesta legal de la Comunidad autónoma de Andalucía al cambio climático: estudio sobre la Ley 8/2018, de 8 de octubre, de medidas frente al cambio climático y para la transición hacia un nuevo modelo energético en Andalucía", *Revista Catalana de Dret Ambiental* [en línea], Vol. 11, Núm. 1, 2020.

[7]   Véase, entre otros, JARIA MANZANO, J., COCCIOLO, E., "Cambio climático, energía y comunidades autónomas. El impulso de la transición energética mediante el cierre de centrales térmicas en la Ley balear 10/2019", *RJIB. Revista jurídica de les Illes Balears*, Nº 18, 2020, pp. 61-88.

va básica al Estado de forma exclusiva y las normas de desarrollo a las CCAA así como dictar normas adicionales de protección. Por lo tanto, la competencia ambiental es la competencia sustancial. No obstante, también confluyen otros títulos competenciales como son las bases del régimen minero y energético (art. 149.1.25 CE) y las bases y coordinación de la planificación general de la actividad económica (art. 149.1.13 CE).

Cabe anotar que en los últimos tiempos la jurisprudencia se ha decantado por un discurso recentralizador de competencias en favor del Estado y en detrimento de la capacidad legislativa de las CCAA[8]. Estas interpretaciones hacen pervivir políticas que apuestan por combustibles fósiles y blindan cualquier atisbo de cambio en el régimen energético, lo que supone una regresión en la protección ambiental[9]. En atención a esta cuestión y al momento histórico en el que nos encontramos nos preguntamos si se precisa una mayor descentralización en aras a facilitar la transición energética y a afrontar la emergencia climática desde los distintos niveles[10]. La STC 87/2019, de 20 de junio, sobre la ley catalana de cambio climático es reflejo de la tendencia recentralizadora y de esta interpretación del título energético con una visión casi exclusivamente focalizada en la cuestión económica y no ambiental[11].

Es preciso destacar unas notas importantes. Los estatutos de autonomía comprenden la protección medioambiental como competencia propia (art. 144 del EAC, art. Art. 47 EAA, art. 30.46 EAB). Navarra

---

[8]   Esta tendencia ha sido constatada por CASADO CASADO, L., en *La recentralización de competencias en materia de protección del medio ambiente*, Generalitat de Catalunya, Institut d'Estudis de l'Autogovern, 2018.

[9]   Sobre esta cuestión, véase, entre otros, COCCIOLO, E., "Cambio climático en tiempos de emergencia. Las comunidades autónomas en las veredas del "federalismo climático" español", *Revista Catalana de Dret Ambiental*, Vol. 11, núm. 1, 2020.

[10] sobre la gobernanza multinivel véase, entre otros, ZAMBONINO PULITO, M., "La articulación de la gobernanza multinivel a través de las técnicas orgánicas de colaboración, cooperación y coordinación", en *Revista Aragonesa de Administración Pública*, núm. 52, 2018, p. 230-263.

[11] Véase DE LA VARGA PASTOR, A., "La ley catalana de cambio climático tras la sentencia del Tribunal constitucional. Estudio de las repercusiones de la sentencia y su evolución legislativa". *Revista Catalana de Dret Ambiental*, Vol. 11, Núm. 1, 2020.

se atribuye el desarrollo legislativo y la ejecución legislación básica del Estado de medio ambiente y ecología (art. 57 EAN). Las leyes autonómicas de cambio climático y transición energética, tienen como finalidad la mitigación y adaptación de cambio climático, y como tales son leyes de carácter sustancialmente ambiental. Asimismo, la CE las ampara no solo en relación con el desarrollo legislativo sino fundamentalmente en la posibilidad de dictar normas adicionales de protección.

II. ANÁLISIS COMPARATIVO DE LAS LEGISLACIONES AUTONÓMICAS DE CAMBIO CLIMÁTICO Y TRANSICIÓN ENERGÉTICA

1. Aspectos comunes y diferenciales

La primera ley autonómica de cambio climático que vio la luz fue la LCCC la cual, por esta circunstancia, fue una ley pionera, calificada también como programática e inspiradora. Destaca, entre otras, la introducción de tres impuestos de carácter ambiental con carácter finalista, uno de ellos ya previsto en una legislación anterior[12] y modificado posteriormente[13]. No obstante, esta ley fue fuertemente recortada por la mencionada STC 87/2019, la cual derogó varios artículos o reinterpretó otros y validó otros tantos, entre ellos los impuestos ambientales. Todo ello comportó la aprobación por parte del Gobierno de varios decretos, como veremos, para enmendar las cuestiones que quedaban en el aire como consecuencia de la STC.

En segundo lugar, se promulgó la ley andaluza, que destaca por su grado de exigibilidad y de implementación, así como por su transversalidad y la regulación de las emisiones difusas. Incorpora expresamente la Transición energética justa.

---

[12] Llei 5/2017, de 28 de març, de mesures fiscals, administratives, financeres i del sector públic i de creació i regulació dels impostos sobre grans establiments comercials, sobre estades en establiments turístics, sobre elements radiotòxics, sobre begudes ensucrades envasades i sobre emissions de diòxid de carboni.

[13] Por la Llei 9/2019, del 23 de desembre, de modificació de la Llei 16/2017, del canvi climàtic, pel que fa a l'impost sobre les emissions de diòxid de carboni dels vehicles de tracció mecànica.

La ley balear, a su vez, incorpora dicha transición energética justa de forma expresa. La caracteriza el hecho insular y la finalidad de lograr la autosuficiencia energética, tanto en autogeneración como autoconsumo en la isla. Destaca además la introducción de la perspectiva climática.

Por último, la ley Foral navarra aboga por la transición justa que incluye en lo que llama paquete "objetivo 55", incorpora el reglamento 2021/1119 neutralidad climática y está totalmente "coordinada y alineada" con la ley 7/2021 CCTE, que incluye en su listado competencias. Asimismo, incorpora expresamente la economía circular y el consumo de energías renovables e introduce el enfoque de género (art. 4) y la equidad como principios rectores.

Las cuatro leyes autonómicas tienen en común el establecimiento de medidas y objetivos de mitigación, de medidas de adaptación que se prevén para las distintas políticas sectoriales, la transversalidad de las medidas y la previsión de lograr la transición energética. Por otro lado, tan solo la legislación catalana prevé la fiscalidad ambiental finalista, aunque la Ley Foral Navarra se la plantea como posibilidad futura. Sin embargo, la legislación catalana no contiene ningún régimen disciplinario, como sí que lo comprende tanto la legislación andaluza como la balear y la navarra. Ello, resta fuerza a la legislación catalana.

Si nos fijamos en los objetivos, fines y ámbito de aplicación observamos que la ley catalana prevé como finalidades principales: reducir las emisiones de GEI y la vulnerabilidad ante los efectos del cambio climático, favorecer la transición hacia una economía neutra en emisiones GEI, competitiva, innovadora y eficiente del uso de recursos, a las que se suman nueve finalidades más. Por su parte la ley andaluza fija como finalidad: la lucha frente al cambio climático y hacia un nuevo modelo energético en Andalucía, y concreta nueve objetos. La ley balear, aboga por la estabilización y el decrecimiento de la demanda energética, reducir la dependencia energética del exterior, el despliegue de renovables y la descarbonización, la democratización de la energía, la gestión inteligente de la demanda, la resiliencia y la adaptación al cambio climático y la transición justa. Por último, la ley foral navarra establece un marco normativo, institucional e instrumental y apuesta por aportar al compromiso con la sostenibilidad y la lucha frente al cambio climático, facilitando la transición hacia un nuevo modelo socioeconómico y energético con una economía baja en carbono, basado en la eficiencia y en las energías renovables de modo que se garantice el uso racional y solidario de los recursos naturales, y adaptado a los efectos climáticos. Para ello establece diez finalidades concretas que deben regirse por diez principios rectores

2. La organización administrativa climática

Las cuatro leyes autonómicas objeto de comentario atribuyen a varios órganos administrativos la competencia en materia de cambio climático atendiendo a varios intereses. Podemos cuantificarlos en cinco en total, aunque de diversa índole en cada Comunidad autónoma.

Se crea la consejería competente en materia de cambio climático en las tres CCAA. En Catalunya se atribuye al *Departament d'Acció Climàtica, Agricultura i Agenda Rural*, en Andalucía a la Dirección General de Calidad Ambiental y Cambio Climático de la Consejería de Agricultura, Ganadería y Pesca y Desarrollo Sostenible, en Balears a la *Conselleria de Transició Energètica, Sectors Productius i Memòria Democràtica* y en Navarra se habla de los departamentos competentes en materia de cambio climático y energía.

En atención a la transversalidad de la materia, se crea la Comisión Interdepartamental de Cambio Climático en las cuatro CCAA. En Baleares fue creada por el Decret 33/2020, de 26 de octubre, por el que se aprueba el Reglamento de funcionamiento y composición de la Comisión Interdepartamental de Cambio Climático del Gobierno de las Illes Balears y en Catalunya, casualmente con el mismo número y año, el Decreto 33/2020, de 18 de febrero, determina reglamentariamente la composición y el régimen de funcionamiento de la *Comissió Interdepartamental del Canvi Climàtic y sobre el Fons Climàtic* y la *Comissió del Fons Climàtic.*

Como órgano participativo de la ciudadanía y otros actores sociales se crean respectivamente lo siguientes órganos: la *Mesa social de canvi climàtic* en Catalunya (cuyo decreto ha sido aprobado recientemente, se trata del decreto 31/2022, de 22 de febrero, por el que se establece la composición y el régimen de funcionamiento de la mesa social del cambio climático), el Consejo Andaluz del Clima (regulado por el Decreto 175/2021, de 8 de junio, por el que se regula la composición y el funcionamiento del Consejo Andaluz del Clima), el Consejo Balear del Clima (creado por el Decret 38/2021) y en Navarra el Consejo Social sobre política de cambio climático y transición energética (previsto por el artículo 8 y pendiente de creación).

Balears opta además por crear un Comité de Expertos para la Transición Energética y el Cambio climático (en la Resolución informativa del presidente del Comité de Expertos para la Transición Energética y el Cambio Climático de las Illes Balears por la que se informa de la constitución del Comité y de los miembros que forman parte del mismo publicada en el BOIB de 11 de marzo de 2021 encontramos su composición), mientras que Catalunya, Andalucía y Navarra optan por la creación de la Oficina Catalana de Canvi climàtic (como órgano técnico del Govern de la Generalitat de Catalunya, adscrito a la Dirección General de Qualitat Ambiental i Canvi Climàtic de la Secretaria d'Acció Climàtica, encargado de impulsar en Catalunya el establecimiento de estrategias, planes y proyectos en materia de cambio climático)[14], la Oficina Andaluza de Cambio Climático, adscrito a la Consejería de Agricultura, Ganadería y Pesca y desarrollo sostenible y cuya misión es la planificación estratégica, el diseño y la ejecución de actuaciones para hacer frente al cambio climático[15], y la Oficina de Cambio Climático de Navarra, adscrita al departamento con competencia en materia de medio ambiente, con naturaleza de unidad orgánica, conforme a lo establecido en la Ley Foral 11/2019, de 11 de marzo, de la Administración de la Comunidad Foral de Navarra y del Sector Público Institucional Foral (pendiente de creación). El artículo 11 lista las funciones que le atribuye, que llegan a ser veinte.

Además, tanto Catalunya como Baleares crearon sendos institutos que conocen exclusivamente sobre los temas de energía. Se trata del ICAEN (*Institut Català de l'Energia*)[16] que ya existía previamente a la LCCC, la cual otorga entre otros, ayudas para la transición ener-

---

14   https://canviclimatic.gencat.cat/ca/oficina/.
15   https://www.juntadeandalucia.es/medioambiente/portal/web/cambio-climatico/acerca-del-pacc.
16   https://icaen.gencat.cat/ca/inici/.

gética, y el *Institut Balear de l'Energia*[17], creado en 2019. Navarra también prevé crear la Agencia de Transición Energética de Navarra, "sometida a las directrices de planificación y política global del departamento del Gobierno de Navarra con competencias en materia de energía, a la que queda adscrita" (art. 6).

Por último, Andalucía dispone de una Red de Observatorios de Cambio Global de Andalucía que incluye el cambio climático como área temática.

3. Los instrumentos de planificación como ejes vertebradores

Los instrumentos de planificación cobran especial protagonismo en las leyes autonómicas de cambio climático aprobadas hasta el momento para determinar la hoja de ruta para los fines y retos que se plantean.

Catalunya apuesta por la aprobación de dos planes estratégicos por parte del *Govern de la Generalitat* abordando, por un lado, la mitigación y, por el otro, la adaptación. Se trata del "Marco Estratégico de Referencia de Mitigación" y el "Marco Estratégico de Referencia de Adaptación". Lamentablemente, a día de hoy cinco años después de la aprobación de la ley estos planes aún no están actualizados y siguen vigentes los planes anteriores, a pesar de que se han iniciado los trámites para el marco estratégico de referencia de adaptación.

Andalucía apuesta por un único plan que incluye tanto la mitigación como la adaptación, Se trata del ya aprobado, por el Decreto 234/2021, de 13 de octubre, Plan Andaluz de Acción por el Clima, conocido como PAAC para el periodo 2021-2030. Este plan incluye programas de mitigación de emisiones para la Transición Energética, adaptación, comunicación y participación.

Baleares, en atención a su máxima preocupación, la transición energética, prevé, por un lado, la aprobación del Plan de Transición Energética y Cambio Climático (PTECC) que se configura como piedra angular de la ley y, por el otro, el Plan Director Sectorial Energético.

---

[17] http://www.caib.es/govern/organigrama/area.do?lang=ca&coduo=3828756.

Navarra apuesta por la planificación estratégica en materia de cambio climático y energía en coordinación con las planificaciones sectoriales[18].

En el plano local, tanto Andalucía como Baleares, y Navarra prescriben la elaboración obligatoria de planes municipales contra el cambio climático, en el caso andaluz el artículo 15 de la ley prevé que los municipios elaborarán y aprobarán dichos planes en el ámbito de las competencias propias que les atribuye el artículo 9 de la Ley 5/2010, de 11 junio, de Autonomía Local de Andalucía, y en el marco de las determinaciones del Plan Andaluz de Acción por el Clima. En el caso balear se trata de planes de acción municipales para el clima y la energía sostenible, regulados en el artículo 22 de la ley y se prevé que los municipios de población inferior a 20.000 habitantes puedan aprobar los planes de forma mancomunada o individual. Navarra, asimismo, prevé la aprobación de planes de acción municipal para el clima y la energía sostenible para los municipios de la Comunidad Foral de más de 5.000 habitantes, de acuerdo con la metodología adoptada en el ámbito de la Unión Europea, mientras que para los municipios de población inferior a 5.000 habitantes los hace potestativos y éstos los podrán aprobar de forma mancomunada o comarcal, o bien individualmente. El artículo 19 de la Ley Foral hace estas previsiones y exige que sean coherentes con la planificación estratégica en materia de cambio climático y energía, además de establecer el contenido mínimo de los mismos[19]. Vemos pues como la obligatoriedad varía entre CCAA en cuanto a la exigencia en relación con el número de habitantes de los municipios.

---

[18]   La Ley Foral navarra incluye como instrumentos de planificación el Fondo Climático y la Asamblea ciudadana navarra de cambio climático. Sin embargo, consideramos más oportuno tratar estas cuestiones en otro apartado posterior.

[19]   La importancia de los entes locales en el reto de mitigar y adaptarse al cambio climático lo reflejan trabajos de autoras como SIMOU, S., y PRESICCE, L., en sendas tesis doctorales. La primera ha visto la luz como publicación, Sofía SIMOU *Derecho local del cambio climático*, Marcial Pons, 2020 y la segunda esperemos que la vea pronto, Laura PRESICCE *Los entes locales en la acción climática global, responsabilidades, retos y perspectivas jurídicas*, que se puede consultar en Tesis Doctorals en Xarxa (TDX).

Por último, la ley andaluza cita expresamente y pone énfasis en los planes con incidencia en materia de cambio climático y evaluación ambiental.

4. *Medidas de mitigación del cambio climático*

Las medidas de mitigación pretenden reducir las emisiones de GEI hasta los objetivos que se quieren lograr. Con el fin de conocer cuál es el *quantum* de dichas emisiones se crea por tres de las cuatro leyes autonómicas un Inventario en el que consten las emisiones de carbono. En Catalunya recibe el nombre de inventario de carbono, en Andalucía, Inventario Andaluz de Emisiones GEI, y en Balears, Inventario de emisiones GEI. Navarra incluye el llamado Inventario navarro de emisiones y de sumideros en el título dedicado a la administración sostenible (art. 74).

Catalunya, Baleares y Navarra apuestan asimismo por fijar presupuestos del carbono y por registrar la huella de carbono (huella de carbono en Catalunya y Registro Balear de huella de carbono. En Navarra la huella de carbono se asocia con planes de reducción de dicha huella).

Por último, tanto la ley catalana como la balear, apuestan por establecer objetivos propios de reducción de GEI, que Andalucía fija en el PAAC y no en la ley. Además, Andalucía prevé los Escenarios climáticos de Andalucía. Navarra, por su parte incluye como medidas de mitigación las inversiones económicas de interés foral requeridas para dicha mitigación, el impulso de las energías renovables y la perspectiva climática.

4.1. Los objetivos de reducción de GEI

Antes de abordar la legislación autonómica es preciso tener en cuenta los objetivos de reducción de las emisiones de GEI que fijan tanto la ley europea del clima (LEC) como la LCCTE. Tomando como año de referencia el 1990, el objetivo final de 2050, por el que apuesta la LEC es la neutralidad climática. Para lograrla fija unos objetivos intermedios. En primer lugar, para 2030, prevé lograr, al menos, la reducción de 55%, como porcentaje vinculante de reducción interna neta. Sin embargo, no se atreve a fijar un porcentaje posterior y, por ello, establece que para 2040 la Comisión propondrá a los seis meses desde el primer balance mundial un presupuesto indicativo.

La LCCTE, tomando también como año de referencia el 1990, es muy poco ambiciosa, ya que tan solo exige como objetivo de mínimos la reducción de, al menos, el 23% de GEI (art. 3) para 2030, aunque pretenda lograr, a su vez, la neutralidad climática para 2050 y, añade: "sin perjuicio de las competencias autonómicas". Ello permite que la legislación autonómica, incluso anterior, y en atención a la posibilidad de dictar normas adicionales de protección puedan ser más ambiciosas que la estatal a la hora de fijar objetivos de reducción de emisiones de GEI, como así sucede.

Catalunya se presenta como la más exigente en cuanto a reducción de GEI ya que apuesta, igual que la LEC, por la neutralidad climática en 2050, con una reducción del 100% y con objetivos intermedios a su vez muy exigentes. Se prevé una reducción de GEI del 40% para 2030 y del 65% para el 2040. No solo se queda en los GEI sino que también apuesta por la reducción de NO2 para el 2020 del 35% y de PM10 del 30% para el 2050. Sin embargo, el Tribunal Constitucional ha considerado que el *Parlament de Catalunya* se estaba extralimitando en el ejercicio de sus competencias por territorializar y concretar dichos objetivos, y, en consecuencia, estos objetivos fueron anulados por la STC 87/2019. Como respuesta, la Generalitat aprobó el Decreto Ley 16/2019 de 26 de noviembre, de medidas urgentes para la emergencia climática y el impulso a las energías renovables que ha tenido que adaptar el texto y determina en la actualidad que los objetivos deberán ser congruentes con el escenario neutro en el marco de la visión estratégica de la UE. Todo ello ha rebajado las expectativas catalanas.

Balears, tomando como año de referencia también 1990, ha fijado dicha reducción de GEI en el 40% para 2030 y el 90% para 2050. En este caso, no se ha cuestionado su constitucionalidad. Sin embargo, su objetivo final territorial para 2050 es menos exigente que el europeo.

Andalucía, en cambio, toma como año de referencia el 2005, y aunque en la ley es muy poco ambiciosa, fijando un mínimo del 18% para 2030, el PAAC aumenta este porcentaje en el 41% y deja la fijación de los posteriores periodos en función de los objetivos internacionales de la Unión europea y del Estado. Cabe apreciar que en este caso es un plan y no una ley el instrumento que fija el porcentaje por lo que es vinculante, tan solo en el objetivo del 18%. En este caso, dicho porcentaje es inferior al establecido en la norma estatal básica por lo que, como legislación de mínimos, deberá atenerse al 23% que determina la ley estatal, aunque el 18% es para el territorio de Andalucía.

Navarra, en tanto que fue aprobada con posterioridad a la LEC y a la LCCTE, establece que toma como referencia los objetivos que se establecen en ambas leyes y se remite a los planes para su detalle.

Por otro lado, y como reflexión, cabrá ver como conjugan todas las normas: europea, estatal y autonómicas y los objetivos territoriales para lograr el objetivo final global a nivel europeo, la neutralidad climática.

4.2. Los objetivos de transición energética

Las leyes autonómicas de cambio climático establecieron en sus textos legislativos objetivos de reducción no solo de GEI en términos estrictos sino también con el fin de lograr la transición energética hacia energías más renovables, reduciendo el uso de energías procedentes de combustibles fósiles. La ley estatal, la LCCTE también estableció posteriormente objetivos de transición energética.

Las tres leyes autonómicas previas a la LEC y a la LCCTE promueven la penetración de las energías renovables en detrimento del uso de los combustibles fósiles. Catalunya se erige como la más exigente en tanto que impulsa un modelo energético en el que el combustible fósil tienda a ser nulo, para lo que establece un objetivo del 50% para 2030 y del 100% para el 2050. A su vez en 2050 pretende también reducir los GEI en energías renovables y en producción energética, como ser más eficiente energéticamente (establece un objetivo del 100% para 2050). Fija políticas de ahorro y eficiencia energética que había establecido en el 27% pero que tomando como referencia la LCCTE será del 32,5%, como indica el Decreto Ley 16/2019 mencionado. Para lograr estos objetivos Catalunya aprobó el Pacte Nacional de l'Energia. El Decreto ley 16/2019 regula como se llevará a cabo, en cuanto a autorizaciones se refiere. Cabe anotar que este Decreto ley ha sido objeto de duras críticas, puesto que se aprobó mediante decreto ley, impidiendo una participación pública en el procedimiento de aprobación y porque no prevé una planificación en el despliegue de las instalaciones de energías renovables (eólica y fotovoltaica) entre otras cuestiones.

Balears, por su parte fija, por un lado, objetivos de ahorro y eficiencia energética, con una reducción del consumo primario en un 26% para 2030 y del 40% para 2050, a través de cuotas quinquenales que contempla el PTECC y tomando como base el año 2005. Por otro lado, pretende que las energías renovables penetren hasta llegar al 100% en 2050, logrando, al menos, generar así el 70% de la energía consumida. Todo ello va alineado con su objetivo principal de ser autosuficientes en la las islas. Para ello, establece un objetivo intermedio para 2030 del 35%. Por último, para lograr dicha transición se propone cerrar las centrales térmicas (la de Alcudia para 2020, y las del grupo 3 y 4 para 2025, así como la eliminación del fuel).

Finalmente, Andalucía, aunque no tan ambiciosa a largo plazo, sí que fija objetivos de reducción de lo que llama consumo tendencial de energía primaria, siendo incluso algo más ambiciosa que Balears, al establecer el porcentaje en un mínimo del 30% para 2030, aunque excluyendo usos no energéticos. Asimismo, aboga, como las otras CCAA, por la penetración de las energías renovables y la tendencia hacia la nulidad de los combustibles fósiles. Para ello fija el objetivo para 2030 de lograr una mínima aportación del 35% de energías renovables al consumo final bruto, así como fomentar el autoconsumo.

Navarra, de nuevo, toma como referencia los objetivos establecidos en la LEC y la LCCTE y vuelve a remitirse a los planes para su detalle.

Es el momento de analizar si la LCCTE estatal se alinea con estos objetivos y de qué modo y si comparten ambición. La legislación estatal básica pretende la penetración de energías renovables en el consumo final del siguiente modo: para 2030, al menos del 42%, lo que la hace algo más exigente que Balears y Andalucía, pero menos exigente que Catalunya. Por otra parte, concreta que el sistema eléctrico genere energía a partir de energías renovables en el 74%. En tercer lugar, aboga por la mejora de la eficiencia energética y de la disminución del consumo de energía primaria en al menos un 39,55. Finalmente, pretende alcanzar antes de 2050 la neutralidad climática, lo que supone la generación exclusiva del sistema eléctrico de origen renovable.

5. Medidas de adaptación al cambio climático

Junto a la mitigación del cambio climático es necesario también adaptarse al mismo, por ello, las legislaciones autonómicas consideran necesario adoptar medidas en dicho ámbito. Para ello las cuatro CCAA optan por la planificación. En Catalunya se prevé aprobar el Marco Estratégico de Referencia de Adaptación elaborado por la oficina de Catalunya de cambio climático. Este plan que da continuidad al ESCACC 2012-2020, es el ESCACC para el periodo 2021-2030 y, por el momento, se han iniciado los trabajos técnicos. En Andalucía ya tienen aprobado el Programa de adaptación, en el marco del PAAC 2021-2030 que ya mencionamos, en el anexo VIII. En Balears, se adopta el mismo formato que en Catalunya, aprobar un nuevo Marco Estratégico de Adaptación, en esta ocasión formando parte del PTECC. Por el momento, no se ha aprobado, aunque existe una estrategia previa, la *Estratègia balear de canvi climàtic* 2013-2020 que contempla medidas de adaptación. En Navarra se ha aprobado el Plan Nacional de Adaptación al Cambio Climático (PNACC) 2021-2030.

En cuanto al contenido de estos instrumentos Catalunya prevé que el marco estratégico de referencia de adaptación realice una evaluación de los impactos, junto con la identificación de los sistemas naturales, los territorios y los sectores económicos más vulnerables, para luego proponer medidas de adaptación para reducir dichas vulnerabilidades. A su vez prevé introducir los cambios necesarios en los sistemas económicos, sociales y ambientales, que garanticen su funcionamiento en las nuevas condiciones climáticas. Para lograr estos fines se aboga por la coordinación intersectorial y como veremos en el siguiente apartado se fijan objetivos para cada política sectorial. Asimismo, se pone énfasis en la resiliencia.

El anexo VIII del PAAC 2021-2030, en Andalucía, establece como objetivo reducir los riesgos económico, sociales y ambientales derivados del cambio climático mediante la incorporación de medidas de adaptación en instrumentos de planificación autonómica y local. Apuesta por la necesaria programación de actuaciones, tanto de sujetos públicos como privados y por la responsabilidad compartida entre estos. Por otro lado, enumera las áreas estratégicas en las que actuar y el contenido mínimo del programa de adaptación. Identifica además los impactos principales del cambio climático y tiene en consideración la huella hídrica. Por último, considera imprescindible la mejora del conocimiento y la participación pública.

Balears, en el marco estratégico de referencia recoge los principios básicos de actuación con un contenido mínimo, siendo estos: los escenarios climáticos de referencia, que parten de proyecciones climáticas; el análisis de los principales impactos previstos en los escenarios climáticos; la identificación de los riesgos y posibles vulnerabilidades de la ciudadanía, de los diferentes sectores y de los ecosistemas ante el cambio climático; y el análisis de la capacidad de adaptación. Prevé fijar las líneas generales de adaptación para reducir vulnerabilidad y aumentar resiliencia y establecer indicadores mínimos de vulnerabilidad y adaptación.

"El Gobierno de Navarra, en el marco del Plan Nacional de Adaptación al Cambio Climático (PNACC) 2021-2030, preparará a la sociedad navarra y a su entorno para las nuevas condiciones climáticas" (art. 61) y para ello prevé: mecanismos de seguimiento de los cambios para poder anticiparse, fomentar el I+D+i, la coordinación administrativa, aplicar medidas para minimizar los impactos, la información, la sensibilización y el apoyo a los agentes sociales, la revisión de planes sectoriales, la reducción del consumo de agua. Se plantea como objetivo minimizar los previsibles riesgos asociados al cambio climático diferenciando entre el medio natural, el rural y el urbano, así como minimizar las afecciones a la salud de las personas, la biodiversidad, los sistemas forales, la producción agrícola y ganadera, las infraestructuras y la actividad económica.

Como vemos los cuatro instrumentos coinciden en la identificación de vulnerabilidades y en la necesidad de cambiar los sistemas económicos, sociales y ambientales para afrontarlas, y adoptar medidas que puedan afrontar dichas vulnerabilidades[20], llamando a coor-

---

[20]   Véase, entre otros, ALENZA GARCÍA, J. F., "Vulnerabilidad ambiental y vulnerabilidad climática", *Revista Catalana de Dret Ambiental*, [en línea], Vol. 10, Núm. 1, 2019 y SORO MATEO, B. "La vulnerabilidad en derecho ambiental", *Revista Aranzadi de Derecho Ambiental*, Nº 42, 2019.

dinación intersectorial, la responsabilidad compartida y la resiliencia. No obstante, cada una opta por estrategias distintas para lograr determinar dichas medidas y pone énfasis en distintos ámbitos, como, por ejemplo, Andalucía en la huella hídrica.

5.1. Políticas sectoriales

El cambio climático es transversal y afecta a las distintas políticas sectoriales, por lo que es preciso y necesario identificar dichas políticas, fijar objetivos de mitigación y, especialmente de adaptación, y medidas para lograr dichos objetivos. Las cuatro CCAA realizan dicho ejercicio.

Catalunya opta por integrar medidas en la planificación, ejecución y control de las siguientes políticas sectoriales: agricultura y ganadería; pesca y acuicultura; agua; biodiversidad; bosques y gestión forestal; energía; industria, servicios y comercio; infraestructuras; residuos; salud; transportes y movilidad; turismo; formación profesional, universidades e investigación; urbanismo y vivienda (reguladas en el Cap. III).

Andalucía, opta por enumerar las áreas estratégicas: recursos hídricos; prevención de inundaciones; agricultura, ganadería, acuicultura, pesca y silvicultura; biodiversidad y servicios ecosistémicos; energía; urbanismo y ordenación del territorio; edificación y vivienda, movilidad e infraestructuras viarias, ferroviarias, portuarias y aeroportuarias; salud; comercio; turismo; litoral; migraciones asociadas al cambio climático (art. 11.2).

Balears, distingue, por un lado, las políticas de movilidad y transporte (título V), la sensibilización y ejemplificación (título VI), y las Políticas sectoriales que curiosamente aborda en la Disposición adicional sexta. En relación con estas últimas prevé: impulsar la acción pública y las políticas para contribuir eficazmente a lucha contra el cambio climático y lograr la transición energética, para lo que establece criterios, relacionados con reducir la vulnerabilidad, en los sectores y ámbitos de: turismo; residuos; bosques y gestión forestal; sector agrario; gestión de recursos hídricos; salud; urbanismo; transporte marítimo y aéreo.

Navarra aborda con especial protagonismo las cuestiones relativas a la edificación; la movilidad sostenible (Cap. II); y el sector primario y de residuos (Cap. IV). Para este último prevé la aprobación de un plan de gestión forestal sostenible y la integración de las energías renovables en las explotaciones agrícolas y ganaderas. Asimismo, plantea la planificación sectorial en: agricultura; ganadería; gestión forestal; pesca; energía; transporte; gestión de residuos; gestión de recursos hídricos; turismo; ordenación territorio urbano y rural; y usos del suelo. Por otro lado, prevé proyectos constructivos de nuevas infraestructuras, transporte terrestre y ferroviario, energía, residuos y agua en Navarra. Se prevé que la evaluación ambiental estratégica y la evaluación de impacto ambiental de dichos planes y proyectos debe incorporar el análisis de vulnerabilidad frente a los impactos del cambio climático y la evaluación de su contribución a los GEI, así como objetivos de reducción de los GEI. Plantea la adaptación al cambio climático en materia de planificación y gestión del ciclo integral del agua, la reducción de la vulnerabilidad de los recursos hídricos, la pobreza energética y la garantía de que se garantice en toda circunstancia la continuidad de los suministros de agua potable, electricidad y gas a las personas y unidades familiares en situación de vulnerabilidad económica, la adaptación en materia de salud y sectores sociales vulnerables y en materia de turismo.

5.2. La política sectorial de energía. Medidas para lograr una transición justa

Hemos considerado oportuno destacar las medidas previstas en la política sectorial de energía, puesto que adopta un papel relevante y protagonista para la transición energética[21], analizar y comparar las cuatro legislaciones autonómicas para conocer qué objetivos pretenden, qué medidas específicas se han adoptado y qué instrumentos se utilizan para logarlos.

---

21 Sobre esta cuestión véase, entre otros, COCCIOLO, E., "Estado garante, energía y transición justa (re)formulación teórica y despliegue práctico" en *Nuevos retos del Estado garante en el sector* energético, DARNACULLETA I GARDELLA, M. (coord.), ESTEVE PARDO, J., (coord.), IBLER, M., (coord.), Marcial Pons, 2020.

En Catalunya, la LCCC apuesta por un modelo 100% renovable, desnuclearizado y descarbonizado, neutro en emisiones GEI y por un sistema energético descentralizado, fundamentalmente de proximidad, no dependiente de combustibles fósiles ni nucleares en 2050, así como por el fomento del autoconsumo y garantizar el derecho de acceso a la energía. Para lograr este objetivo la ley inicialmente preveía varios instrumentos que han sido anulados por la STC 87/2019 por considerarlos inconstitucionales. Se trata del Plan de transición de cierre de las centrales nucleares, previsto hasta el año 2027, un sistema de tarifas que penalizase el sobreconsumo, la prohibición del fracking, y la reducción del consumo energético. Para hacer frente a la ley resultante del filtro de constitucionalidad realizado por la STC 87/2019 y para desarrollar los instrumentos de transición energética, el Decret Llei 16/2019 establece diferentes medidas urgentes para hacer frente a la emergencia climática: en primer lugar y en la línea que marca la LCCC apuesta por la priorización de la proximidad en la producción con energías renovables, en segundo lugar, en lugar de prohibir el fracking taxativamente opta por permitirlo pero con exclusiones y limitaciones para otorgar permisos, como por ejemplo, prohibirlo en espacios naturales protegidos. En tercer lugar, apuesta por un Plan de electrificación progresiva de puertos de competencia catalana. Cabe advertir que la redacción inicial de la LCCC ya lo preveía, pero no determinaba que debían ser de competencia catalana. En cuarto lugar, prevé incentivos para lograr la transición a una movilidad eléctrica para 2030 así como para lograr la reducción del uso de los combustibles fósiles (en un 50% para 2050 respecto al año 2005). En quinto lugar, impulsa las energías renovables, aunque de un modo muy criticable en tanto que apuesta por la creación de una ponencia ambiental que apruebe los proyectos de instalación, sin una planificación previa que modifica el texto refundido de la ley de urbanismo reduciendo los para la autorización e instalación de la energía eólica y solar fotovoltaica. Por último, se aprobó el Decret Llei 24/2021, de 26 de octubre con la finalidad de acelerar y desplegar las instalaciones de energía renovable distribuidas participadas.

La Ley 8/2018 de Andalucía apuesta por una transición energética justa, así como por el consumo de combustibles fósiles con tendencia a ser nulo. Del mismo modo que Catalunya, apuesta por un sistema energético andaluz descentralizado, democrático y sostenible, cuya energía provenga de fuentes de energía renovable y preferiblemente de proximidad, y al fin y al cabo busca que sea neutro en emisiones GEI. Coincide también con la voluntad de que reduzca la vulnerabilidad del sistema energético andaluz y que garantice el derecho al acceso a la energía como bien común (art. 32). Por otro lado, establece medidas de carácter normativo que favorezcan el autoconsumo energético de energías renovables y la participación de actores locales en la producción y distribución de energías renovables, así como apuesta por la simplificación normativa en la tramitación de proyectos renovables[22]. Además, prevé un Programa de mitigación de emisiones para la transición energética que incluye la identificación de los impactos de la transición energética, así como medidas generales y específicas de mitigación de emisiones para la transición energética, los resultados esperados, las líneas de investigación y la previsión financiera y la programación temporal, entre otros. Por último, prevé la elaboración de planes municipales que también deben incluir el impulso a la transición energética.

Balears, en la Ley 19/2019, incluye políticas energéticas muy ambiciosas apostando por la autosuficiencia energética de las islas y otorgando primacía a las energías renovables, por sistemas de gestión de demanda eléctrica y por la reducción de la generación eléctrica de origen fósil. Para ello pretende cerrar las centrales térmicas, como ya mencionamos (la del Alcudia en 2020, y el grupo 3 y 4 para 2025, con la eliminación del fuel). Como Andalucía, prevé expresamente un tránsito hacia una transición justa (que regula en el PTECC) y apuesta en el ámbito de la movilidad y el transporte por vehículos libres de emisiones en todas las islas. Esta última medida, supone un gran reto. La ley preveía un calendario muy exigente para reducir y finalmente eliminar la circulación de cualquier vehículo que desprenda emisiones. Sin embargo, en la reunión bilateral con el Estado se renegoció esta cuestión para hacerlo más laxo y así ahorrar a la comunidad autónoma que la ley fuera impugnada ante el TC, mediante recurso

---

22   Como ejemplo, encontramos la resolución de 28 de septiembre de 2021, de la Agencia Andaluza de la Energía, por la que se convocan para el periodo 2021-2023 los incentivos ligados al autoconsumo y al almacenamiento, con fuentes de energía renovable, así como a la implantación de sistemas térmicos renovables en Andalucía acogidos al Real Decreto 477/2021, de 29 de junio.

de inconstitucionalidad. Dicho calendario contemplaba la restricción de circulación de vehículos y furgonetas diésel a partir del 1.1.2025 y del resto de vehículos y furgonetas de combustión para el 2035. Por último, también apuesta por la sensibilización y la ejemplificación de la Administración pública.

La Ley Foral navarra 4/2022 apuesta por un nuevo modelo energético, lo que requiere y comporta la promoción de la energía renovable que minimice el impacto ambiental, así como: el fomento de cooperativas o grupos de consumo de productores de proximidad, inversiones de interés foral[23]; obligaciones de las distribuidoras energéticas; la optimización de emplazamientos actuales de las instalaciones de generación y, por lo tanto, el aprovechamiento de las superficies urbanizadas; la regulación de la energía hidroeléctrica, la eólica, la fotovoltaica y la dendroenergía; los gases renovables y los combustibles fósiles; los proyectos de generación renovable con participación local[24], así como el fomento de cooperativas con autoconsumo com-

---

[23] Como son, de acuerdo con el artículo 28, los que contemplen la regulación o el almacenamiento de energía; de carácter experimental; los que contemplen la repotenciación de parques eólicos; de hibridación de instalaciones de energías renovables; de generación ejecutados en propiedad pública (...); de comunidades de energías renovables, comunidades ciudadanas de energía y los proyectos de generación renovable con participación local; de generación e inyección de gas renovable en el sistema gasista; proyectos de pequeñas empresas o cooperativas para el aprovechamiento de la biomasa forestal y de subproductos agrícolas para usos térmicos; proyectos de comunidades energéticas locales y comunidades ciudadanas de energía. Las entidades locales podrán obtener financiación blanda del Fondo climático para sus proyectos de energías renovables; proyectos que ayuden a la desintensificación de la producción agrícola calculada sobre la base de reducción de consumo de energía total; proyectos de pequeñas empresas o cooperativas para el aprovechamiento de la biomasa forestal y de subproductos agrícolas para usos térmicos; proyectos impulsados prioritariamente por organismos públicos que desarrollen alternativas diferentes y sostenibles al uso de combustibles fósiles o contribuyan al aumento de sumideros de carbono; proyectos de economía circular y de actividad económica en ciclos cortos de producción y distribución; proyectos de separación de residuos en origen, reutilización de envases de vidrio y recuperación de materiales; los que contemplen la recuperación, mejora o repotenciación de minicentrales hidráulicas; las instalaciones experimentales o innovadoras integradas en edificios o en estructuras urbanas para la generación.

[24] Que incluye que las administraciones públicas de Navarra incentiven e impulsen la participación local en instalaciones de energía renovable y promuevan la capa-

partido y proyectos energéticos a nivel municipal y comarcal, lo que incluye las conocidas como comunidades locales y regula el derecho de superficie, en tanto que las administraciones públicas podrán constituirlo sobre patrimonio de su titularidad a favor de comunidades ciudadanas de energía o comunidades energéticas locales legalmente constituidas para el desarrollo de proyectos de generación de energías renovables o almacenamiento energético; la prohibición del uso de combustibles fósiles en explotaciones agropecuarias, entre otras. Conviene detenerse en la prohibición aludida, que prevé que se exija a partir del 1 de enero de 2030 que las demandas térmicas de explotaciones agropecuarias deban ser totalmente abastecidas mediante fuentes renovables o fuentes de calor residual de otras instalaciones, lo cual se prevé para explotaciones ganaderas de más de 500 UGM (Unidades de Ganado Mayor), e invernaderos de más de 3.000 metros cuadrados. Como vemos se reduce a unas explotaciones e instalaciones muy concretas y de gran envergadura, pero no deja de ser un gran reto.

Además, aborda la cuestión de la eficiencia energética en la edificación, apostando por los sistemas térmicos en edificios de uso residencial y terciario y sistemas fotovoltaicos, así como la eficiencia energética en el alumbrado exterior.

6. La sensibilización y la difusión como herramientas clave

La sensibilización en materia de cambio climático, como hemos visto, adopta un papel relevante en todas las normativas autonómicas analizadas, por lo que consideramos importante detenernos en este aspecto.

Catalunya incluye la sensibilización y concienciación ciudadana en varias políticas sectoriales: en pesca y agricultura, en relación con el estado del mar y los impactos que sufre; en turismo; en formación profesional, universidades e investigación. Por otro lado, lo que se recaude en el Fondo Climático se prevé que se invierta, entre las ac-

---

citación de la ciudadanía, las comunidades de energía renovable locales y otras entidades de la sociedad civil para fomentar su participación en el desarrollo y la gestión de los sistemas de energía renovable.

tuaciones en sensibilización, información y educación sobre cambio climático. Además, la ley aboga por la difusión del conocimiento y sensibilización como otros instrumentos (art. 55) con la elaboración de un informe sobre el estado del conocimiento en materia de cambio climático, con campañas informativas y formativas, etc.

Andalucía, por su parte, prevé aprobar un Programa de comunicación y participación que comprende acciones de comunicación para la sensibilización y mejora del conocimiento sobre cambio climático. Por otro lado, los planes municipales contra el cambio climático comprenderán actuaciones para la sensibilización y formación en materia de cambio climático y transición energética con la incorporación de los principios de igualdad de género. Asimismo, se prevé la intervención en ámbitos educativos y la sensibilización en relación con los objetivos para la transición hacia un nuevo modelo energético.

Balears, incluye, entre las funciones del Instituto Balear de la Energía, promover campañas de información y sensibilización ciudadana sobre cambio climático y uso de energía. Asimismo, como Andalucía, en los Planes de acción municipal para el clima y la energía sostenible prevé en su contenido acciones de sensibilización y formación. Por otro lado, dedica un título entero de la Ley, el IV, a las Políticas de sensibilización y ejemplificación abordando en el capítulo II la sensibilización y difusión con el reconocimiento de iniciativas, campañas de información sobre cambio climático, educación para el cambio climático, formación y ocupación, impulso y promoción de programas de investigación y desarrollo e innovación, e información sobre consumo energético de productos y servicios.

Navarra apuesta por la gobernanza (capítulo I) y el fomento de la participación activa de la ciudadanía. El capítulo IV "Información, participación ciudadana, educación ambiental, formación e investigación, desarrollo e innovación" regula las cuestiones relativas a la publicidad de la información, las actividades estadísticas en materia de cambio climático y transición energética, la información y participación ciudadana en el diseño de políticas públicas de cambio climático y transición energética, la educación sobre cambio climático y transición energética —que se contemplen en los currículos educativos y en la formación y habilitación del profesorado en cualquiera de los niveles, así como en los procesos de evaluación institucional y de calidad del sistema educativo, tratando la emergencia climática de forma transversal y con una perspectiva ecosocial, así como exigencias para los centros educativos que cuenten con financiación pública deberán elaborar, en el plazo de dos cursos escolares, un plan de sostenibilidad que contemple energía, transporte (movilidad sostenible, pacificar entorno escolares), gestión de los residuos para su reducción, política de compras para una alimentación de proximidad y de temporada en los comedores y reducción de ultra procesados, calidad del aire, huella de CO2, ecoauditorías en los centros escolares, implementación de medidas correctoras y actuaciones necesarias para la eficacia energética en los centros escolares, entre otras cuestiones—; formación profesional, universidades e investigación; promoción de investigación, desarrollo e innovación.

7. La ejemplificación de la administración pública

Para poder lograr una efectiva aplicación de la ley es importante que la Administración pública también dé ejemplo y aplique medidas de mitigación y adaptación del cambio climático en los ámbitos que le conciernen. Por ello, las cuatro legislaciones autonómicas de un modo más genérico o más concreto incluyen artículos dedicados a esta cuestión, especialmente a exigir una contratación pública verde.

Catalunya, en el artículo 35 titulado la Administración en materia de cambio climático exige la contratación pública verde al gobierno y a los departamentos de la Generalitat, pero lo comprende de un modo muy genérico. Sin embargo, Andalucía en el artículo dedicado a la contratación pública verde (art. 30), puntualiza con la exigencia de criterios de sostenibilidad y eficiencia energética e incluir en los criterios de adjudicación de contratos el impacto ambiental, la economía circular y la reducción de GEI en los procesos. Balears, dedica todo un título a la política de sensibilización y ejemplificación de forma aún más detallada. Establece medidas de contratación pública que consisten en tener en cuenta la sostenibilidad, entre otros, y exigir que los contratos de suministro eléctrico sean 100% de origen renovable, exige a la Administración pública que abandone las energías no renovables en su actividad y que tenga en cuenta determinadas exigencias alineadas con el objetivo de esta ley en las obras públicas, el alquiler o adquisición de inmuebles, los vehículos de las administraciones públicas y la organización de acontecimientos públicos.

Navarra, es especialmente exigente en cuanto a la ejemplificación que pide de la administración pública. La ley foral la bautiza como "Administración sostenible" (título V) e incluye, por un lado, actuaciones generales y, por el otro de movilidad sostenible en la administración. En relación con la primera debe adoptar compromisos en materia de edificación, movilidad, compra pública, eficiencia energética y energías renovables, La administración de la Comunidad Foral de Navarra, las entidades locales y sus organismos públicos se erigen como administración pública ejemplarizante y en tanto que consumidoras de bienes y servicios se les encomienda el liderazgo del cambio de modelo energético, la mitigación y la adaptación al cambio climático, adoptando medidas para un consumo propio de bienes y productos con una menor huella de carbono. Asimismo, se deben incorporar la perspectiva climática en los procedimientos de elaboración de anteproyectos de ley foral de proyectos de decretos forales y de instrumentos de planificación territorial y sectorial y redactar el informe de evaluación de impacto climático de las iniciativas en los procedimientos de elaboración de anteproyectos de ley foral y proyectos de decretos forales, por parte del departamento competente en medio ambiente y se obligan a adoptar las medidas de reducción de emisiones y de adaptación que resulten necesarias. Asimismo, El Gobierno de Navarra y sus entidades dependientes, así como las entidades locales y sus entidades dependientes, deberán establecer y aprobar por el órgano correspondiente en el plazo de dos años una hoja de ruta del compromiso de reducción y compensación de emisiones, de forma que se alcance la neutralidad en carbono en el ámbito de su actividad a más tardar el 31 de diciembre de 2040. Por otro lado, en este marco regula: los sumideros de carbono y las acciones que deben llevar a cabo; el ya mencionado inventario navarro de emisiones y sumideros; la cooperación al desarrollo y la proyección internacional; el inventario y la huella de carbono; la exigencia de presentar auditorías energéticas de las AAPP; el diseño y la ejecución de Planes de actuación energética para la reducción de la dependencia de combustibles fósiles de las AAPP y los organismos públicos; la planificación e implantación de una red de puntos de recarga para vehículos eléctricos. En relación con la movilidad sostenible de la administración la ley Foral prevé que en el plazo de un año desde su entrada en vigor, el 100% de los vehículos ligeros (M1, M2, N1 y N2) que se adquieran por las entidades del sector público de la Comunidad Foral de Navarra o que se apliquen en contratos públicos suscritos con dichas entidades deberán ser cero emisiones o emisiones neutras en carbono, aunque prevé que sea así "siempre y cuando las exigencias técnicas o de uso puedan ser satisfechas con la tecnología disponible" (art. 80), entre otras cuestiones, relacionadas con puntos de recarga o con la exigencia de aprobar planes de movilidad para los desplazamientos al trabajo e incluso planes de teletrabajo. Además modifica la Ley Foral 14/2018, de 18 de junio, de residuos y fiscalidad para incluir la exigencia de aprobar antes del 30 de junio de 2023 un plan de contratación pública ecológica de las administraciones públicas de Navarra, el cual incluirá la elaboración de modelos de pliegos de los contratos en los que se incorporen los criterios energéticos y climáticos coherentes con el objeto de la presente ley foral y con la transición a una economía circular, el cual seguirá los criterios de contratación ecológica de la Unión Europea establecidos en la COM (2008) 400 final "Contratación pública para un medio ambiente mejor" y las guías que la desarrollan.

Vemos, pues, como las leyes más actuales incluyen más exigencias ejemplificantes y comprometen más a la administración pública adoptar medidas de mitigación y adaptación al cambio climático, así como la transición energética.

8. *Los instrumentos de fiscalidad ambiental*

Como ya mencionamos al inicio, en Catalunya la LCCC ha optado por la fiscalidad ambiental como instrumento para mitigar y adaptar el cambio climático, en cambio Andalucía y Balears no la han incorporado a sus legislaciones de cambio climático. Y Navarra, lo plantea como posibilidad futura.

La primera medida que adopta Catalunya en este ámbito consiste en la eliminación de bonificaciones y devoluciones a las actividades que consuman recursos energéticos de origen fósil y derivados, aunque exceptúa la maquinaria del sector primario. Con ello, prevé desincentivar el uso de dichos recursos e incentivar el uso de los de origen renovable.

En segundo lugar, opta por crear tres impuestos ambientales. Cabe anotar que el primero de ellos ya estaba creado previamente, pero lo incorpora a la LCCC. Se trata del impuesto sobre emisiones de dióxido de carbono de vehículos de tracción mecánica, el cual ya está en vigor y ya se está recaudando. El segundo consiste en un impuesto sobre actividades económicas que generan dióxido de carbono y el tercero un impuesto sobre emisiones portuarias de grandes barcos. Estos dos últimos está siendo más difícil regularlos y ponerlos en práctica.

Como característica principal de estos impuestos destaca su carácter finalista. Esto conlleva que nutra el Fondo Climático, el Fondo del Patrimonio Natural y el Fondo para la Protección del Medio Ambiente Atmosférico, por lo que lo que se recauda sirve para aplicar medidas estrictamente ambientales. Cabe anotar que el Fondo Climático también lo crea la LCCC.

Navarra, como avanzábamos, plantea la fiscalidad ecológica o ambiental como posibilidad en el preámbulo de la ley foral, recordando que se regulará por el sistema de convenio económico (de acuerdo con la Ley Orgánica 13/1982). La Disposición Adicional Segunda concreta que en el plazo de dos años desde la aprobación de la ley se remitirá al Parlamento de Navarra un proyecto o varios proyectos de ley foral que recojan las medidas de fiscalidad ambiental que se consideren más adecuadas para el mejor cumplimiento de los objetivos de esta ley foral. Para la elaboración del proyecto la ley prevé que se deberá realizar un estudio analítico de las conductas y acciones que se quieran evitar o desincentivar, o, por el contrario, de aquellas que sirvan para fomentar la reducción de emisiones y adaptación al cambio climático, pudiéndose adoptar medidas fiscales incentivadoras, de fomento y de reconocimiento de los esfuerzos realizados por los diferentes sectores en relación con las actuaciones previstas en la ley, y se tendrán en cuenta los objetivos medioambientales perseguidos, una estimación de las externalidades y daños medioambientales que se persiga mitigar, los efectos que se pudieran producir en los sectores económicos afectados por su implantación, si se pudiera producir o no alguna distorsión en el mercado, la eventual doble imposición cuando el hecho imponible del nuevo impuesto pudiera coincidir con el de otro tributo ya establecido, el enfoque de las bases imponibles sujetas a tributación para que esté dirigido a la conducta dañina tratando de gravar la fase final de producción, el consumo o las rentas y no fases intermedias, así como una evaluación estimada de su eventual recaudación y su eventual afección. Asimismo, se prescribe la creación de un grupo técnico de apoyo, por parte de los departamentos con competencias en materia fiscal, medio ambiental y energético, para la elaboración del proyecto de ley foral citado, así como su constitución en un plazo no superior a tres meses desde la entrada en vigor de la ley foral, cuya composición será de personas expertas en materia fiscal, medio ambiental y energético.

9. El régimen disciplinario

Toda legislación administrativa que se preste tiene un título dedicado al régimen disciplinario con el objetivo de castigar el incumplimiento de sus preceptos. Sin embargo, se echa de menos en la LCCC, lo cual resta fuerza a la exigencia de aplicación de la legislación y hace que se quede en muchas cuestiones en el ámbito programático. Sin embargo, tanto Andalucía como Balears y Navarra han optado, desde mi punto de vista, acertadamente, por incluirlo, sancionando así los incumplimientos derivados de la aplicación de la normativa de cambio climático. El reto será hacerlo cumplir.

El título dedicado al régimen disciplinario de la ley balear tiene como fin "velar por el cumplimiento de la ley en relación con las actividades, los inmuebles, los vehículos y las instalaciones en las que se aplica", siendo tanto el *Govern de les Illes Balears* como los órganos de la consejería de cambio climático los encargados de aplicarlo. En segundo lugar, la ley regula la función inspectora: los principios de actuación inspectora, los servicios públicos de inspección, el deber de colaboración, las actas de inspección y los informes complementarios, la inspección por organismos de control, las inspecciones de eficiencia energética y la potestad sancionadora. A continuación, Balears, prescribe el régimen sancionador. Navarra, asimismo, dedica el título VI a inspección, seguimiento y régimen sancionador. En el capítulo I "Inspección y seguimiento" regula el control del cumplimiento de las previsiones de la ley y define la función inspectora como "las visitas in situ, la medición de emisiones, la comprobación de informes internos y documentos de seguimiento, la verificación de autocontroles, la comprobación de técnicas usadas y la adecuación de las medidas tomadas a la normativa" (art. 81). A continuación, fija los objetivos de la actuación inspectora y determina quienes son los servicios públicos de inspección y sus facultades (art. 83). Los artículos siguientes prevén la planificación de la realización de inspecciones iniciales y periódicas de las instalaciones consumidoras o generadoras de energía en los términos establecidos en la reglamentación estatal o foral específica (inspecciones de eficiencia energética) y, por último, el deber de colaboración de las entidades y personas afectadas por lo dispuesto en la ley foral para permitirle al personal inspector realizar cualesquiera exámenes, controles y recogida de la información necesaria. Andalucía, por su parte aborda directamente el régimen sancionador y las medidas de ejecución forzosa.

Comparemos, a continuación, unos y otros regímenes. Mientras que Andalucía opta por enumerar pocas infracciones y de forma genérica Balears, opta por detallarlas e incluir muchas infracciones y reserva su ámbito de aplicación a "Cuando las conductas infractoras no puedan ser sancionadas de acuerdo con la legislación sectorial". Por su parte, Navarra aún amplía y detalla más el listado de infracciones. Previamente a enumerarlas igual que Balears recuerda que "Este capítulo solo será de aplicación cuando las conductas infractoras no puedan ser sancionadas de acuerdo con la legislación sectorial que, en cada caso, resulte aplicable en razón de la materia" y que "corresponderá a los órganos del departamento competente en materia de medio ambiente el ejercicio de la potestad sancionadora relativa a las acciones u omisiones que, de acuerdo con la presente ley foral, constituyan infracción de los deberes jurídicos establecidos en la misma". Por otro lado, determina quienes serán las personas responsables de la comisión de las infracciones que prevé la ley —las personas físicas o jurídicas que las realicen por acción u omisión— así como que se podrá exigir la adopción de adopten las medidas correctoras adecuadas para el cumplimiento de la normativa infringida, por parte del órgano inspector o instructor del procedimiento, con carácter previo al inicio del expediente sancionador o durante la instrucción del mismo.

En cuanto a las cuantías de las sanciones vemos diferencias notables, ya que en Andalucía las infracciones muy graves se sancionan con multa de 60001 a 120000 euros, mientras que en Baleares el rango es mucho más amplio, tanto el inferior como el superior, yendo de 30001 a 200000 euros y en Navarra la multa oscila entre los 250001 a los 2500000 euros una cuantía y horquilla muy superior a las de las leyes andaluza y balear. Sin embargo, la sanción por infracciones graves es más elevada en Andalucía que se prevé de 30001 a 60000 mientras que en Balears se encuentra entre 3000 y 30001. En cambio, en Navarra la multa se establece entre los 25001 y los 250000 euros, siendo esta horquilla también mucho más amplia y elevada la cuantía máxima. Las infracciones leves, en Andalucía se podrán multar hasta 30000 euros mientras que en Balears se multarán entre 300 y 3000 euros y en Navarra de 600 a 25000 euros.

Andalucía prevé graduar las sanciones teniendo en cuenta a la intencionalidad, el beneficio ilícito obtenido y la reiteración, mientras que Balears prevé una reducción del 25% de la sanción cuando haya un reconocimiento voluntario de la responsabilidad. Y regula también la ejecución forzosa. Navarra, suma a las sanciones la posibilidad de cierre de actividad o la instalación, la inmovilización de vehículos, la suspensión de derecho a obtener subvenciones públicas y la publicación en el Boletín Oficial de Navarra (BON) la identidad de persona infractora y sanción. Además, prevé la graduación de la sanción teniendo en cuenta el volumen de negocio. Es destacable asimismo la inclusión novedosa de la "prestación ambiental sustitutoria" —las personas jurídicas presuntamente responsables podrán solicitar la sustitución de la sanción de multa por una prestación ambiental de restauración, conservación o mejora que redunde en beneficio del medio ambiente, en las condiciones y términos que determine el órgano competente para imponer la sanción (art. 91)—, así como que las sanciones serán aportaciones al Fondo Climático de Navarra. La ley también incluye expresamente la prescripción de las infracciones y sanciones (cinco, tres y un año para las muy graves, graves y leves respectivamente, en ambos casos).

Veamos a continuación qué se consideran infracciones leves, graves y muy graves en unas y otras legislaciones, la andaluza, la balear y la navarra.

La ley andaluza considera infracciones leves las siguientes que enumeramos y resumimos: No presentar la documentación exigida por el art. 42.2 d (que se refiere al informe de emisiones y al plan de reducción, y la auditoría energética) y el 43.2.b (consistente en el informe anual de emisiones de seguimiento, y la auditoria energética); no presentar el informe de verificación previsto por el art. 42.2.e);

no custodiar los registros; no exhibir públicamente los certificado del Sistema Andaluz de Emisiones Registradas (SAER); el incumplimiento de cualquier obligación del art. 42.2 y 43.2 no tipificado como grave; y el incumplimiento del deber de inscripción en el Registro del SAER.

La ley balear, por su parte, considera como infracciones leves: el incumplimiento del deber de reducción de emisiones difusas GEI cuando no superen más del 50% de lo permitido; la circulación de vehículos contaminantes; el uso ineficiente de instalaciones o aparatos de energía desatendiendo los requerimientos de los servicios públicos de inspección, etc.; la falta de establecimiento de protocolos de simplificación y agilización de redes (art. 47) y el incumplimiento de los protocolos; la falta de planes de gestión energética o comunicación a la Administración pública; el incumplimiento del deber de exhibición en lugar destacado y visible del Plan de Gestión Energética; la falta de colaboración del IBE en aportación de datos fundamentales; la falta de colaboración con los servicios públicos de inspección, etc.; la falta de inscripción en el registro balear de la huella de carbono de las empresas y los datos requeridos, cuando sean preceptivos; la puesta en marcha de nuevas instalaciones térmicas de más de 5kW de origen fósil, sin justificar su inviabilidad técnica o económica de uso de energías renovables en los términos del art. 59; el incumplimiento de obligaciones de comunicación de información en relación a flotas de vehículos o identificación de vehículos.

La ley foral navarra contempla como infracciones leves las siguientes: el incumplimiento de los objetivos de reducción de consumos energéticos y emisiones de gases de efecto invernadero establecidos en los planes de reducción de energía y huella de carbono, cuando dichas emisiones no superen en un 50% el indicador permitido y la persona responsable haya sido previamente advertida por los servicios públicos de inspección; el incumplimiento del deber de presentar los cálculos de huella de carbono, los planes de reducción de energía y de huella de carbono y su seguimiento según se defina por parte de las autoridades competentes; el encendido de la iluminación ornamental, publicitaria y comercial en horario de flujo reducido; la no presentación de las auditorias energéticas y planes de actuación energética en la forma y plazos establecidos en esta ley foral; la falta de colaboración con los órganos competentes de la Administración de la Comunidad Foral de Navarra en la aportación de datos fundamentales para el ejercicio de su función estadística; la falta de colaboración con los servicios públicos de inspección, así como la negativa a facilitar la información requerida por las administraciones públicas, cuando no comporte infracción grave; el incumplimiento de la obligación prevista en el artículo 78.4 por parte de administraciones públicas del arrendamiento de inmuebles que no sean de consumo casi nulo en el plazo establecido en esta ley foral; y cualquier otro incumplimiento de los requisitos, de las obligaciones o de las prohibiciones establecidas en esta ley foral o en la normativa que la desarrolle que no esté tipificado como infracción grave o muy grave.

Como vemos, muchas de las infracciones tienen en común, por un lado, el incumplimiento en un grado bajo de los objetivos de reducción y, por el otro, su relación con la falta de información y transparencia.

En cuanto a las infracciones graves la ley andaluza lista tan solo cuatro supuestos: el incumplimiento de lo ordenado mediante apercibimiento a causa de una infracción leve; la falsedad, la alteración de datos contenidos en documentos de los arts. 42.2d) (informes anuales del plan de reducción) y 43.2.b) (informes anuales de emisiones y de veracidad del informe o auditoría energética); la reincidencia en infracción leve, sancionado 2 años anteriores a la comisión de esta; y la obstrucción o negativa de suministrar datos o facilitar las funciones de información, vigilancia o inspección que practique la Administración de la Junta de Andalucía.

En cambio, en Balears el listado es más largo y completo. Se tipifica como infracción grave: el incumplimiento del deber de reducciones de emisiones difusas GEI cuando superen en un 50% el indicador permitido (la cual requiere de advertencia previa); el acceso y circulación de vehículos contaminantes en Illes Balears en contravención con la ley cuando se lleve a cabo en masa por empresas dedicadas a venta o alquiler de vehículos; el incumplimiento del deber de renovación de la flota de vehículos (Art. 63) (la cual requiere advertencia previa); la falta de implantación u obstaculización por operadores del sistema eléctrico de medidas de coordinación y adecuación de redes eléctricas (arts. 43 y 44); el incumplimiento del deber de incorporación de instalaciones de Energías Renovables (art. 51) (la cual requiere advertencia previa); el impedimento u obstaculización de la actuaciones de los servicios públicos de inspección u organismos control autorizados;

la incorporación de generación no renovable o el incumplimiento de requisitos de autosuficiencia en puntos de consumo eléctrico aislados en suelo rústico; el incumplimiento de obligaciones de gestión de la demanda (art. 55.2); el incumplimiento de deberes de la ley y reglamentos en materia de energías renovables, eficiencia energética, en relación con construcción y rehabilitación de edificaciones; el incumplimiento de deberes en relación con el funcionamiento de instalaciones o uso de aparatos; la expedición de certificados, informes, actas, memorias, etc. obligados a elaborar que no reflejen la realidad de forma deliberada o contenga datos falsos; las inspecciones, pruebas o ensayos por organismos de control autorizados que reflejen de manera deliberadamente incompleta o con resultados falsos o inexactos, los hechos constatados en cumplimiento de sus funciones en materia cambio climático; y la reincidencia en la comisión de infracción leve en la que se hubiera sancionado en el plazo de 2 años anteriores a la comisión de la misma.

En Navarra, la tipificación de las infracciones graves incluye: el incumplimiento de los objetivos de reducción de consumos energéticos y emisiones de gases de efecto invernadero establecidos en los planes de reducción de energía y huella de carbono, cuando dichas emisiones superen en un 50% el indicador permitido; la falta de información o la obstaculización por parte de los operadores del sistema eléctrico y de combustibles fósiles sobre los consumos energéticos y la falta de información referente a la conexión y capacidad de evacuación de todas las redes de distribución incluyendo su trazado, localización y características de los centros de transformación y tratamiento según los requerimientos de esta ley foral; la negativa a permitir el acceso a los servicios públicos de inspección o los organismos de control autorizado o a facilitar las funciones de información y vigilancia cuando se impidan u obstaculicen las actuaciones que les encomiende esta ley foral o su desarrollo reglamentario, así como la negativa a suministrar datos; el incumplimiento grave, por parte de los grandes centros generadores de movilidad, de las obligaciones relativas a los planes de movilidad sostenible para sus trabajadores, clientes y usuarios previstas en el artículo 47 de esta ley foral; el incumplimiento de los deberes que establezcan ley foral y las normas reglamentarias que la desarrollen, en materia de energías renovables y de eficiencia energética en relación con la construcción y rehabilitación de edificaciones; el corte de los suministros básicos energéticos a los consumidores que estén en situación de vulnerabilidad energética, incumpliendo lo previsto en el artículo 68.3 de la ley foral; la reincidencia en la comisión de infracciones leves cuando se haya sido sancionado en los cinco años anteriores a su comisión.

Como vemos hay alguna cuestión coincidente entre las tres CCAA como es incumplimiento en un grado medio de los objetivos de reducción y la falsedad de datos o la reincidencia en la comisión de infracciones leves.

Por último, las infracciones muy graves que tipifican tanto la ley andaluza como la balear se ciñen a dos supuestos. El primero, es en relación con el incumplimiento del deber de reducción de emisiones en un grado alto. Para la ley andaluza consistirá en incumplir con el art. 42.2. c de reducir emisiones GEI hasta el valor de referencia para su categoría de actividad. Para Baleares dicho incumplimiento se refiere al "deber de reducción de emisiones difusas de GEI impuesto por el art. 26 cuando superen en un 100% el indicador permitido y la empresa haya sido advertida previamente por los servicios públicos de inspección". El segundo es en relación con la reincidencia en la comisión de infracciones graves cuando se haya sancionado en los 2 años anteriores a su comisión.

En cambio, en Navarra el listado de infracciones muy graves es más amplio, aunque también prevé los dos supuestos anteriores: el incumplimiento de los objetivos de reducción de emisiones de gases de efecto invernadero establecidos en los planes de reducción de energía y huella de carbono cuando dichas emisiones superen en un 100% el indicador permitido y la reincidencia en la comisión de infracciones graves cuando haya sido sancionado en los cinco años anteriores a su comisión. Pero añade dos infracciones más: las inspecciones, las pruebas o los ensayos efectuados por los organismos de control autorizados, que reflejen de manera deliberadamente incompleta o con resultados falsos o inexactos, los hechos constatados en cumplimiento de sus funciones en materia de cambio climático; la expedición de certificados, informes, actas, memorias o proyectos técnicos, o cualquier otra documentación que los sujetos privados estén obligados a elaborar o presentar en los términos de la ley foral y cuyo contenido no refleje deliberadamente la realidad o contenga datos falsos.

Como vemos, a diferencia de Andalucía y Balears, Navarra considera más grave la falsedad documental proveniente de los organismos de control autorizados y en la expedición de certificados, informes, proyectos, etc., calificándola como muy grave.

III. CONCLUSIONES

Una vez realizado el análisis panorámico y comparativo de las cuatro leyes autonómicas aprobadas, cuyo fin principal es el de mitigar y adaptarse al cambio climático y promover la transición energética, podemos afirmar que tanto la ley catalana, como la andaluza, como la balear parten de objetivos ambiciosos de mitigación y transición energética para sus territorios, así como cambios en las políticas sectoriales para lograr una adaptación al cambio climático que evite o reduzca las vulnerabilidades. Navarra, en su caso, se ciñe a los objetivos marcados por la LEC y la LCCTE. Asimismo, plantean medidas de mitigación, de adaptación y de transición energética de diversa índole, algunas concurrentes y otras divergentes. Destaca la voluntad de autosuficiencia energética por parte de Balears, la apuesta por la fiscalidad ambiental por parte de Catalunya y la preocupación por la huella hídrica, por parte de Andalucía, y la potenciación de las comunidades energéticas en Navarra, entre otras muchas cuestiones.

Una de las preguntas que nos planteamos es cómo deben compatibilizarse estas leyes con la LCCTE estatal básica y con la LEC, sobre todo en el caso de las tres primeras, y qué papel deben asumir efectivamente las CCAA junto al resto de actores multinivel, como son los entes locales, el estado español y la UE para afrontar la emergencia climática. Recordemos que las leyes autonómicas dictadas con anterioridad a la europea y la estatal son más ambiciosas que la ley estatal básica, la cual se aprobó cuatro años más tarde que la catalana, tres más tarde que la andaluza y dos más tarde que la balear. Recordemos también que el título competencial que las ampara es el 149.1.23 CE por tratarse de normas sustancialmente ambientales que pueden dictar normas adicionales de protección, pero su concurrencia con otros títulos competenciales de competencia exclusiva estatal ha servido al Tribunal Constitucional para fundamentar la extralimitación de competencias y anular así preceptos que permitían lograr los objetivos climáticos mundiales de forma más efectiva. Qué sentido tiene que la legislación estatal y las interpretaciones jurisprudenciales frenen, limiten o supongan un retroceso en la protección ambiental efectiva cuando la situación de emergencia climática requiere de una actuación inmediata por parte de todos los actores llamados a tirar del carro de la mitigación y adaptación al cambio climático y la transición energética. Asimismo, cabrá ver cómo pretende el estado y la UE repartir las responsabilidades territoriales para lograr la neutralidad climática y el resto de objetivos.

Las cuatro leyes autonómicas analizadas prevén diversos cambios normativos en políticas sectoriales, la aprobación de planes estratégicos, instrumentos fiscales, pero la realidad es que muchos de ellos siguen sin estar desarrollados o están en una fase muy embrionaria ralentizando así su aplicación o dejándola inaplicable directamente. El papel lo aguanta todo, pero es preciso que las administraciones autonómicas se den prisa en desarrollar y aplicar todo su contenido, y se la tomen en serio. De otro modo su efectividad será muy baja o nula. Es necesario pisar el acelerador, pero no al tuntún sino de forma organizada y planificada.

BIBLIOGRAFÍA

ALENZA GARCÍA, J. F., "Una ley para una nueva era (sobre la ley española de cambio climático y transición energética)", *Medio Ambiente & Derecho: Revista electrónica de derecho ambiental*, Nº 38-39, 2021.

ALENZA GARCÍA, J. F., "Vulnerabilidad ambiental y vulnerabilidad climática", *Revista Catalana de Dret Ambiental*, Vol. 10, Núm. 1, 2019.

CASADO CASADO, L., en *La recentralización de competencias en materia de protección del medio ambiente*, Generalitat de Catalunya, Institut d'Estudis de l'Autogovern, 2018.

COCCIOLO, E., "Cambio climático en tiempos de emergencia. Las comunidades autónomas en las veredas del "federalismo climático" español", *Revista Catalana de Dret Ambiental*, Vol. 11, núm. 1, 2020.

COCCIOLO, E., "Estado garante, energía y transición justa (re)formulación teórica y despliegue práctico" en *Nuevos retos del Estado garante en el sector energético*, DARNACULLETA I GARDELLA, M., (coord.), ESTEVE PARDO, J. (coord.), IBLER, m.(coord.), Marcial Pons, 2020.

DE LA VARGA PASTOR, A., "Estudio de la ley catalana 16/2017, de 1 de agosto, de cambio climático, y análisis comparativo con otras iniciativas legislativas subestatales" *Revista Catalana de Dret Ambiental*, Vol. 9, Núm. 2, 2018.

DE LA VARGA PASTOR, A., "La ley catalana de cambio climático tras la sentencia del Tribunal constitucional. Estudio de las repercusiones de la sentencia y su evolución legislativa". *Revista Catalana de Dret Ambiental,* Vol. 11, Núm. 1, 2020.

JARIA MANZANO, J., COCCIOLO, E., "Cambio climático, energía y comunidades autónomas. El impulso de la transición energética mediante el cierre de centrales térmicas en la Ley balear 10/2019", *RJIB. Revista jurídica de les Illes Balears*, N° 18, 2020, pp. 61-88.

MORA RUIZ, M., "La respuesta legal de la Comunidad autónoma de Andalucía al cambio climático: estudio sobre la Ley 8/2018, de 8 de octubre, de medidas frente al cambio climático y para la transición hacia un nuevo modelo energético en Andalucía", *Revista Catalana de Dret Ambiental*, Vol. 11, Núm. 1, 2020.

PRESICCE, L., *Los entes locales en la acción climática global, responsabilidades, retos y perspectivas jurídicas,* Tesis Doctorals en Xarxa (TDX), 2021.

RODRÍGUEZ BEAS, M., "La incidencia del acuerdo de París en las políticas públicas catalanas frente al cambio climático: la ley 16/2017, de 1 de agosto, del cambio climático". *Revista Catalana de Dret Ambiental*, Vol. 9, Núm. 2, 2018.

SIMOU, S., *Derecho local del cambio climático,* Marcial Pons, 2020.

SORO MATEO, B. "La vulnerabilidad en derecho ambiental", *Revista Aranzadi de Derecho Ambiental*, N° 42, 2019.

ZAMBONINO PULITO, M., "La articulación de la gobernanza multinivel a través de las técnicas orgánicas de colaboración, cooperación y coordinación", en Revista Aragonesa de Administración Pública, núm. 52, 2018, pp. 230-263.

PARTE 2
REGIÓN DE MURCIA

Capítulo 6

El reconocimiento de personalidad jurídica y derechos propios al Mar Menor y su cuenca como respuesta a la crisis del derecho ambiental[1]

BLANCA SORO MATEO
Profesora Titular de Derecho Administrativo
Universidad de Murcia

SANTIAGO M. ÁLVAREZ CARREÑO
Profesor Titular de Derecho Administrativo
Universidad de Murcia

I. LA ILP QUE RECONOCE PERSONALIDAD JURÍDICA AL MAR MENOR Y SU CUENCA: REFLEXIONES PREVIAS

De forma paralela a los episodios de anoxia del Mar Menor, como consecuencia de la eutrofización de sus aguas, se vienen multiplicando las expresiones populares de desconfianza en nuestro sistema jurídico-político ante los continuados errores y los flagrantes incumplimientos del derecho ambiental.

Frente a esta realidad, hace tiempo que la doctrina ambientalista ha advertido de muchos de estos desatinos políticos y jurídicos que,

---

[1]   El presente trabajo se realiza en el marco del proyecto "La efectividad del Derecho ambiental en la Comunidad Autónoma de la Región de Murcia —EDA-Mur— (Ref. 20971/PI/18), financiado por la CARM a través de la convocatoria de Ayudas a proyectos para el desarrollo de investigación científica y técnica por grupos competitivos, incluida en el Programa Regional de Fomento de la Investigación (Plan de Actuación 2019) de la Fundación Séneca, Agencia de Ciencia y Tecnología de la Región de Murcia y en el marco del *Proyecto Derecho de la biodiversidad y cambio climático PID2020-115505RB-C21/C22*, financiado por MCIN/AEI/10.13039/501100011033.
Este trabajo fue redactado durante la tramitación de la Ley 19/2022, de 30 de septiembre, antes de la aprobación del proyecto de Ley por el Senado.

como estaba anunciado, han provocado este funesto resultado, por lo demás predecible y evitable desde hace más de medio siglo[2], que supone el deterioro irreversible de un ecosistema natural único[3]. Dichos

---

[2] La primera referencia a esta previsible degradación se encuentra en la Proposición no de Ley de Declaración del Mar Menor y sus Riberas como Parque Natural, y elaboración de un plan de saneamiento del mismo, para su debate en el Pleno de la Cámara, presentada por el Grupo Parlamentario Socialista del Congreso, de 19 de octubre de 1979, BOCCGG, Serie D, Núm. 167-1, que se puede consultar en: https://www.congreso.es/public_oficiales/L1/CONG/BOCG/D/D_167-I.PDF. Esta iniciativa fue rechazada en Sesión Plenaria (DSCCDD, núm. 122) celebrada el miércoles, 22 de octubre de 1980 https://www.congreso.es/public_oficiales/L1/CONG/DS/PL/PL_122.PDF.
Resulta curioso comprobar cómo cincuenta años después se vuelven a repetir los mismos argumentos a favor y en contra de la protección de espacios naturales, sin que todo ese derroche de oratoria haya servido para frenar la inexorable destrucción de, en este caso, el Mar Menor. Puede consultarse el https://elpais.com/diario/1979/11/21/espana/311986833_850215.html?event_log=oklogin.

[3] *Vid.* SORO MATEO, B., "Los errores jurídico-políticos en torno al Mar Menor", en LÓPEZ RAMÓN, F., *Observatorio de políticas ambientales 2017*, CIEDA/CIEMAT, Madrid, 2017, pp. 1023-1068; ÁLVAREZ CARREÑO, S. M., "El continuo "coser y descoser" de la legislación procedimental ambiental de la Región de Murcia", *Actualidad Jurídica Ambiental*, núm. 84 (noviembre), 2018, pp. 81-89; SORO MATEO, B./ÁLVAREZ CARREÑO, S. M./PÉREZ DE LOS COBOS, E., "Murcia: Avances normativos para la protección del Mar Menor", en LÓPEZ RAMÓN, F., *Observatorio de políticas ambientales 2018*, CIEDA/CIEMAT, Madrid, 2018, pp. 1199-1227; ÁLVAREZ CARREÑO, S. M./SORO MATEO, B./PÉREZ DE LOS COBOS HERNÁNDEZ, E., "Región de Murcia: otra nueva (y decepcionante) vuelta de tuerca normativa en el proceso de degradación del Mar Menor: el Decreto-Ley 2/2019", en GARCÍA-ÁLVAREZ GARCÍA, G., JORDANO FRAGA, J., LOZANO CUTANDA, B., NOGUEIRA LÓPEZ, A. (coords.), *Observatorio de Políticas Ambientales 2020*, CIEDA/CIEMAT, Madrid, 2020, pp. 1204-1231; ÁLVAREZ CARREÑO, S. M./PÉREZ DE LOS COBOS HERNÁNDEZ, E./SORO MATEO, B., "Las modificaciones normativas regresivas y alguna relevante victoria ambiental en sede judicial en la Comunidad autónoma de la Región de Murcia", en GARCÍA ÁLVAREZ, G., JORDANO FRAGA, J., LOZANO CUTANDA, B., NOGUEIRA LÓPEZ, A. (coords.), *Observatorio de políticas ambientales 2021*, CIEDA/CIEMAT, Madrid, 2021, pp. 1344-1380; SORO MATEO, B./ESTEVE SELMA, M. A./MARTÍNEZ PAZ, J. M., *Los espacios naturales protegidos de la Región de Murcia*, Editum -Ediciones de la Universidad de Murcia, Murcia, 2013.
Vid. igualmente las continuadas referencias a la situación del Mar Menor en las crónicas de política y legislación ambiental de la Región de Murcia que aparecen semestralmente en la *Revista Catalana de Dret Ambiental* (https://revistes.urv.cat/index.php/rcda/index) y en el diario La Verdad, "El Mar menor:

análisis, a partir de los datos que aporta el ordenamiento jurídico vigente, lejos de agotarse en cuestiones de derecho positivo, han explorado igualmente la cuestión en su trasfondo ético, por las repercusiones que el mismo generará seguro sobre las generaciones futuras, con infracción del principio de justicia intergeneracional, según el cual las generaciones presentes deben entregar un ambiente sano y saludable a las futuras[4]. Cuando se presenta el daño ambiental también como un problema ético se le vincula con los derechos humanos, reforzándose de este modo el alcance del derecho consagrado por el art. 45 CE, que debe pertenecer a cada individuo por el sólo hecho de existir, como el derecho a la vida, el derecho a la salud o a la integridad personal, y no sólo de los presentes sino también, como decíamos, de las generaciones futuras[5]. Esta perspectiva permite, igualmente, ampliar el

---

huérfano ante el derecho" (https://www.laverdad.es/opinion/menor-huerfano-ante-20191022005739-ntvo.html); "Mar Menor: treinta años de «deterioro consentido»" (https://www.laverdad.es/murcia/comarcas/201704/23/menor-treinta-anos-deterioro-20170423015056-v.html); "Quienes han contaminado el Mar Menor deben reparar el daño" (https://www.laverdad.es/lospiesenlatierra/noticias/contaminado-menor-deben-20220601211304-nt.html); "El poder de las obligaciones pequeñas" (https://www.laverdad.es/opinion/menor-poder-obligaciones-20220610001020-ntvo.html).

[4] Los dos principios emanan de la Cumbre de Rio de Janeiro de 1992. *Vid.* United Nations, *Rio Declaration on Environment and Development* (1992) (http://www.un.org/) y la *Carta de la Tierra* (http://earthcharter.org/).
Esta preocupación por las futuras generaciones, consustancial al propio nacimiento de Derecho ambiental como rama jurídica, ha impulsado a la sociedad civil, como nos recuerda BORRÁS PENTINAT, a exigir la creación de Tribunales éticos con el fin de determinar las causas del cambio climático y de juzgar a los Estados y a las empresas principales responsables de ello y de sus efectos sobre los derechos humanos, de los pueblos y de la naturaleza. *Vid.* BORRÁS PENTINAT, S., "Los litigios climáticos: entre la tutela climática y la fiscalización de las responsabilidades por daños ambientales" en GILES CARNERO, R. (coord.), *Cambio Climático, Energía Derecho Internacional: Perspectivas de Futuro*, Pamplona, ed. Aranzadi, 2012, p. 103 y *passim*.

[5] En el ámbito europeo sigue siendo relevante citar las sentencias del caso *López Ostra c. España* (1994) o del caso *Guerra y otros c. Italia* (1998). De la misma forma se remite para una profundización del tema a AGUILERA VÁQUÉS, M., "El derecho a un ambiente sano en la jurisprudencia del Tribunal Europeo de Derechos Humanos" en ESTAPÁ SAURA, J./RODRÍGUEZ PALOP, M. E. (eds.), *Derechos Emergentes. Desarrollo y medio ambiente*, Tirant lo Blanch, Valencia, 2014, pp. 67-94. Sobre el alcance del deber de no dañar el medio ambiente y el correlativo derecho de las futuras generaciones y la doctrina del perjuicio ecoló-

espectro interpretativo del art. 45 CE y reforzar la reivindicación de la necesidad de generalizar el reconocimiento de la acción popular, sólo garantizada por el ordenamiento español en el ámbito de los espacios naturales protegidos a partir de la Ley 5/2007, de 3 de abril, de la red de parques nacionales (art. 22) y que se mantiene por la Ley 30/2014, de 3 de diciembre (art. 39).

Nos encontramos en presencia de nuevas líneas de evolución del Derecho Ambiental que se centran en el progresivo reconocimiento de los derechos de las generaciones venideras, esto es, que incorpora la dimensión temporal del derecho de todos a disfrutar de un medio ambiente adecuado para el desarrollo de la persona[6].

Estas y otras propuestas evolutivas, como las contenidas en la ILP para el reconocimiento de personalidad jurídica y derechos propios al Mar Menor y su Cuenca, salen al paso de la presente "crisis del derecho ambiental", que tiene múltiples causas (su inaplicación, su falta de efectividad, su reducción a un conjunto de procedimientos formales, su falta de cristalización en la conciencia social, las regresiones en su estándar de protección …) y obliga a repensar muchos de sus fundamentos e instrumentos de aplicación.

Ahora bien, antes de entrar a analizar el contenido de esta ILP, debe afirmarse que, por la propia naturaleza de su objeto, el Derecho ambiental debe ser dinámico y adaptarse a las nuevas realidades, por lo que conviene estar atentos a todas las reflexiones, investigaciones y propuestas que pretenden abrir camino y explorar nuevas vías, pero *"ello no debe significar abandonar los múltiples instrumentos ya diseñados y que están esperando la oportunidad de demostrar su eficacia, ni menos desdeñar el aquis ambiental conseguido, vendiendo nueva mercancía, que puede ciertamente comportar graves riesgos y resul-*

---

gico francés como fuente de inspiración, *Vid.* SORO MATEO, B., "Reinterpretando el principio *alterum non laedere* a propósito de los daños ambientales", en SORO MATEO, B./JORDANO FRAGA, J. (dirs)/ÁLVAREZ CARREÑO, S. M. (coord.), *Viejos y Nuevos Principios del Derecho Ambiental*, Tirant lo Blanch, 2021, pp. 194-202.

6   *Cfr.* SORO MATEO, B., "Nuevos retos del derecho ambiental desde la perspectiva del bioderecho: especial referencia a los derechos de los animales y de las futuras generaciones", *Via Iuris*, núm. 13 (julio-diciembre), 2013, pp. 105-122.

tados negativos si no se aquilatan bien todas sus consecuencias"[7]. En concreto, sobre la propuesta de atribución de personalidad jurídica a elementos de la naturaleza que ha prosperado, al menos formalmente, en algunos ordenamientos[8], por muy atractiva que pueda parecer en una apresurada aproximación, y sin despreciar la adhesión sentimental de amplias capas de la sociedad a la misma, *"engendra el grave inconveniente de patrimonializar la naturaleza y poder amparar la celebración de negocios jurídicos que, fuera del ámbito de las potestades administrativas, supongan a la postre la definitiva pérdida de control colectivo de las acciones que afectan al medio ambiente"*[9]. PRIEUR, estudioso de estas tendencias que reconocen derechos a los elementos de la naturaleza en América Latina, que es donde se encuentran algunos ejemplos de cristalización de estas perspectivas hasta la fecha (bien sea reconociendo los derechos de la naturaleza en el texto constitucional, en el derecho nacional o en resoluciones judiciales de caso único), estima que existen ya suficientes mecanismos jurídicos en el derecho para combatir la desprotección y los incumplimientos, sin que sea necesario acudir a la creación de figuras o nuevos instrumentos que pueden, además, entrañar peligros de regresión, como nos parece que es el caso de la proposición de Ley en tramitación que analizamos[10].

Esta línea de tendencia iusfilosófica, inspirada en la *Justicia ecológica*, ocupa a juristas de todo el mundo y se justifica en el valor intrínseco de la naturaleza y en el principio de igualdad, en un intento de trascender el paradigma de los derechos humanos como concepción inspirada en una visión antropocentrista, en sentido peyorativo, del derecho ambiental. El reconocimiento de derechos de la naturaleza, en líneas generales, se sustenta en tres ideas que se identifican con la

---

[7]   ÁLVAREZ CARREÑO, S. M. (2020), "A la sombra de la pandemia: la crisis climática como telón de fondo de las transformaciones actuales del derecho ambiental", en TORRE SCHAUB, M./SORO MATEO, B. (dirs.)/ÁLVAREZ CARREÑO, S. M. (coord.), *Litigios climáticos y Justicia: luces y sombras*, Laborum, 2020, pp. 74-109, en especial, pp. 85 y 87.

[8]   Un registro de esta tendencia puede verse en https://therightsofnature.org/map-of-rights-of-nature.

[9]   *Ibídem.*

[10] PRIEUR, M. (2019), "Que faut-il faire pour l'Amazonie", *Revue jurique de l'environnnement*, 2019/4, vol. 44, pp. 665-669.

referida crítica al antropocentrismo, al derecho de propiedad y al ilimitado crecimiento económico, y propone, frente a este esquema, una perspectiva ecocéntrica que priorice el valor intrínseco de la naturaleza y las limitaciones impuestas por la capacidad del medio ambiente para satisfacer las necesidades presentes y futuras que se erigen como deber moral[11]. Frente a esta postura, como sostiene BELLOSO, "*la atribución de derechos a realidades no-humanas debe ponerse en el contexto adecuado (cultural y filosófico) para entender en su debida medida el porqué de determinadas legislaciones, diseños constitucionales, decisiones en sede judicial y construcciones doctrinales*" a lo que añade, que frente a una inflación de titulares de derechos, en detrimento de los propios derechos humanos ... "*no se trata tanto de reconocerlos como sujeto de derechos sino de aprovechar tales ficciones jurídicas para dotarlos de una tutela plena y efectiva. En cualquier caso, una estrategia que transite del plano moral al jurídico, y que proteja la Naturaleza y el ámbito ecológico en general, resulta imperiosa y urgente, de manera que facilite la adecuada convivencia del ser humano con todos los demás seres vivos en la Tierra. La ecología, en cuanto interacción de la humanidad con el planeta Tierra, forman parte de un todo, y hace necesario que el Derecho adopte este enfoque*"[12].

Debe advertirse que, de modo paralelo a esta tendencia, existe otra que reconoce derechos a las generaciones futuras, más enraizada en la tradición jurídica, por lo que encuentra menos resistencias, y que se encuentra en la base de instituciones que operan en defensa de estos derechos a través de diversas fórmulas[13]. Esta teoría localiza su fun-

---

[11] VICENTE GIMÉNEZ, T./SALAZAR ORTUÑO, E., "La iniciativa legislativa popular para el reconocimiento de personalidad jurídica y derechos propios al mar menor y su cuenca", *Revista Catalana de Dret Ambiental*, Vol. XIII, Núm. 1, 2022, pp. 14 y 16.

[12] BELLOSO MARTÍN, N., "Un intento de fundamentar derechos de los no-humanos (derechos de la naturaleza) a partir del desarrollo sostenible", *Revista Catalana de Dret Ambiental*, Vol. XIII, Núm. 1, 2022, pp. 39 y 40 (https://doi.org/10.17345/rcda3198).

[13] LAWRENCE analiza los diversos modelos representativos de los derechos de las futuras generaciones y da cuenta de algunas experiencias en Derecho comparado como el Comisionado de las futuras generaciones -*Commisioner for Wales* (UK)- o el *New Zealand Parliamentary Commisioner for the Environment* (Nueva Zelanda). *Vid. in toto* LAWRENCE, P., "Justifying Representation of

damento en el principio de *Justicia intergeneracional* consagrado desde la génesis del Derecho ambiental. Así, se justifica la necesidad de representación de los derechos de las futuras generaciones en aquella y no en la Justicia ecológica, lo cual tiene la ventaja de que los valores fundamentales sobre los que descansa la Justicia intergeneracional están mejor asentados en el orden internacional, pues esta tendencia se encuentra enraizada en los derechos fundamentales y reflejada en la mayoría de instrumentos jurídicos internacionales de derecho ambiental y de los ordenamientos internos, sirviendo últimamente como argumento para justificar la responsabilidad de los Estados por no adoptar medidas suficientes para frenar el cambio climático[14]. Este

---

Future Generations and Nature: Contradictory or Mutually Supporting Values?", *Transnational Environmental Law*, 2022, pp. 3 y *passim* (doi:10.1017/S2047102522000176).

[14]   *Vid.* Declaración Universal de los Derechos Humanos de las Generaciones Futuras, conocida como la Declaración de la Laguna, que, aunque carece de carácter normativo, resulta interesante tener en cuenta, por la influencia que ha tenido en desarrollos posteriores que asumen este enfoque, la previsión contenida en su art. 9, según el cual: "las personas pertenecientes a las generaciones futuras tienen derecho a medioambiente sano y ecológicamente equilibrado, propicio para su desarrollo económico, social y cultural". *Vid*, asimismo, la Declaración sobre las Responsabilidades de las Generaciones Actuales para con las Generaciones Futura (Unesco, 12 de noviembre de 1997. Algunas reflexiones sobre los derechos de las futuras generaciones pueden verse en SORO MATEO, B., "Reflexiones en torno a los derechos de las futuras generaciones", en CHIEFFI, L./SALCEDO HERNÁNDEZ, J. R., *Questioni di inizio vita: Italia e Spagna: esperienze in diálogo*, Mimesis Edizione, 2015, pp. 109-118 y "Responsabilidad pública, vulnerabilidad y litigios climáticos", *Revista Aragonesa de Administración Pública*, núm. 54, 2019, p. 63.
Por otra parte, acaba de ver la luz un interesantísimo estudio sobre la doctrina de los derechos de las futuras generaciones sostenida por la STC alemán de 24 de marzo de 2021 que examina la constitucionalidad de Ley de Cambio Climático (*Klimaschutzgesetz*, en adelante KSG) aprobada el 12 de diciembre de 2019, que declara inconstitucionales los arts. 3.1 frase 2 y 4.1 frase 3 en conexión con el Anexo 2 de dicha Ley por vulnerar los derechos fundamentales de las futuras generaciones, dado que solo establecen los objetivos de emisiones hasta el año 2030. El Tribunal condena así al legislador alemán a regular antes del 31 de diciembre de 2022 el establecimiento de los objetivos de reducción de emisión de CO2 a partir de 2030 (RUIZ PRIETO, M., "Cambio climático y derechos fundamentales diacrónicos: la Sentencia alemana del Cambio climático y su doctrina", *REALA*, núm. 17, 2022, pp. 78-93 (DOI: https://doi.org/10.24965/reala.i17.11063).

fenómeno de los litigios climáticos, en todo el mundo, y recientemente en Europa y España, está demostrando la fuerza de los Tribunales a la hora de acoger propuestas innovadoras que fundamentan y refuerzan la diligencia pública como parámetro de la responsabilidad, sin necesidad de que estos derechos de las futuras generaciones se encuentren expresamente reconocidos en las normas, más allá de los principios de justicia y de solidaridad intergeneracional. En fin, estas teorías que ya han calado en el Derecho evitan el riesgo de que el antropocentrismo sea sustituido por el "antropomorfismo", que supone la proyección de características humanas sobre otros seres no humanos[15]. Además, en palabras de P. SINGER, dada la urgencia de la crisis ecológica global, es vital encontrar sinergias para maximizar las posibilidades de reforma pues *"las teorías éticas deben ser capaces de implementarse en el mundo real"*[16].

En el caso particular del Mar Menor, la catástrofe ambiental provocada por décadas de evidente dejadez política ha sido denunciada en múltiples foros y ha conseguido finalmente movilizar a la ciudadanía, necesitada de respuestas, generando el caldo de cultivo idóneo para que se depositen esperanzas en fórmulas innovadoras que permitan salir de la inacción y de la pasividad frente a la cruda realidad de un mar agonizante.

En este contexto, donde se mezclan la desconfianza en la efectividad del conjunto de instrumentos vigentes en nuestro sistema constitucional para la protección de la naturaleza y la creencia en nuevos paradigmas filosóficos portadores de mensajes de esperanza, el Pleno

---

[15]   PETER LAWRENCE, cit, p. 11 y 17.

[16]   SINGER, P., *Practical Ethics*, 2nd edit., Cambridge University Press, 1993, p. 2. Sobre esta cuestión se recomienda el siguiente e interesantísimo estudio, desde la filosofía, que revisa la teoría del sujeto de derecho, en BELLOSO MARTÍN, N., "Un intento de fundamentar derechos de los no-humanos (derechos de la naturaleza) a partir del desarrollo sostenible", *RCDA*, vol. XIII, núm. 1, 2022, pp. 1-46. El análisis parte de la revisión de la teoría del sujeto de derechos y analiza si puede hablarse, desde la teoría de los derechos humanos, de derechos no-humanos, examinando si la Naturaleza y todos aquellos elementos que interactúan en el ecosistema para hacer posible la vida pueden ser titulares de derechos, es decir, si son no sólo sujetos morales sino también jurídicos. Por último, lleva a cabo una aproximación al intento de fundamentar los derechos de los no-humanos, para lo que se examinarán dos argumentaciones: la del prejuicio del especismo *versus* el personismo, y la de los derechos morales *versus* derechos jurídicos.

del Congreso de los Diputados aprobó el martes 5 de abril de 2022, con los votos a favor de PSOE, PP, Ciudadanos, Unidas Podemos y Grupo Plural y el rechazo de Vox, la toma en consideración de la Iniciativa Legislativa Popular (ILP) para reconocer la personalidad jurídica de la laguna del Mar Menor y su cuenca[17]. Un reto legislativo inédito en Europa, con fuerte apoyo ciudadano, y que promete situar la protección del Mar Menor en la vanguardia del derecho comparado[18], soslayando las razonadas propuestas que desde la doctrina ambientalista han ido construyéndose durante años y que se alinea exclusivamente con el movimiento que lucha por el reconocimiento de derechos a elementos singularizados de la naturaleza[19]. A su paso por el Congreso la ILP ha recibido once enmiendas, siete de modificación (que afectan a los arts. 1, 2, 3, 5 y 6), una de supresión (que afecta al art. 5) y tres de adición. Tras el informe de la ponencia y su

---

[17]   Sobre la ILP *vid.* https://www.marmenorpersona.legal/y https://ilpmarmenor.org/.

[18]   Como ejemplo de la amplia repercusión mediática *vid. El Confidencial*, "El Mar Menor, primer ecosistema en Europa con derechos jurídicos reconocidos", 7 de abril de 2022 (https://www.elconfidencial.com/).

[19]   DE PRADA GARCÍA, A., "Derechos humanos y derechos de la naturaleza: el individuo y la Pachamana", *Cuadernos Electrónicos de Filosofía del Derecho*, núm. 27, 2013, pp. 85-95, y TASSIN WALLACE, C., "Derechos de la Naturaleza (en relación con el derecho a la naturaleza)", *EUNOMÍA - Revista en Cultura de la Legalidad*, núm. 22, 2022, pp. 288-306.
Esta última autora recuerda los casos en los que se otorgan derechos a elementos singulares de la naturaleza por su particular importancia y sus peculiares características. Entre estos, se encuentran el caso de Nueva Zelanda respecto del Río Whanganui y el parque Te Urewera el Río Ganges y Yamuna, el Amazonas (STC de Colombia 4360/2018) y en Australia del Río Yarra, que contrastan con el caso de Ecuador y Bolivia, que reconocen la titularidad de derechos a la Pacha Mama o Madre Tierra como comunidad en la que interactúan sistemas de vida y seres humanos en completa unidad funcional (*cit.*, p. 10). Añade la autora que "el reconocimiento de derechos de la Naturaleza permite problematizar la realidad consumista, utilitarista y capitalista, de un modo más punzante que el paradigma de derecho a la naturaleza. Efectivamente esto no quiere decir que los derechos de la Naturaleza necesariamente, en la práctica, implican soluciones eficaces a problemas ecológicos. De hecho, en Ecuador y Bolivia la situación medio ambiental es preocupante. Sin embargo, su propuesta jurídica no sólo no mantiene el divorcio entre la Naturaleza y el ser humano, sino que además ata un nudo gordiano entre ellos (*cit.*, p. 17).

debate algunas de ellas fueron aprobadas en Comisión de Transición ecológica y reto demográfico, de 13 de julio de 2022.

II. LA ILP PARA EL RECONOCIMIENTO DE PERSONALIDAD JURÍDICA AL MAR MENOR Y SU CUENCA: ANÁLISIS TÉCNICO DE LA PROPUESTA

La Proposición de Ley para el reconocimiento de personalidad jurídica a la laguna del Mar Menor y su cuenca, resultado de una ILP promovida por la Profesora de Filosofía del Derecho de la Universidad de Murcia, doña María Teresa Vicente Giménez[20], que tiene todavía por delante culminar su tramitación parlamentaria, constaba, en su versión inicial, de seis artículos y dos disposiciones, una derogatoria y una final. En una primera aproximación, sorprendió la brevedad de su articulado, que contrasta con la envergadura del reto jurídico que enfrenta. Un posterior y más detenido análisis de su contenido nos revelaba las graves insuficiencias del texto tal y como fue propuesto para su aprobación, algunas de las cuales, como se verá, han sido parcialmente enmendadas tras su aprobación en Comisión.

Como juristas entendimos que debíamos colaborar para impedir que una eventual enmienda a la totalidad, que no ha tenido lugar tras su paso por el Congreso, o un posterior y anunciado recurso ante el TC, frustren tantas esperanzas que una parte de la ciudadanía ha depositado en ella. Además, es nuestro deber advertir que la imprecisa e incompleta parte dispositiva de la norma no aporta, en su redacción actual, las necesarias reformas que requiere nuestro ordenamiento jurídico para avanzar en la efectiva conservación y restauración del Mar Menor. Un análisis pormenorizado de su articulado fundamenta nuestra actual opinión crítica, atemperada por alguna innovación derivada de la aprobación de ciertas enmiendas, como se tendrá ocasión de advertir. En efecto, la propuesta incurre en graves errores que implican desconocer la propia Constitución y el Derecho de la UE. Estas

---

[20] BOCCGG, Congreso de los Diputados, XIV Legislatura, Serie B, de 3 de diciembre de 2021, Núm. 208-1, pp. 1-4.

circunstancias la abocaban, tal y como reconocimos en otro lugar[21], en caso de que superara sin profundas modificaciones su tramitación parlamentaria, a un eventual recurso de inconstitucionalidad e incluso a un recurso por contravención del Derecho europeo que, lamentablemente, se convertiría en una nueva excusa, además de la competencial, para no cumplir ni hacer cumplir el Derecho ambiental que nos hemos ido dando con el impulso del Derecho europeo y la conciencia ecológica de la ciudadanía.

1. *Sobre su carente fundamento constitucional y la imprecisión de su disposición derogatoria*

El análisis de la iniciativa dirigida al reconocimiento de personalidad jurídica y de derechos al Mar Menor y a su cuenca debe comenzarse preguntándonos si el escaso, pero rimbombante, contenido de la ILP contraviene el texto constitucional y el Derecho europeo en una primera aproximación. Ciertamente, el procedimiento de tramitación parlamentaria, en el curso del cual se ha emitido el informe de los letrados de las Cortes[22] y se han presentado y debatido las enmiendas recibidas, debería haber enfrentado elementales cuestiones hermenéuticas a las que nos referimos a continuación, y hasta la fecha parece que no se han podido ofrecer todas las respuestas que exigen las lagunas e incorrecciones detectadas.

En primer lugar, lo primero que llamó la atención en una inicial lectura del texto de la ILP fue la falta de referencia a un necesario fundamento constitucional que bien pudiera ser *a priori* el art. 149. 1. 23ª CE, aunque también el art. 149.1. 6ª CE, por lo que se refiere al eventual reconocimiento de la acción popular. En fase de enmiendas se ha incluido una disposición final segunda que ahora sí invoca el título constitucional referido al medio ambiente (art. 149. 1. 23ª

---

[21] ÁLVAREZ CARREÑO, S. M./SORO MATEO, B., "Derecho y políticas ambientales en la Región de Murcia (primer semestre 2022", *Revista Catalana de Dret Ambiental*, vol. XIII, núm. 1, 2022, pp. 1-29.

[22] No se ha podido acceder al texto de dicho Informe por no encontrarse disponible en la web del Congreso de los Diputados.

CE)[23], aunque lamentablemente se sigue omitiendo la referencia al título competencial relativo a la legislación procesal (art. 149. 1. 6º CE), que es en el que se sustenta el reconocimiento de la acción popular que, por ahora, después de cierto debate, ha prosperado[24].

En relación con esto último, y aunque se volverá sobre esta cuestión *infra*, puede adelantarse que podría ser un resultado positivo que se aprovechara la ocasión que brinda el proceso parlamentario para introducir algunas reformas normativas necesarias, reclamadas a voces por la doctrina jurídica, como es la generalización de la acción popular en la LPNB y, entre otras, la reforma de la LJCA para contemplar pretensiones de condena a la Administración, que permitan corregir la falta de efectividad del derecho ambiental, cuyas causas han sido ampliamente estudiadas por la doctrina, que ha ofrecido diversas propuestas de *lege ferenda* en este sentido[25].

---

[23]   Se trata del contenido de la enmienda núm. 11, presentada por el Grupo Parlamentario Socialista, Grupo Parlamentario Confederal de Unidas Podemos-En Comú Podem-Galicia en Común propone añadir una disposición final del siguiente tenor: "Disposición final. Título competencial. Esta ley se dicta al amparo de la competencia exclusiva del Estado prevista en el art. 149.1.23 CE, de legislación básica sobre protección del medio ambiente, sin perjuicio de las facultades de las Comunidades Autónomas de establecer normas adicionales de protección".

[24]   A pesar de encontrarse reconocida en el texto inicial, fue objeto de una enmienda que pretendía eliminarla, del Grupo Parlamentario Socialista, Grupo Parlamentario Confederal de Unidas Podemos-En Comú Podem-Galicia en Común que finalmente no prosperó.

[25]   JORDANO FRAGA, J., "El contencioso ambiental", *Revista Andaluza de Administración Pública*, núm. 100, Monográfico Conmemorativo, pp. 265-298 y *La protección del derecho a un medio ambiente adecuado*, Bosch, 1985, pp. 413-499. El autor, desde hace más de veinte años ha sostenido que la posición jurídica de la persona con respecto al medio ambiente es un derecho subjetivo y que la acción popular es un mínimo constitucional *ex* arts. 24 y 45 CE. En el marco del art. 105 CE, la LJCA reconoce la acción popular en su art. 19. 1 *h*) a cualquier ciudadano, en los casos previstos expresamente en las leyes, lo cual obliga a acudir a la normativa sectorial ambiental y caso por caso, descubrir dicho reconocimiento. Si bien en sede urbanística o en el ámbito de la protección del patrimonio cultural se encuentra plenamente reconocida la acción popular, en materia ambiental, el enfoque multisectorial de la regulación de los elementos del medio ambiente, de los factores contaminantes y de los instrumentos de protección nos obliga a indagar, caso por caso, el reconocimiento de la acción popular en cada uno de los ámbitos. Por lo que se refiere a las propuestas de

Pero, lamentablemente, y salvo que la ILP no supere su aprobación por el Senado anunciada para el próximo mes de septiembre, y vuelva a la Cámara baja para su tramitación como proyecto de Ley, se habrá perdido por ahora la ocasión de abordar estas integrales y necesarias reformas, lo cual habría sido considerado sin duda una gran conquista del derecho ambiental español derivada de la iniciativa, es decir, no sólo para el Mar Menor, sino para todo el patrimonio natural.

Por otra parte, la vaguedad de su disposición derogatoria, que pretende dejar sin efecto toda norma de igual o inferior rango que contravenga las escasas disposiciones de la misma, impide considerar las necesarias interrelaciones que su aprobación como norma básica sobre protección del medio ambiente generaría con la Ley 42/2007, de Patrimonio Natural y Biodiversidad (LPNB), el Real Decreto Legislativo 1/2001, por el que se aprueba el Texto Refundido de la Ley de Aguas (TRLA), la Ley 22/1988, de Costas (LC), la Ley 26/2007, de Responsabilidad Ambiental (LRMA), la Ley Orgánica 6/1985, del Poder Judicial (LOPJ), la Ley 29/1998 de la Jurisdicción Contencioso-administrativa (LJCA) o, entre otras, el propio Código Civil.

Tras la fase de enmiendas se sigue guardando silencio sobre la integración de la iniciativa con el Derecho ambiental preexistente, lo cual va a generar relevantes interrogantes, especialmente en relación con la LPNB y con la LRMA y, consecuentemente, con el Derecho comunitario que estas leyes estatales transponen, además de con la Ley regional 3/2020, de 27 de julio, de recuperación y protección del Mar Menor.

En tercer lugar, habría que llamar la atención sobre la peculiar naturaleza de esta futura y pretendida ley básica estatal que restringe su ámbito de aplicación al Mar Menor y su cuenca, que sólo será susceptible de desarrollo, en su caso, por el propio Estado —con el consiguiente carácter básico— o por la CARM —en ejercicio de sus competencias normativas ambientales, esto es, desarrollo de las bases o normas adicionales de protección—. A diferencia de otros supuestos

---

reforma de la LJCA, *vid.* PEÑALVER I CABRÉ, A. (2013), "Las pretensiones en el contencioso-administrativo para la efectiva protección de los intereses colectivos", RAP, núm. 190, 2013, pp. 109-154.

que contempla nuestro ordenamiento jurídico, en los que la competencia estatal básica de protección ambiental de un espacio natural se justifica en el interés supracomunitario de dicho espacio, como sucede particularmente en la declaración a través de Ley estatal de parques nacionales[26], en este caso parece que la justificación de dicha norma estatal básica singular se encuentra, bien en la insuficiencia del derecho ambiental aplicable o bien en la incapacidad de la Administración con competencias en gestión ambiental para la aplicación del derecho ambiental, por lo que conforme a esta segunda hipótesis la Ley podría ser vista como una suerte de aplicación excepcional del art. 155 CE, en aras de garantizar la protección de un interés general y de facilitar a los ciudadanos las vías de acceso al control de la inaplicación del derecho ambiental en dicho espacio natural ante su puesta en peligro por la inacción de la Administración autonómica ante los reiterados incumplimientos.

En consecuencia, está por ver si en una eventual decisión del máximo intérprete de la Constitución la futura norma supera el canon de constitucionalidad por lo que se refiere al cabal entendimiento de lo que debe entenderse por normativa básica estatal en materia de protección del medio ambiente. También se presentan incógnitas sobre si la competencia normativa de desarrollo autonómica, que constitucional y estatutariamente corresponde a la CARM, puede colisionar con un posible desarrollo básico de esta Ley por parte del ejecutivo estatal. Así, si bien en su versión inicial, como se advertirá seguidamente, la ILP era muy escueta, a día de hoy, como resultado de las enmiendas aprobadas, ha incluido algunos nuevos contenidos organizativos más propios de una norma reglamentaria, que gozarán *prima facie* de carácter básico, si se mantienen en los mismos términos tras su paso por el Senado.

De este modo, y aunque podrían imaginarse otras hipótesis, lo cierto es que los escenarios quedan abiertos y todo depende, en gran medida, del contenido definitivo que adopte la Ley.

---

[26]   *Vid.* art. 8.1. de la Ley 30/2014, de 3 de diciembre, de Parques Nacionales.

2. El carácter meramente declarativo del reconocimiento de personalidad jurídica al Mar Menor y su cuenca

La proposición de Ley se inaugura con una elocuente declaración de personalidad jurídica de la masa de agua y de su cuenca hidrológica, que en el ámbito literario podríamos calificar de personificación antropomórfica como recurso que facilita la identificación sentimental del lector, al modo de fábula, con la persona "Mar Menor". Desde esta perspectiva literaria, la atribución de personalidad jurídica sirve también de metáfora que permite justificar desde el punto de vista filosófico los derechos de la naturaleza como espejo que refleja los deberes, las obligaciones y las prohibiciones que el ordenamiento jurídico positivo ya establece y de cuyo cumplimiento deben velar todos los poderes públicos y la propia ciudadanía a través de los instrumentos jurídicos que el derecho contempla.

Sin desconocer los interesantes debates sobre la extensión de la personalidad jurídica[27], sobre los que no nos podemos detener ex-

---

[27]   BELLOSO MARTÍN resume las cuatro teorías sobre las personas jurídicas, ordenadas de más antigua a más moderna: *i) Teoría de la ficción jurídica (que se remonta al Derecho romano, pero fue reelaborada por la ciencia jurídica delsiglo XIX y, especialmente, por SAVIGNY). Según esta teoría, el ser humano es el único sujeto de derecho, por lo que la persona jurídica no tiene existencia real, sino que se trata de una ficción creada y utilizada por el Derecho para resolver la necesidad práctica de que las colectividades actúen en el tráfico jurídico; ii) La teoría de la voluntad, defendida por O. VON GIERKE y por G. DEL VECCHIO. Sostiene que esa colectividad posee una voluntad independiente de sus miembros y que el sustrato de esas personas jurídicas es la voluntad social; iii) La teoría del interés, formulada por R. VON IHERING, que considera que la persona jurídica es una construcción jurídica con fines prácticos, ya que un colectivo puede también tener intereses que el Derecho debe reconocer y proteger. A su vez, esta teoría del interés ha sido objeto de reformulaciones tales como la teoría de la institución propuesta por M. HAURIOU, que mantiene que la persona jurídica es una institución que constituye una unidad de fines o actividades en torno a la cual se reúnen un grupo de hombres interesados en su concreción. Y también, la teoría de la construcción lógica, sustentada por H. L. HART, que entiende que la expresión persona jurídica no hace referencia a hechos, como consideran las teorías anteriores, sino a una "construcción lógica", por lo que se trata más bien de una "técnica del lenguaje jurídico" que facilita el trabajo de los operadores jurídicos".* Sostiene la autora, a la vista de estas teorías, que interés y voluntad, permiten comprender la dificultad de trasladarlas de los sujetos humanos, para las que se concibieron, a los no humanos. *Vid.* BELLOSO MARTÍN, N., "Un in-

tensamente en este lugar, interesa destacar ahora, en relación con el contenido de este art. 1 de la ILP, que cuando se declara la personalidad jurídica de un ente se debe precisar qué tipo de persona jurídica se está configurando, y en concreto determinar si se trata de una persona jurídica de derecho privado o si se trata de una persona jurídica de derecho público, y a la vez en este último caso determinar a qué Administración territorial se adscribe (estatal, autonómica o local), de conformidad con el diseño organizativo constitucionalizado.

En el primer caso, como es sabido, las personas jurídicas de derecho privado constituyen una ficción que permite atribuirle derechos y obligaciones. Además, pueden ser parte en procedimientos administrativos y procesos judiciales e incluso incurrir en responsabilidad civil, administrativa y penal. En el texto inicial de la ILP no se contenía un estatuto o conjunto de derechos y deberes de esta persona jurídica. Además, como eventual entidad de derecho privado, no se alcanzaba a atisbar cuál sería la relación jurídica entre esta persona jurídica y el Mar Menor, en la medida en que se trata a todas luces de un bien de dominio público *ex* art. 132 CE. Dicha relación jurídica habría de compatibilizarse y respetar las potestades estatales derivadas de su consideración como bien de naturaleza demanial y autonómicas derivadas de su naturaleza como bien ambiental objeto de protección[28].

---

tento de fundamentar derechos de los no-humanos (derechos de la naturaleza) a partir del desarrollo sostenible", *Revista Catalana de Dret Ambiental*, vol. XIII, núm. 1, 2022, p. 13 (https://doi.org/10.17345/rcda3198).

[28] Además, el Mar Menor constituye un elemento del medio ambiente, comprendido en el ámbito de aplicación del 45 CE, que reconoce el derecho de todos a un medio ambiente adecuado para el desarrollo de la personalidad y el deber de conservarlo, y de los arts. 149.1. 23ª y 148.1. 9ª CE y es un espacio natural protegido con la categoría de paisaje protegido, al que resulta de aplicación la LPNB. Asimismo, es una ZEC, por lo que le resulta de aplicación su plan de gestión y la Directiva 92/43/CEE del Consejo, de 21 de mayo de 1992, relativa a la conservación de los hábitats naturales y de la fauna y flora silvestres (DH), además de toda la jurisprudencia del TJUE en aplicación e interpretación de la misma, normativa y jurisprudencia de la que se derivan obligaciones y responsabilidades que siguen vigentes.
Todo este compendio de normas jurídicas, al que podrían añadirse otras, implica que sobre el Mar Menor coexisten competencias de conservación y defensa propias del dominio público que corresponden a la AGE, entre ellas, la acción imprescriptible para exigir su restauración a cargo de los causantes de su deterioro y otras, las relativas a la protección ambiental, atribuidas a la CARM, que

Descartado que lo que pretenda crearse sea una persona jurídica de derecho privado, el art. 1 de la ILP podría referirse a una persona jurídica de derecho público. A este respecto hay que decir que la personalidad jurídico-pública se encuentra reconocida constitucionalmente de modo expreso exclusivamente en favor de los Municipios (art. 140), las Provincias (art. 141) y de las eventuales CCAA que se crearan (art. 152 CE), e implícitamente al propio Estado[29]. El alcance de esta personalidad jurídica, atribuida a las denominadas Administraciones Públicas territoriales, es diverso y se integra por la atribución de competencias, potestades, obligaciones y responsabilidad, no teniendo sentido, en cambio y en puridad, hablar de derechos de las AAPP como personas jurídico-públicas. Por otra parte, además de las aludidas entidades públicas territoriales, existe otra variada tipología de personas jurídicas institucionales y corporativas de derecho público a las que podría haberse referido la ILP.

Pues bien, la futura Ley, por elementales exigencias de seguridad jurídica, debería haber elegido, en su caso, para identificar a la persona jurídica "Mar Menor y su cuenca", uno de los tipos de personas jurídicas preexistentes o, por el contrario, proceder a regular una nueva persona jurídico-pública como un tipo organizativo de nueva planta. No obstante, como se tendrá ocasión de advertir, parece descartarse que la ILP pretenda crear, en puridad, una persona jurídica, sino más bien dotar de representación a los intereses colectivos que ahora se pasan a denominar derechos, a través de la creación de órganos "apátridas" en los que el grupo promotor de la ILP cogobierna un bien de dominio público que a la vez es espacio natural.

En consecuencia, puede afirmarse que la ILP no se decanta por ninguna de las posibilidades descritas, sino que al afirmar la personalidad

---

condicionan, a su vez, las competencias locales de los municipios ribereños. Estas últimas, las competencias de conservación autonómicas, derivan de su condición de espacio natural protegido. Asimismo, su clasificación como espacio protegido delimita el contenido del derecho de propiedad privada de las personas físicas o jurídicas titulares de terrenos que se encuentren comprendidos, en su caso, dentro del perímetro del espacio natural o de su plan de ordenación.

[29]   Especialmente a partir de los arts. 339, 340, 341 y 345 CC, al tratar del dominio público y privado, del art. 956 CC sobre la sucesión intestada del Estado, del art. 1923 CC en relación a la prelación de créditos en favor del Estado y en el artículo 1.903 relativo a la responsabilidad del Estado.

jurídica del Mar Menor y su cuenca parece querer referirse a una "personalidad jurídica abstracta" del Mar Menor, a una personificación retórica del Mar Menor, que deja de ser objeto y víctima, para ser sujeto inanimado, legalizando el reconocimiento de la personalidad jurídica del Mar Menor y de su cuenca para justificar la atribución de derechos que serán defendidos a través de la representación. Así, en puridad, de dicha declaración, en la práctica sólo se deriva el reconocimiento de derechos, los cuales no se contemplan en una versión inicial (veremos que se lleva a cabo una formulación vaga y genérica de los mismos), y que serán defendidos por cualquier persona física o jurídica sólo en sede judicial (limitación que es corregida en fase de enmiendas), y en nombre de la verdadera parte procesal que se dice será el propio Mar Menor (art. 6 de la ILP). Sobre esta cuestión, se volverá *infra*.

3. Los derechos reconocidos (art. 2): la otra cara de deberes ya existentes

El art. 2 de la ILP en su versión inicial reconoce al Mar Menor y su Cuenca

> "*los derechos a la protección, conservación, mantenimiento y en su caso restauración a cargo de los gobiernos y los habitantes ribereños*",

además del

> "*...derecho a existir como ecosistema y a evolucionar naturalmente, que incluirá todas las características naturales del agua, las comunidades de organismos, el suelo y los subsistemas terrestres y acuáticos que forman parte de la Laguna del Mar Menor y su Cuenca*".

En primer lugar, el contenido de este precepto constituye, en una suerte de pirueta conceptual, una declaración a la inversa de los deberes ya constitucionalizados por el art. 45 CE y concretados por toda la normativa que deriva de este precepto constitucional. Se trata, en puridad, de deberes de conservación, protección, mantenimiento (de los que deberían derivar obligaciones positivas, en la terminología del TEDH y de los recientes litigios climáticos) y, en su caso, restauración que, además, no se concretan: ¿se restaurarán conforme a las disposiciones del Anexo III de la LRMA? ¿Se protegerán y conservarán en los términos que se deriven de su plan de gestión?[30].

Por otra parte, el "derecho a existir" parece que quiere referirse a la preservación de la integridad ecológica como cualidad de los espacios naturales en la línea de la Directiva Hábitats (DH) y la más reciente Estrategia Europea de la Biodiversidad 2030. Un avance, en este sentido de preservar la indemnidad de la integridad ecológica del espacio, que supere una formulación tan genérica referida a la evolución natural, consistiría, como es sabido, en proponer la declaración del espacio como reserva natural, si desde la ciencia se estimara la figura más acorde a sus características, aunque como hemos sostenido en otro lugar, la figura de parque natural, en parte marino y en parte terrestre, y la consiguiente y obligada del PORN en el plazo de un año desde su declaración en los términos que en su día contemplaba el art. 15 de la LENFS, habría ayudado a evitar gran parte del deterioro de la laguna[31].

Mientras el Mar Menor mantenga la categoría de paisaje protegido no es real dicha intangibilidad predicable de las reservas. Por tanto, ese "derecho a existir" deberá determinar en qué términos se concreta, porque si es en los mismos términos que derivan de la normativa vigente conforme a la categoría de "paisaje protegido", no estamos añadiendo nada, sino aceptando, retóricamente, que la figura de paisaje protegido es adecuada, cuando, a todas luces, este espacio natural y su zona de influencia debería ser declarado, bien parque natural —como por ejemplo Las Salinas de San Pedro—, blindándose de este modo su protección frente a desarrollos urbanísticos y agricultura intensiva, aprovechándose la prevalencia de los PORN sobre cualquier instrumento planificador, incluido el plan hidrológico, o bien como área marina protegida.

En relación con ello, se echa de menos que la parte dispositiva de la norma de caso único propuesta, en su versión inicial no dedicara ningún precepto a delimitar preferiblemente en un anexo con la

---

[30]   En este orden de cosas, ya se ha propuesto la modificación de la LJCA. *Vid.* PEÑALVER I CABRÉ, A., "Las pretensiones…", *cit.*, pp. 109-154.

[31]   SORO MATEO, B., "Los errores jurídico-políticos en torno al Mar Menor", en LÓPEZ RAMÓN, F., *Observatorio de políticas ambientales 2017*, CIEDA/CIEMAT, Madrid, 2017, pp. 1030-1033.

descripción incluso cartográfica del espacio al que se personifica, el ámbito territorial de aplicación de la misma. En efecto, se aludía al Mar Menor y a su cuenca, pero se carecía de cartografía *ad hoc* o, en su defecto, de alguna remisión, por ejemplo, al ámbito territorial del paisaje protegido, de la ZEC o de su plan de gestión. En este orden de cosas, se propuso ampliar el perímetro de protección del espacio y del ámbito de aplicación del plan de gestión, e incluso, como hemos apuntado, podría optarse por declarar un área marina protegida que comprenda tierra y mar, donde hacer realidad una gobernanza de áreas marinas en consonancia con la Estrategia de áreas marinas protegidas[32]. Mas no ha sido tenida en cuenta esta recomendación, sino que, como resultado de la enmienda núm. 6 referida al art. 1 de la ILP presentada por Grupo Parlamentario Socialista, Grupo Parlamentario Confederal de Unidas Podemos-En Comú Podem-Galicia en Común, se añade al art. 1 lo siguiente:

> "2. A los efectos de la presente Ley, se entenderá que la cuenca del Mar Menor está integrada por:
> a) La unidad biogeográfica constituida por un gran plano inclinado de 1600 km2 con dirección Noroeste-Sureste, limitado al norte y noroeste por las últimas estribaciones orientales de las Cordilleras Béticas constituidas por las sierras pre-litorales (Carrascoy, Cabezos del Pericón y Sierra

---

[32] En la línea de la propuesta de gobernanza de áreas marinas protegidas desarrollada en el marco del Proyecto LIFE INTERMARES. *Vid.* http://intemares.es/. El grupo de trabajo UMU-INTEMARES propuso una reforma normativa para garantizar que a los Planes de Gestión se les atribuya carácter determinante y prevalente. Así se evitaría que cualquier otro plan pudiera prevalecer sobre ellos, obligando además a modificar los planes existentes cuando sean contrarios al Plan de Gestión de las AMPs que se hayan podido aprobar con posterioridad. Se trataría, en suma, de dar el mismo carácter de los PORN a los planes de gestión de AMPs. Se propuso asimismo una reforma normativa para predeterminar en la normativa básica estatal el instrumento jurídico de aprobación de los Planes de Gestión de los EMPs, estableciendo lo que se denomina una "reserva de Administración". De este modo, si los aprueba el Estado se hará por Real Decreto y si son las CCAA, por Decreto. Se propone establecer fases obligatorias en el procedimiento de elaboración de los Planes de Gestión de las AMPs, como sucede con los PORN en la LPNB. De este modo se blinda la participación e información pública en la elaboración del instrumento de declaración y se permite el control jurisdiccional del mismo. La modificación habría que hacerla en la Ley 42/2007, de Patrimonio Natural y Biodiversidad o en la Ley 41/2010, de Protección del Medio Marino.

de los Victorias, El Puerto, Los Villares, Columbares y Escalona), y al sur y suroeste por sierras litorales (El Algarrobo, Sierra de la Muela, Pelayo, Gorda, Sierra de La Fausilla y la Sierra minera de Cartagena-La Unión, con sus últimas estribaciones en el Cabo de Palos), e incluyendo la cuenca hídrica y sus redes de drenaje (ramblas, cauces, humedales, criptohumedales, etc.).

b) El conjunto de los acuíferos (Cuaternario, Plioceno, Messiniense y Tortoniense) que pueden afectar a la estabilidad ecológica de la laguna costera, incluyendo la intrusión de agua marina mediterránea".

En cuanto al referido silencio que guardaba la ILP en su texto original respecto de los derechos reconocidos a la laguna y a su cuenca, debe señalarse que el art. 2 ha sido objeto de una enmienda en este sentido que finalmente ha sido aceptada, presentada por el Grupo Parlamentario Socialista, Grupo Parlamentario Confederal de Unidas Podemos-En Comú Podem-Galicia en Común. Se pretende mantener el texto del precepto, añadiendo una concreción de los derechos y proponiendo añadir lo siguiente:

"Los derechos reseñados en el párrafo anterior tendrán el siguiente contenido:

Derecho a existir y a evolucionar naturalmente: el Mar Menor está regido por un orden natural o ley ecológica que hace posible que exista como ecosistema lagunar y como ecosistema terrestre en su cuenca. El derecho a existir significa el respeto a esta ley ecológica, para asegurar el equilibro y la capacidad de regulación del ecosistema ante el desequilibrio provocado por las presiones antrópicas procedentes mayoritariamente de la cuenca vertiente.

Derecho a la protección: el derecho a la protección implica limitar, detener y no autorizar aquellas actividades que supongan un riesgo o perjuicio para el ecosistema.

Derecho a la conservación: el derecho a la conservación exige acciones de preservación de especies y hábitats terrestres y marinos y la gestión de los espacios naturales protegidos asociados.

Derecho a la restauración: el derecho a la restauración requiere, una vez producido el daño, acciones de reparación en la laguna y su cuenca vertiente, que restablezcan la dinámica natural y la resiliencia, así como los servicios ecosistémicos asociados".

Por otra parte, y continuando con el alcance del art. 2, se debe lamentar que una ILP que promete ser una norma de vanguardia, revolucionaria y avanzada presente en este precepto un llamativo y proscrito carácter regresivo, que se mantiene en el texto remitido al

Senado, a pesar de haberse propuesto una enmienda en este sentido[33], al "perdonar" de plano a los causantes de la contaminación. Porque, el correlativo deber de los derechos que pretende reconocer se atribuye, cuando se habla del derecho a la restauración, exclusivamente "a los gobiernos (sic) y a los habitantes ribereños". ¿De verdad se pretendía y se pretende que sean los habitantes ribereños, junto a los "gobiernos —serán las Administraciones públicas competentes, porque se confunde Gobierno y Administración— los que van a correr con los gastos de restauración? Como ya advertimos, debería decir "a cargo de los responsables", porque esta Ley no puede desplazar el régimen de responsabilidad administrativa, penal y patrimonial (de las AAPP, en este último caso, derivadas de la depreciación del valor de los bienes como consecuencia del deterioro consentido de la laguna)[34].

En consecuencia, este precepto, tal y como ha sido aprobado en Comisión, choca de plano con el principio "quien contamina paga" y contraviene el derecho europeo (TFUE y DRMA) y el art. 45. 3 CE, que es el fundamento de la responsabilidad ambiental derivada del incumplimiento de los deberes y de los daños al medio ambiente —no del atentado a futuribles derechos de entidades naturales, en la terminología de la proposición— y del derecho subjetivo a disfrutar de un medio ambiente adecuado *ex* art. 45.1 y 2 CE que, como es sabido, entronca con algunos derechos fundamentales tal y como se ha venido reconociendo desde la emblemática STEDH, de 9 de diciembre de 1994 (caso López Ostra) y concordantes.

---

[33]   En efecto, la enmienda núm. 1 presentada por el grupo parlamentario Ciudadanos proponía el siguiente texto: "*Se reconoce al Mar Menor y su cuenca los derechos a la protección, conservación, mantenimiento, y en su caso restauración a cargo de las Administraciones Públicas competentes. Asimismo, se reconoce su derecho a existir como ecosistema y a evolucionar naturalmente, que incluirá todas las características naturales del agua, las comunidades de organismos, el suelo y los subsistemas terrestres y acuáticos que forman parte de la Laguna del Mar Menor y su cuenca*". Se pretendía, pues, eliminar la inconstitucional y por otra parte regresiva referencia a la restauración a cargo de "los gobiernos y los habitantes de los municipios ribereños" y se alude a las Administraciones públicas competentes, pero esta enmienda no es aceptada.

[34]   Accesible en https://www.bde.es/.

4. La imprecisión de su contenido organizativo

El art. 3 de la ILP, según su dicción literal y en su versión inicial, prevé la creación de nuevos órganos de gestión de la persona jurídica "Mar Menor" y, para ello, prescinde absolutamente de cualquier referencia a los órganos administrativos ya existentes que diseñan múltiples normas vigente. Asimismo, no tiene en cuenta las propuestas de reforma normativa que podrían sostener un nuevo diseño de la gobernanza de las áreas marinas protegidas[35]. Por el contrario, en su necesidad de encontrar una representación de la pretendida capacidad *vs.* personalidad del Mar Menor y su cuenca, crea *ex novo* tres "figuras" que sumarán a todos los órganos administrativos, comités y comisiones que sobre el Mar Menor ya han proliferado en los últimos años.

Se trata, en primer lugar, de la futura *Tutoría y representación legal de la Laguna*, que se ha de ejercer a través de un representante de las Administraciones Públicas que intervienen en este ámbito y un representante de los ciudadanos de los municipios ribereños; en segundo lugar, la *Comisión de seguimiento* (los guardianes o guardianas de la Laguna del Mar Menor); y, en tercer lugar, el *Comité Científico*, que asistirá a la Tutoría y a la Comisión de seguimiento, del que formará parte una representación independiente de científicos y expertos de universidades y centros de investigación, tanto a nivel regional como nacional e internacional.

Señalábamos respecto a la primera figura propuesta, la *Tutoría* sobre la antropomorfizada laguna que, si se tratara de un órgano administrativo, resultaría necesario precisar si este es un órgano estatal, autonómico o local, esto es, en qué Administración se integra o adscribe. Por otro lado, al no atribuírsele competencias ni facultades no resulta posible detectar si estas se solapan con otras reconocidas a órganos ya preexistentes. No obstante, se debe imaginar que se trata

---

[35]   *Vid.* ESPARZA ALAMINOS, O./GARCÍA VARAS, J. L./NIETO NOVOA, B. (WWF España)/GONZÁLEZ VELA, V./GUADIX MONTERO, S. (Fundación Biodiversidad)/ARGENTE GARCÍA, J. E./CÁNOVAS MUÑOZ, A./GARCÍA CHARTON, J. A./PÉREZ DE LOS COBOS HERNÁNDEZ, E./NOGUERA MÉNDEZ, P./SEMITIEL GARCÍA, M./SORO MATEO, B. (Universidad de Murcia), *Estrategia de Gobernanza para la Red Natura 2000 marina de España*, LIFE INTEMARES, WWF, 2021, disponible en https://intemares.es/sites/default/files/a10_estrategia_de_gobernanza.pdf.

más bien de establecer un representante legal de la "persona jurídica" que pretende crear o reconocer la Ley. En cuanto a su composición, el precepto resulta impreciso y parece establecer una composición mixta (público-privada), estando integrado por un representante de las AAPP "q*ue intervienen en este ámbito*", que parece que quiere decir con competencias concurrentes sobre la laguna, el cual no se establece cómo se elige (¿será un tutor estatal, autonómico, local?). Lo mismo cabe decir de la ciudadanía que reside en los municipios ribereños: ¿Cómo se elige dicho representante? ¿Cómo se garantiza una verdadera participación si no se establece democráticamente su elección ni la duración de su mandato? Son estas carencias importantes que casan mal con el carácter de Estado democrático que garantiza nuestra CE.

Si lo que se pretende es crear un ente público de gestión participativa (¿o acaso un ente corporativo de base privada, pero con atribución legal del ejercicio de potestades administrativas?...), este encajaría en el art. 21. 3 LRJSP, así como un órgano de gestión integrado en el caso de AMPs integrados ("en la composición de los órganos colegiados podrán participar, cuando así se determine, organizaciones representativas de intereses sociales, así como otros miembros que se designen por las especiales condiciones de experiencia o conocimientos que concurran en ellos, en atención a la naturaleza de las funciones asignadas a tales órganos"). En el ámbito autonómico, las respectivas leyes de régimen jurídico y organización contemplan lo anterior en similares términos.

Se ha de tener presente que estos órganos colegiados pueden tener competencias decisoras, pueden participar en la elaboración del Plan de Gestión del espacio (ya aprobado) y en sus revisiones, pero deberán elevar la propuesta de plan a un órgano con competencia normativa, es decir, que tenga atribuida expresamente la potestad reglamentaria, que será el competente para aprobarlo.

Destaca, además, que no se atribuyan competencias ni a este ni al resto de figuras que crea la ILP, pues los tres, sin distinción, se encargarán, según el texto del art. 3 de la representación y "gobernanza" de la laguna y de su cuenca, lo cual a todas luces introduce una gran confusión al no quedar definidas de forma precisa y excluyente las competencias de cada uno de ellos.

En relación a la *Comisión de seguimiento* (los guardianes o guardianas de la Laguna del Mar Menor, y se debe entender que también de su cuenca) se desconoce igualmente cuál será su naturaleza, composición, competencias y formas de elección de sus miembros, así como la duración de sus mandatos.

En fin, en tercer lugar, se contempla un Comité Científico, que asistirá a la Tutoría y a la Comisión, del cual formará parte una comisión independiente de científicos y expertos, las universidades y los centros de investigación, a nivel regional, nacional e internacional. Parece que algo ha quedado en el tintero pues si la Comisión independiente forma parte del Comité, entendemos que no se identifica con él, y en consecuencia habrá otros miembros del comité (no expertos independientes) a los que no se refiere el precepto que no sabemos qué requisitos deberán cumplir ni cómo serán elegidos. Tampoco se precisa el número de miembros de este Comité, ni la competencia para su elección, ni quién elegirá a las Universidades y los centros de investigación que lo conformarán, entre otros extremos omitidos, por lo que de nuevo se trata de una disposición vaga en su contenido e impropia de un Estado de Derecho.

El art. 3 de la ILP, uno de los más controvertidos, ha sido objeto de dos enmiendas.

En primer lugar, la enmienda núm. 2, planteada por el grupo parlamentario Ciudadanos, que proponía un nuevo texto del siguiente tenor:

> *"La representación y gobernanza de la laguna del Mar Menor y de su cuenca, se concreta en la figura de un Comité de Expertos, que ejercerá la tutela y representación legal de la laguna del Mar Menor y su cuenca, llevará a cabo el seguimiento de la situación medioambiental del Mar Menor y su cuenca a través de informes periódicos en el Congreso de los Diputados, y asistirá jurídica y técnicamente en todas las acciones que afecten al Mar Menor y su cuenca. Este Comité de Expertos será independiente y se guiará por los principios de transparencia e integridad, estando compuesto por expertos de reconocido prestigio en los campos medioambiental y jurídico, nombrados a propuesta del Congreso de los Diputados".*

Se propone, pues, crear un solo órgano, el Comité de expertos, eliminando la tutoría, la Comisión de seguimiento y el comité científico, que ejercerá la tutela y representación legal de la laguna del Mar

Menor y su cuenca y el seguimiento de la situación ambiental del Mar Menor y su cuenca y la asistencia jurídica y técnica en todas las acciones que afecten al Mar Menor y su cuenca. Esta enmienda no ha sido aceptada.

En segundo lugar, el art. 3 de la ILP es objeto de la enmienda núm. 8 presentada por el Grupo Parlamentario Socialista, Grupo Parlamentario Confederal de Unidas Podemos-En Comú Podem-Galicia en Común, que además de corregir el nombre de la Tutoría, que pasa a denominarse Comité de representantes, concreta la composición y funciones de los órganos a los que se refiere el precepto. Se propone, y finalmente se aprueba, el siguiente texto:

> "1. La representación y gobernanza de la Laguna del Mar Menor y de su Cuenca se concreta en tres figuras: un Comité de Representantes, compuesto por representantes de las Administraciones Públicas que intervienen en este ámbito y de la ciudadanía de los municipios ribereños; una Comisión de Seguimiento (los guardianes o guardianas de la Laguna del Mar Menor); y un Comité Científico, del que formará parte una comisión independiente de científicos y expertos, las universidades y los centros de investigación. Los tres órganos referidos, Comité de Representantes, Comisión de Seguimiento y Comité Científico, formarán la Tutoría del Mar Menor.
>
> 2. El Comité de Representantes estará formado por trece miembros, tres por la Administración General del Estado, tres por la Comunidad Autónoma y siete por la ciudadanía, que inicialmente serán los miembros del Grupo Promotor de la Iniciativa Legislativa Popular. El Comité de Representantes tiene entre sus funciones la de propuesta de actuaciones de protección, conservación, mantenimiento y restauración de la laguna, y también la de vigilancia y control del cumplimiento de los derechos de la laguna y su cuenca; a partir de las aportaciones de la Comisión de Seguimiento y del Comité Científico.
>
> 3. La Comisión de Seguimiento (guardianes y guardianas) estará formada por una persona titular y una suplente en representación de cada uno de los municipios ribereños o de cuenca (Cartagena, Los Alcázares, San Javier, San Pedro del Pinatar, Fuente Álamo, La Unión, Murcia y Torre Pacheco) designada por los respectivos Ayuntamientos, que serán renovadas tras cada período de elecciones municipales. Así como por una persona titular y una suplente en representación de cada uno de los siguientes sectores económicos, sociales y de defensa medioambiental: asociaciones empresariales, sindicales, vecinales, de pesca, agrarias, ganaderas —con representación de la agricultura y ganadería ecológica y/o tradicional—, de defensa medioambiental, de lucha por la igualdad de género y juveniles.

Estas personas, que deberán tener una trayectoria previa en la defensa del ecosistema del Mar Menor, serán designadas por acuerdo de las organizaciones más representativas de cada uno de los mencionados sectores, bajo la convocatoria y supervisión de la Comisión Promotora, y para un período renovable de cuatro años. La Comisión de Seguimiento se constituirá en un tiempo no superior a tres meses tras la publicación de la presente ley.

La Comisión de Seguimiento tiene entre sus actividades propias la difusión de información sobre la presente ley, el seguimiento y control del respeto a los derechos de la laguna y su cuenca, y la información periódica sobre el cumplimiento de esta ley, teniendo en cuenta los indicadores definidos por el Comité Científico para analizar el estado ecológico del Mar Menor en sus informes.

4. El Comité Científico estará formado por científicos y expertos independientes especializados en el estudio del Mar Menor, propuestos por las Universidades de Murcia y Alicante, por el Instituto Español de Oceanografía (Centro Oceanográfico de Murcia), por la Sociedad Ibérica de Ecología y por el Consejo Superior de Investigaciones Científicas, para un periodo de cuatro años renovable. La independencia del Comité Científico la garantizarán dos condiciones de sus miembros: reconocido prestigio científico y no remuneración.

El Comité científico tendrá entre sus funciones la de asesoramiento al Comité de Representantes y la Comisión de Seguimiento, e identificación de indicadores sobre el estado ecológico del ecosistema, sus riesgos y las medidas adecuadas de restauración, que comunicará a la Comisión de Seguimiento".

Varias reflexiones suscitan este nuevo texto aprobado, algunas de las cuales ya han sido puestas de manifiesto *supra*.

En primer lugar, el texto finalmente aprobado en Comisión habla, en los tres casos, de "órganos" y, a la vez, de "figuras" para referirse a estas tres estructuras que finalmente crea, sobre las que ahora se detalla algo más, aunque sigue sin determinarse, si son órganos administrativos, a qué ente con personalidad jurídica pública quedan adscritos, sea al Estado o a la CARM.

Por lo que se refiere al Comité de representantes, ahora se concreta su composición: 6 representantes del Estado y de la CARM, quedando excluida la Administración local, cuyo nombramiento y duración del mandato sigue sin quedar definido, y 7 representantes de la ciudadanía, que quedan nombrados por el precepto "inicialmente", aunque al no establecerse duración ni limitación del mandato, parece que lo que se pretende es que se trate de cargos vitalicios. En esta ocasión sí se le atribuyen competencias, concretamente dos: propuesta de actuaciones (aunque no se indica a quién dirigirán estas propuestas y cuál será su alcance) y vigilancia y control, potestad que concurrirá con las competencias de control que el ordenamiento jurídico atribuye a las AAPP competentes, así como al Ministerio Fiscal.

En segundo lugar, en relación a la Comisión de seguimiento, también se concreta ahora su composición, estando representados en este caso las EELL ribereñas y de cuenca, así como los sectores económicos, sociales y ambientales con intereses sobre la laguna. Se guarda silencio, en cambio, en relación al sistema de elección de dichos representantes, estableciéndose como único requisito, a controlar por la Comisión Promotora —referencia que debe entenderse alude al Grupo Promotor de la ILP que integra el Comité de representantes— que los candidatos cuenten con una "trayectoria previa en la defensa del ecosistema del Mar Menor". De este modo y por ahora, se trata pues de un órgano sin competencias definidas, aunque por su denominación parece pensarse en una suerte de cuerpo cuasi policial que, sin embargo, al no encontrarse revestido de autoridad, sólo podrá denunciar y en general actuar como interesado y como cualquier otro ciudadano en ejercicio de la acción popular.

En fin, sobre el Comité Científico ahora se aclara qué Universidades y entidades propondrán a sus miembros, estableciéndose en este caso y curiosamente una limitación de la duración del mandato de 4 años, aunque renovable.

5. ¿Aplicación efectiva y aplicabilidad directa? Acción popular para denunciar la vulneración de los derechos reconocidos y "garantizados" por esta ley

El art. 4 de la ILP incurre en varios errores conceptuales que deben ser también puestos de manifiesto. Según el primer inciso de este precepto,

> "*En cuanto a la aplicación efectiva de esta ley, sus disposiciones serán directamente aplicables*".

Por una parte, se confunde aquí la efectividad del derecho con la aplicabilidad directa de las normas. Toda norma jurídica es directamente aplicable. No lo fueron, en sus inicios, las Directivas comunitarias, que requerían su transposición al ordenamiento interno, característica de este tipo de normas de derecho derivado, como es sobradamente conocido, relativizada por la doctrina del TJUE sobre aplicabilidad directa de directivas no transpuestas o defectuosamente transpuestas. Como apunte, y para aclarar esta incongruencia, debe señalarse que uno de los problemas del derecho ambiental es su falta de efectividad, y desde luego ello no deriva de que las normas no sean directamente aplicables, sino de la inaplicación de las mismas que es algo distinto.

El precepto añade que:

> *"Toda conducta que vulnere los derechos reconocidos y garantizados por esta ley, por cualquier autoridad pública, entidad de derecho privado, persona física o persona jurídica, generará responsabilidad penal, civil, ambiental y administrativa, y será perseguida y sancionada de conformidad con las normas penales, civiles, ambientales y administrativas en sus jurisdicciones correspondientes".*

Esta disposición, con su tono sancionador omnicomprensivo, contraviene el elemental principio de tipicidad constitucionalmente garantizado y, a la postre, detrás de su retórica, no añade nada que no esté ya contemplado en el ordenamiento jurídico vigente (CP, TRLA, LC, LPNB y LRMA), que regulan obligaciones —y no derechos— y de cuya acción u omisión derivará la comisión de infracciones y delitos o la causación de daños proscritos por el ordenamiento jurídico y, en consecuencia, la correspondiente responsabilidad penal y/o administrativa y las correlativas obligaciones de cumplimiento de medidas de prevención, evitación y reparación, así como de restauración en los términos de la LPNB, LA, LC y LRMA.

En relación al sujeto activo de estas conductas que la ILP no tipifica como infracciones o delitos (carece del rango de orgánica así que en cualquier caso le está vedada dicha tipificación), éstos se enumeran en bloque: *por cualquier autoridad pública, entidad de derecho privado, persona física o persona jurídica*. Se desconoce, pues, que en función del tipo de delito o de infracción administrativa, tanto el CP como las leyes administrativas regulan los posibles sujetos responsables (personas físicas o jurídicas, autoridades, funcionarios o demás personal al servicio de las AAPP, personas jurídicas e incluso AAPP).

Además, no toda conducta *"que vulnere los derechos reconocidos por esta Ley"* generará todas estas responsabilidades. También es conocido que el principio *non bis in ídem* impedirá que así sea, aunque lo normal es que sí puedan concurrir las obligaciones de restauración (de naturaleza no sancionadora, tal y como estima el TS[36]), independientes del resultado del procedimiento administrativo sancionador que puede haber terminado por caducidad, o que puede no haberse iniciado como consecuencia de la prescripción de la infracción, tema que sí que es importante y cuya reforma solucionaría muchos de los problemas de la falta de efectividad del derecho ambiental y de conservación y protección del dominio público natural.

Una cuestión más. Desconocemos a qué responsabilidad se refiere el precepto cuando habla de responsabilidad ambiental. Parece obviarse que la LRMA no es una Ley de responsables, pues no se declaran responsables conforme a ella, sino que se trata de una Ley que ampara la adopción de medidas y que mantiene la obligación de sufragar los costes del daño aunque no se hayan conseguido reparar en aplicación de otras normas estatales[37].

También habla el precepto de "los derechos garantizados por esta Ley" (a la conservación, a la protección y a la restauración, así como a la existencia, de la persona jurídica "Mar Menor"). Bien, a ello hay que apostillar que la garantía de los derechos, cuando existen, deriva de nuestro Estado de Derecho, no de esta Ley ni de otra, sino señaladamente del principio de legalidad y del sometimiento de la Administración pública a Derecho.

En relación al inciso final *"en sus jurisdicciones correspondientes"*, como si toda la defensa del ambiente tuviera que judicializarse, desconoce la vía administrativa previa a la judicial en aplicación del derecho sancionador y de la LRMA.

---

[36]   STS de 24 de julio de 2003.
[37]   STS 205/2020, de 17 de febrero de 2020.

6. Sobre la invalidez de actos (¿administrativos?) y actuaciones

El art. 5 de la proposición de Ley, que ha sido objeto de una enmienda de supresión presentada por el grupo Ciudadanos en aras de una mejor técnica legislativa que ha sido rechazada, establece expresamente que

> *"Cualquier acto o actuación de cualquiera de las administraciones públicas que vulnere las disposiciones contenidas en la presente ley se considerará inválido y, será revisado en la vía administrativa o judicial".*

Parece que el precepto quiere referirse a la nulidad de los actos administrativos regulada en el art. 47 LPAC, cuyo apartado *g)* establece con carácter básico las causas de nulidad de los actos administrativos, nulidad que deberá alegarse en el recurso administrativo correspondiente o fundamentar, en su caso, una revisión de oficio.

Y un apunte más en relación con este precepto: ¿Quiere referirse a las actuaciones consideradas "vía de hecho"? Habría sido más progresivo proponer la reforma de la LJCA en este punto, porque estas vías de hecho, en ocasiones, se corresponden con conductas omisivas y dicha Ley jurisdiccional no se refiere a ellas, por lo que no es posible sostener una pretensión de condena de hacer en esta sede. Recuérdese, en este sentido, que el art. 29 LJCA limita las pretensiones que pueden sostenerse ante los Tribunales frente a la inactividad administrativa, a diferencia de otros ordenamientos jurídicos. Así, salvo en el caso de inejecución de un acto administrativo firme (arts. 29. 2 y 32. 1 LJCA) o en relación a una vía de hecho (art. 32. 2 LJCA), el juez no puede ordenar una actuación material o su cese.

7. La introducción de la acción popular a través de una Ley de caso único

Sin duda el contenido del art. 6 de la ILP ha sido el más sugerente desde que se diera a conocer esta iniciativa. El precepto establecía, en su redacción inicial que, en cuanto a la exigibilidad:

> *"Cualquier persona física o jurídica está legitimada a la defensa del ecosistema del Mar Menor, y puede hacer valer los derechos y las prohibiciones de esta ley a través de una acción presentada en el Tribunal correspondiente. Dicha acción judicial se presentará en nombre del ecosistema del Mar Menor como la verdadera parte interesada. La persona*

> *que ejercite dicha acción y que vea estimada su pretensión tendrá derecho*
> *a recuperar todo el coste del litigio emprendido, salvo temeridad o mala*
> *fe, incluidos, entre otros, los honorarios de abogados, procuradores, peri-*
> *tos y testigos, y estará eximido de las costas procesales y de las fianzas en*
> *materia de medidas cautelares".*

A la luz del mismo, se partía del reconocimiento de la acción popular en defensa de intereses colectivos (además de operar otras reformas procesales) sólo para la defensa del ecosistema Mar Menor y sólo en relación con las prohibiciones de esta ley, sobre las que, reiteramos, guarda silencio, pues no atisbamos obligación alguna en su articulado.

Este precepto ha sido objeto de dos enmiendas de modificación. Por un lado, el grupo parlamentario Ciudadanos propone, a través de la enmienda núm. 3, el siguiente texto:

> *"Cualquier persona física o jurídica está legitimada para la defensa del*
> *ecosistema del Mar Menor y su cuenca, y puede hacer valer los derechos*
> *y las prohibiciones de esta ley a través de una acción presentada en el*
> *Tribunal correspondiente.*
>
> *Dicha acción judicial se presentará en nombre del ecosistema del Mar*
> *Menor y su cuenca como parte interesada. Asimismo, cualquier persona*
> *física o jurídica podrá consultar directamente al Comité de Expertos cual-*
> *quier cuestión que considere relevante en cuanto a la protección del Mar*
> *Menor y su cuenca para recibir el asesoramiento técnico y jurídico nece-*
> *sario para hacer valer su pretensión ante el Tribunal correspondiente. La*
> *persona que ejercite dicha acción y que vea estimada su pretensión tendrá*
> *derecho a recuperar todo el coste del litigio emprendido, salvo temeridad*
> *o mala fe, incluidos, entre otros, los honorarios de abogados, procurado-*
> *res, peritos y testigos, y estará eximido de las costas procesales y de las*
> *fianzas en materia de medidas cautelares".*

Además de mejoras en la redacción del texto, que se mantiene, se añade la posibilidad de consulta al Comité de expertos con el fin de facilitar el ejercicio de la acción popular en sede judicial. No obstante, este inciso no es admitido.

Por su parte, la enmienda de modificación núm. 9, presentada por Grupo Parlamentario Socialista, Grupo Parlamentario Confederal de Unidas Podemos-En Comú Podem-Galicia en Común, entre otras cuestiones, pretendía eliminar la acción popular, sustituyéndola por la legitimación del Comité de representantes del Mar Menor ante los

Tribunales y en vía administrativa. Así, se proponía establecer, en primer término, que:

> *"En cuanto a la exigibilidad, el Comité de representantes del Mar Menor ostenta la legitimación para la defensa del ecosistema del Mar Menor, y puede hacer valer los derechos y las prohibiciones de esta ley a través de una acción presentada en el Tribunal correspondiente o Administración Pública. Cualquier persona física o jurídica podrá poner en conocimiento de la Tutoría del Mar Menor cualquier hecho que ponga en peligro el ecosistema para el ejercicio, en su caso, de las acciones correspondientes. "Dicha acción judicial se presentará en nombre del ecosistema del Mar Menor como la verdadera parte interesada. La representación legal del Mar Menor que ejercite dicha acción y que vea estimada su pretensión tendrá derecho a recuperar todo el coste del litigio emprendido, incluidos, entre otros, los honorarios de abogados, procuradores, peritos y testigos, y estará eximido de las costas procesales y de las fianzas en materia de medidas cautelares".*

Esta enmienda no prospera, quedando redactado el art. 6.1 del Proyecto de Ley como sigue a continuación:

> *"Cualquier persona física o jurídica está legitimada para la defensa del ecosistema del Mar Menor y su cuenca, y puede hacer valer los derechos y las prohibiciones de esta ley a través de una acción presentada en el Tribunal correspondiente o Administración pública". Este último inciso reconoce la legitimación popular para la defensa del Mar Menor y su cuenca también en vía administrativa".*

Esta suerte de acción popular singular (sólo para el Mar Menor) para, según la dicción del art. 6 de la proposición, *"hacer valer los derechos* —que no se enumeran en la versión inicial— *y las prohibiciones* —que no se contemplan— *de esta ley a través de una acción presentada en el Tribunal correspondiente"* choca de plano con la predicada generalidad de las leyes y la difícil justificación de las normas de caso único[38], sobre todo en relación con la mayor aportación

---

[38]   *Vid.* ARIÑO ORTIZ, G., "Leyes singulares, leyes de caso único", *RAP* núm. 118, 1989. Como sostiene el autor, "para que no se produzca una quiebra del Estado de Derecho, lo que supondría una perversión de la ley, es preciso que las reglas de conducta en ella contenidas reúnan ciertas características o requisitos. Deben ser: – generales y sustantivas, no referidas a personas u objetos concretamente identificados; – conocidas y ciertas, de modo que sea posible a los ciudadanos predecir las decisiones de los Tribunales; – que respeten el principio de igualdad,

de la ILP que consiste en la consagración de la acción popular, que
se incardina en la competencia exclusiva del Estado sobre legislación
procesal que, por su propia naturaleza, debería, a nuestro juicio, ser
única en todo el territorio nacional.

Si profundizamos sobre cuál sea la razón o fundamento de la atribución competencial a favor del Estado de la competencia exclusiva
sobre legislación procesal (art. 149. 1. 6ª CE), sin perjuicio de las
necesarias especialidades que en este orden se deriven de las particularidades del derecho sustantivo de las Comunidades Autónomas,
éste se encuentra en evitar diferencias en el alcance de la tutela judicial efectiva y del resto de derechos fundamentales, en la medida
en que uno de los límites del derecho sustantivo de las CCAA se
localiza precisamente en la no incidencia en el núcleo esencial de los
derechos fundamentales. Así, cuando el TC afirma que en el ejercicio
de la competencia atribuida en exclusiva al Estado por el art. 149.1.
6ª CE, la Ley 29/1998 ha optado por excluir la acción popular jurisdiccional, salvo que una ley estatal la haya previsto específicamente,
lo ha hecho dando por sentado que dichas leyes estatales cumplen
con el alcance general propio de las leyes, y no pensando en leyes
de caso único, que restringen su ámbito de aplicación, como en el
caso de la ILP, no a una Comunidad Autónoma, sino a un espacio
natural concreto.

Por ello una mucho más ambiciosa propuesta para exigir ante los
tribunales el cumplimiento del derecho ambiental, en el Mar Menor

---

de no discriminación; igualdad ante la ley y en la ley, sin trato discriminato-
rio; – que no prive a los destinatarios de la tutela judicial efectiva; – que, como
consecuencia, no tengan carácter retroactivo pleno; – que respete la separación
de poderes (y funciones) constitucionalmente establecida. Todos estos requisitos del contenido de la ley son inmanentes al Estado de Derecho y se derivan
de principios constitucionales consagrados en el artículo 9 (seguridad jurídica,
irretroactividad, interdicción de la arbitrariedad de los poderes públicos), artículo 14 (igualdad), artículo 24 (tutela efectiva de jueces y tribunales), artículo
25 (tipificación previa de toda infracción y sanción) caso de las leyes singulares
la posición se invierte: hay que afirmar en principio... su inconstitucionalidad,
salvo justificación válida; y sólo será válida si: a) existen motivos o razones que
justifiquen la desigualdad, y b) si aquéllos son acordes con el sistema de valores
constitucionales. Se trata, en definitiva, de ver si las razones son de tal peso que
pueden justificar la quiebra de un valor constitucional como es el de la generali-
dad-igualdad de la ley" (pp. 72-73).

y en cualquier espacio natural, sería reconocer con carácter general la acción popular en la LPNB, como sucede en relación con los Parque nacionales o las costas. En relación con los EENNPP, no hace falta invocar derechos de un espacio concreto, sino el derecho subjetivo a un medio ambiente adecuado que deriva del art. 45 CE, y que, en una necesaria actualización de su actual interpretación, debería comprender la dimensión temporal y, por tanto, los derechos de las generaciones futuras, lo cual, dicho sea de paso, no implica negar que los individuos sean parte de la naturaleza. En puridad, podría incluso partirse de la afirmación retórica de los derechos de la Naturaleza[39], más allá de los fundamentos aducidos por los filósofos partidarios de esta postura, para, a partir de una justificación utilitarista, elevar el nivel de protección jurídica de la misma, añadir un plus de protección, entendemos, en la medida en que un Derecho del patrimonio natural y de la Biodiversidad que no reconoce la acción popular es insuficiente e ineficaz.

Entendemos, pues, que la personificación del Mar Menor que contempla el art. 1 de la ILP y el reconocimiento de personalidad jurídica y de derechos a un bien de dominio público —operación inédita en el ordenamiento jurídico español y en ordenamientos de nuestro entorno—, que además es un espacio natural protegido, nada añade si no se generaliza, como venimos sosteniendo, la acción popular en todas las leyes reguladoras del dominio público natural para exigir su restauración[40], en caso de que las AAPP omitan su obligación de poner en marcha la acción de reparación, en la LRMA para exigir la adopción de medidas en aplicación de la misma (siempre a cargo

---

[39]   *Vid.* BELLOSO, "Un intento de fundamentar…", *cit.*, pp. 26 y ss. La autora expone hasta cinco argumentaciones que se oponen a que se considere a la Naturaleza como titular de derechos, argumentos que, a su vez, han recibido sus correspondientes contrarréplicas.

[40]   Recuérdese que, aunque el art. 109. 1. LC establece que "será *pública la acción para exigir ante los órganos administrativos y los Tribunales la observancia de lo establecido en esta Ley y en las disposiciones que se dicten para su desarrollo y aplicación*", el TRLA sin embargo no contiene una previsión en estos términos.

de los causantes de la contaminación)[41], o en la LPNB para exigir su conservación y protección[42].

Pero, volviendo al contenido de la ILP, además de optar por una acción popular singular, sólo para este paisaje protegido, olvida que el Ministerio Fiscal (MF) ostenta competencias relevantes para exigir la adopción de medidas —de prevención, reparación y restauración— en aplicación de la LRMA, encontrándose legitimado en los procedimientos administrativos que se deriven de la LRMA, así como ante la jurisdicción contencioso-administrativa. Asimismo, hay que recordar que la LC reconoce la acción popular y que la LRMA habilita a los interesados y a las ONG ambientalistas a requerir a la Administración autonómica para que inicie los procedimientos de adopción de medidas que dicha Ley contempla. En relación con ello, por parte de la doctrina más especializada, también en relación con esta aludida LRMA, se ha propuesto la ampliación de su ámbito subjetivo, que se restringe a los "interesados", a las ONG y a los propietarios de los terrenos donde se hubieran de acordar medidas y quienes sean legitimados por la normativa autonómica generalizando, de este modo, la acción popular. De nuevo entendemos que se desaprovecha la ocasión para llevar a cabo reformas de calado en el Derecho ambiental que sirvan a la generalidad y no solo a un territorio concreto y en relación con un espacio natural y su cuenca.

---

[41] Los art. 41 y 42 LRMA restringen la legitimación para instar la iniciación de los procedimientos contemplados en la Ley a los interesados, en los términos de la LPAC y a las personas jurídicas sin ánimo de lucro que acrediten el cumplimiento de los siguientes requisitos: primero, que tengan entre los fines acreditados en sus estatutos la protección del medio ambiente en general o la de alguno de sus elementos en particular; segundo, que se hubieran constituido legalmente al menos dos años antes del ejercicio de la acción; tercero, que vengan ejerciendo de modo activo las actividades necesarias para alcanzar los fines previstos en sus estatutos; y, cuarto, que según sus estatutos desarrollen su actividad en un ámbito territorial que resulte afectado por el daño medioambiental o la amenaza de daño.

[42] La LPNB no contempla la acción popular.

8. Nuevas y no tan nuevas obligaciones dirigidas a las AAPP

Resta por referirnos ahora a la enmienda núm. 4 planteada por el Grupo Parlamentario Ciudadanos, aprobada finalmente, que propuso añadir un nuevo art. 7 con el siguiente texto:

> *"Las Administraciones Públicas, en todos sus niveles territoriales y a través de sus autoridades e instituciones, tienen las siguientes obligaciones:*
> *1. Desarrollar políticas públicas y acciones sistemáticas de prevención, alerta temprana, protección, precaución, para evitar que las actividades humanas conduzcan a la extinción de la biodiversidad del Mar Menor y su cuenca o la alteración de los ciclos y procesos que garantizan el equilibrio de su ecosistema.*
> *2. Promover campañas de concienciación social sobre los peligros ambientales a los que se enfrenta el ecosistema del Mar Menor, así como educar en los beneficios que su protección aporta a la sociedad.*
> *3. Realizar estudios periódicos sobre el estado del ecosistema del Mar Menor, y elaborar un mapa de los riesgos actuales y posibles.*
> *4. Restringir de forma inmediata aquellas actividades que puedan conducir a la extinción de especies, la destrucción de ecosistemas o la alteración permanente de los ciclos naturales.*
> *5. Prohibir la introducción de organismos y material orgánico e inorgánico que puedan alterar de manera definitiva el patrimonio biológico del Mar Menor".*

Como puede observarse, se trata, en la mayoría de los casos, de obligaciones que ya derivaban expresa o implícitamente del ordenamiento jurídico vigente, por lo que se trata de un precepto redundante y que a la vez puede complicar la aplicación de otras normas como la LCCTE, la LC, el TRLA, la LPNB, pues la introducción de conceptos pretendidamente novedosos omitiendo la remisión a las normas que los contemplan (alerta temprana, precaución, equilibrio de ecosistemas, alteración definitiva del patrimonio biológico) dificulta la integración de esta norma con el conjunto normativo aplicable.

III. CONCLUSIONES

La ILP que pretende reconocer personalidad jurídica y derechos a un espacio natural degradado, como es el caso del Mar Menor, como herramienta inédita en Europa para avanzar en la protección ambiental, contiene, aún después de superar el trámite de enmiendas en el

Congreso, algunos defectos y deficiencias que han sido puesto de manifiesto en el presente análisis.

Sin desconocer el valor de las aportaciones que han surgido en la génesis y tramitación de la iniciativa popular, que han conseguido poner en la agenda nacional la lamentable situación en que se encuentra la laguna del Mar Menor como consecuencia de la inaplicación del Derecho ambiental y de la incapacidad política durante más de cincuenta años para prevenir el deterioro sostenido de este espacio natural, en nuestra opinión, y siguiendo a PRIEUR, creemos que, a pesar de tantos años de inaplicación, bastaría con que el ordenamiento jurídico ambiental vigente se aplicara de manera efectiva de ahora en adelante para que se pudiera percibir una evidente mejora en los resultados proteccionistas que se echan de menos en casi todas las áreas de aplicación. No se trata sólo de la inacción de las AAPP, sino en la débil conciencia política y social que ha permitido durante más de medio siglo el desarrollo de actividades fuera de control, cuyos promotores públicos y privados pretendidamente desconocían y despreciaban sus efectos perjudiciales a largo plazo.

Pues lo cierto es que los riesgos y los daños eran ya conocidos desde los años setenta del siglo pasado. Muestra de ello es la ya mencionada supra *Proposición no de Ley de declaración del Mar Menor y sus Riberas como Parque Natural y elaboración de un plan de saneamiento del mismo*, presentada por el Grupo Parlamentario Socialista del Congreso de 19 de octubre de 1979[43], a la que siguió, como con-

---

[43]   BOCCGG, Congreso de los Diputados, Serie D, 167-I, pp. 405-411. Con ella, se pretendía "*...terminar con los principales aspectos del grave problema que padecen el Mar Menor como ecosistema natural del litoral mediterráneo de la Región de Murcia, su destrucción con la subsiguiente e irreversible pérdida de sus especies vegetales y animales*". En particular, se señalaba a la especulación del suelo, a la utilización anárquica del espacio natural, a la invasión por particulares de la zona marítimo-terrestre, a la contaminación de las aguas dulces y marinas, a la progresiva disminución de las capturas de las distintas especies existentes y a la previsible desaparición de algunas de ellas, a la disminución del calado de las aguas y al deterioro de las dunas de la Manga del Mar Menor y de su vegetación como causas y efectos de la presión antrópica sobre el espacio natural.
La proposición destaca igualmente la predecible incidencia que tendría la conversión al regadío del Campo de Cartagena por la próxima llegada de las aguas del trasvase Tajo-Segura: "*El actual deterioro del Mar Menor y sus Riberas se verá, sin duda, agravado por efectos diversos derivados de la llegada al Campo*

secuencia de la imperiosa necesidad de articular los medios de protección del Mar Menor, y ahora hace treinta años, la *Ley 3/1987, de 23 de abril, de Protección y Armonización de Usos del Mar Menor (LPAUMM)*, cuya pretensión no era otra que iniciar un proceso dinámico por el que sentar las bases de un conjunto de actuaciones dirigidas a alcanzar una correcta ordenación de la zona del Mar Menor[44].

Unos años después vería la luz la Ley estatal 4/1989, de Conservación de la naturaleza y flora y fauna silvestre (LENFS) que generalizaría el uso de los instrumentos planificadores al servicio de la protección de la naturaleza, resultando opcional la aprobación de éstos respecto de paisajes naturales, como es el caso del Mar Menor, a pesar de que ya en 1979 la Proposición no de ley aludida contempló como figura idónea la categoría de parque natural contemplada

---

de Cartagena de las aguas del trasvase Tajo-Segura. El trasvase supondrá, de una parte, un incremento fuerte, la llegada a las aguas marmenorenses (a través de los canales de drenaje de las aguas de riego), de aguas de desecho procedentes de los nuevos cultivos agrícolas del Campo de Cartagena, contaminadas como consecuencia de la utilización de insecticidas, pesticidas, abonos y demás productos químicos de uso agrícola. Por otra parte, la contaminación del Mar Menor se verá previsiblemente agravada como consecuencia de los vertidos industriales de las industrias de transformación de los productos agrícolas del Campo de Cartagena, localizadas en éste y por el previsible aumento de población de la comarca. Una y otra causa generará, previsiblemente, un fuerte aumento de la contaminación del Mar Menor, lo que exige adoptar medidas preventivas para evitarla dirigidas a evitar a toda costa que los canales de drenaje de las aguas de riego desemboquen en el Mar Menor".

[44] Para ello, la norma identificó su objeto en la definición y regulación de los instrumentos de protección, armonización de usos y ordenación del territorio del Mar Menor y espacios circundantes al mismo, estableciendo la función, contenido, carácter, efectos y procedimiento de elaboración de cada uno de ellos. Para lograr su finalidad, la norma se sirvió de cuatro instrumentos de planificación, todos ellos vinculados por su relación con el fin último perseguido, esto es, posibilitar un desarrollo armónico de la zona compatible con la protección del ecosistema de la laguna. La LPAUMM no llegó a establecer el contenido concreto de cada uno de los planes a elaborar, pero sí enumeró algunas de las cuestiones que a través de los mismos debían abordarse, al tiempo que se sentaban las bases para una adaptación continua de la normativa a la realidad que se intentaba regular sin necesidad de reformar la propia Ley. Hasta ese momento, debe notarse que el prácticamente inexistente marco normativo de referencia sobre la protección de la naturaleza en España, vigente durante casi sesenta años, fue sustituido por la Ley 15/1975, de 2 de mayo, de Espacios Naturales Protegidos.

en la LENP de 1975. Pasaban los años y pronto pudo constatarse el incumplimiento de la obligación que el art. 14 LPAUMM hasta su derogación en 2001 por la Ley regional del Suelo (LSRM), aunque como consecuencia de la integración del Mar Menor en la Red Natura, la obligación de aprobar un plan de gestión pesó sobre la CARM desde 2006, cuyo cumplimiento tuvo lugar con más de una década de retraso, el 10 de octubre de 2019[45].

La breve cronología expuesta se completa ahora con una nueva iniciativa legal que pretende salir al paso de todos los incumplimientos del Derecho ambiental referidos y que, mediante el reconocimiento de la personalidad jurídica del Mar Menor pretende superar esta situación de inacción ante los riesgos y deterioros constatados.

Sin embargo, y desde nuestro punto de vista, la personificación y reconocimiento de derechos a la Laguna y a su cuenca no contiene, por sí misma, ninguna garantía de efectividad del derecho ambiental, que es el principal reto al que se enfrenta a nivel global.

Además, en síntesis, se mantienen algunas de las deficiencias técnico-jurídicas detectadas en la versión inicial de la ILP, además de la problemática que deriva del carácter singular y básico de la norma, del reconocimiento de la acción popular y de otras reformas de índole procesal que pretende aportar en una ley de caso único. Algunas de estas deficiencias consistían en:

– Falta de delimitación física y geográfica de la persona jurídica que se crea o reconoce.

– Falta de determinación del título competencial que se ejerce con su aprobación. En función del mismo, se debía precisar

---

[45] Recuérdese que, tras anunciarse este Plan, la feliz noticia apenas duraba dos días. Cuarenta y ocho horas después del anuncio, y de forma casi sarcástica, tenía lugar una terrible tragedia ambiental en la laguna del Mar Menor. La prensa nacional se hacía eco de la situación, apuntando cómo "las imágenes de los miles de peces que conforman la fauna marina del Mar Menor apurando sus reservas de oxígeno en un convulso viaje a la orilla y a veces saltando a la arena de la playa en su suicida desesperación no son una metáfora, sino la expresión gráfica, espantosa y terrible, de una gestión criminal en lo que se refiere al medio ambiente en la Región de Murcia". La aterradora imagen de miles de peces y crustáceos intentando escapar de la laguna, muriendo en la orilla del Mar Menor, se propagaba imparable por las redes sociales y los medios de comunicación.

cómo queda afectado el reparto competencial definido por el bloque de la constitucionalidad.

– Falta de definición de la naturaleza jurídica del ente creado. En función de dicha precisión debería definirse su estatuto jurídico.

– Falta de determinación del impacto normativo de su posible aprobación y, en su caso, la inclusión de las derogaciones expresas de aquellos preceptos que resultan contrarios a sus determinaciones.

– Falta de regulación de los procedimientos de nombramiento, designación o elección, de sus órganos de representación y de gestión de la nueva personificación prevista y determinación de sus facultades, aclarando si se trata del ejercicio de verdaderas potestades administrativas en cuyo caso resulta necesario igualmente delimitar la posible concurrencia con las potestades que, sobre dicho espacio, ejercen de acuerdo con la Constitución, los Estatutos de Autonomía, la legislación básica de régimen local y las Leyes de Aguas y de Costas, entre otras, otras Administraciones Públicas dotadas igualmente de plena personalidad jurídica.

Sólo algunas de estas deficiencias han sido enmendadas, como ha quedado visto, y, a salvo de las enmiendas que se introduzcan en la revisión del texto que debe llevar a cabo el Senado, otras podrán ser parcialmente corregidas en su futuro desarrollo reglamentario[46].

Además, lo hemos sostenido reiteradamente a lo largo del presente estudio, la acción popular debería generalizarse en la LPNB como garantía de participación ciudadana contra la inacción de los poderes públicos frente a los riesgos y daños ambientales, y añadimos ahora en la LCCTE, para garantizar la participación ciudadana frente a los riesgos climáticos, reformas que dotarían a la ciudadanía de un instrumento verdaderamente poderoso para lograr la efectiva protección

---

[46]   Otra de las enmiendas aceptadas, en este sentido, es la núm. 10 presentada por el Grupo Parlamentario Socialista, Grupo Parlamentario Confederal de Unidas Podemos-En Comú Podem-Galicia en Común que propuso, y fue aceptada, añadir una nueva disposición final, con el siguiente contenido: "Disposición final. Desarrollo reglamentario. Se habilita al Gobierno para que, en el ámbito de sus competencias, apruebe cuantas disposiciones sean necesarias para la aplicación, ejecución y desarrollo de lo establecido en esta ley".

y conservación de la biodiversidad amenazada y para el restablecimiento de la quebrantada legalidad ambiental.

BIBLIOGRAFÍA

AGUILERA VÁQUÉS, M., "El derecho a un ambiente sano en la jurisprudencia del Tribunal Europeo de Derechos Humanos" en ESTAPÁ SAURA, J./ RODRÍGUEZ PALOP, M. E. (Eds.), *Derechos Emergentes. Desarrollo y medio ambiente*, Tirant lo Blanch, Valencia, 2014, pp. 67-94.

ÁLVAREZ CARREÑO, S. M., "El continuo "coser y descoser" de la legislación procedimental ambiental de la Región de Murcia", *Actualidad Jurídica Ambiental,* núm. 84 (noviembre), 2018, pp. 81-89.

– (2020), "A la sombra de la pandemia: la crisis climática como telón de fondo de las transformaciones actuales del derecho ambiental", en TORRE SCHAUB, M./SORO MATEO, B. (Dirs.)/ÁLVAREZ CARREÑO, S. M. (coord.), *Litigios climáticos y Justicia: luces y sombras*, Laborum, 2020, pp. 74-109.

ÁLVAREZ CARREÑO, S. M./SORO MATEO, B./PÉREZ DE LOS COBOS HERNÁNDEZ, E., "Región de Murcia: otra nueva (y decepcionante) vuelta de tuerca normativa en el proceso de degradación del Mar Menor: el Decreto-Ley 2/2019", en GARCÍA-ÁLVAREZ GARCÍA, G./ JORDANO FRAGA, J./LOZANO CUTANDA, B./NOGUEIRA LÓPEZ, A. (Coords.), *Observatorio de Políticas Ambientales 2020*, CIEMAT, Madrid, 2020, pp. 1204-1231.

ÁLVAREZ CARREÑO, S. M./PÉREZ DE LOS COBOS HERNÁNDEZ, E./ SORO MATEO, B., "Las modificaciones normativas regresivas y alguna relevante victoria ambiental en sede judicial en la comunidad autónoma de la Región de Murcia", Observatorio de políticas ambientales 2021", en GARCÍA-ÁLVAREZ GARCÍA, G./JORDANO FRAGA, J./LOZANO CUTANDA, B./NOGUEIRA LÓPEZ, A. (Coords.), *Observatorio de Políticas Ambientales 2021*, CIEMAT, Madrid, 2021, pp. 1344-1380.

ÁLVAREZ CARREÑO, S. M./SORO MATEO, B., "Derecho y políticas ambientales en la Región de Murcia (primer semestre 2022)", *Revista Catalana de Dret Ambiental*, Vol. XIII, Núm. 1, 2022, pp. 1-29.

ARIÑO ORTIZ, G., "Leyes singulares, leyes de caso único", *Revista de Administración Pública*, núm. 118, 1989, pp. 57-101.

BELLOSO MARTÍN, N., "Un intento de fundamentar derechos de los no-humanos (derechos de la naturaleza) a partir del desarrollo sostenible", *Revista Catalana de Dret Ambiental*, Vol. XIII, Núm. 1, 2022, pp. 1-46 https://doi.org/10.17345/rcda3198

BORRÁS PENTINAT, S., "Los litigios climáticos: entre la tutela climática y la fiscalización de las responsabilidades por daños ambientales" en GILES CARNERO, R. (coord.), *Cambio Climático, Energía Derecho Internacional: Perspectivas de Futuro*, Aranzadi, Cizur Menor, 2012.

LAWRENCE, P., "Justifying Representation of Future Generations and Nature: Contradictory or Mutually Supporting Values?", *Transnational Environmental Law*, 2022 (doi:10.1017/S2047102522000176).

DE PRADA GARCÍA, A., "Derechos humanos y derechos de la naturaleza: el individuo y la Pachamama", *Cuadernos Electrónicos de Filosofía del Derecho*, núm. 27, 2013.

PEÑALVER I CABRÉ, A., "Las pretensiones en el contencioso-administrativo para la efectiva protección de los intereses colectivos", RAP, núm. 190, 2013, pp. 109-154.

PRIEUR, M. (2019), "Que faut-il faire pour l'Amazonie", *Revue juridique de l'environnnement*, 2019/4, vol. 44

RUIZ PRIETO, M., "Cambio climático y derechos fundamentales diacrónicos: la Sentencia alemana del Cambio climático y su doctrina", *REALA,* núm. 17, 2022, pp. 78-93 (DOI: https://doi.org/10.24965/reala. i17.11063).

SINGER, P., *Practical Ethics*, 2nd ed., Cambridge University Press, 1993.

SORO MATEO, B., "Los errores jurídico-políticos en torno al Mar Menor", en LÓPEZ RAMÓN, F. (Dir.), *Observatorio de políticas ambientales 2017*, CIEDA/CIEMAT, 2017, pp. 1023-1068.

– "Nuevos retos del derecho ambiental desde la perspectiva del bioderecho: especial referencia a los derechos de los animales y de las futuras generaciones", *Via Iuris*, núm. 13 (julio-diciembre), 2013, pp. 105-122.

– "Reflexiones en torno a los derechos de las futuras generaciones", en CHIEFFI, L./SALCEDO HERNÁNDEZ, J. R. (Coords.), *Questioni di inizio vita: Italia e Spagna: esperienze in dialogo*, Mimesis, Milán, 2015, pp. 109-118

– "Responsabilidad pública, vulnerabilidad y litigios climáticos", *Revista Aragonesa de Administración Pública,* núm. 54, 2019, pp. 57-140.

SORO MATEO, B./ÁLVAREZ CARREÑO, S. M./PÉREZ DE LOS COBOS, E., "Murcia: Avances normativos para la protección del Mar Menor", en LÓPEZ RAMÓN, F. (Dir.), *Observatorio de políticas ambientales 2018*, CIEDA/CIEMAT, Madrid, 2018, pp. 1199-1227.

TASSIN WALLACE, C., "Derechos de la Naturaleza (en relación con el derecho a la naturaleza)", *EUNOMÍA. Revista en Cultura de la Legalidad*, núm. 22, 2022, pp. 288-306.

VICENTE GIMÉNEZ, T., "De la justicia climática a la justicia ecológica: los derechos de la naturaleza", *Revista Catalana de Dret Ambiental*, Vol. 11, Núm. 2, 2020.

VICENTE GIMÉNEZ, T./SALAZAR ORTUÑO, E., "La iniciativa legislativa popular para el reconocimiento de personalidad jurídica y derechos propios al mar menor y su cuenca", *Revista Catalana de Dret Ambiental*, Vol. XIII, Núm. 1, 2022, pp. 1-38.

Capítulo 7
Efectividad de los instrumentos jurídicos de conservación de la biodiversidad en la región de Murcia: el *Traje del Emperador* de los espacios naturales

EDUARDO SALAZAR ORTUÑO
Profesor Asociado de Derecho Administrativo
Universidad de Murcia
Abogado

I. INTRODUCCIÓN

Resulta innecesario, en uno de los capítulos de una obra colectiva como la presente, insistir en la necesidad de emplear el Derecho para la protección de la diversidad biológica, entendida como la extraordinaria variedad de la vida en la Tierra. Y no sólo por la relevancia de la biodiversidad en sí y para los seres humanos, sino por la pérdida acelerada de la misma que se viene observando desde hace décadas, y porque la lucha frente a la sexta extinción masiva forma ya parte de los campos de acción[1] más importantes para enfrentar la crisis ecológica a la que asistimos, junto a la crisis climática.

Lo que quizá sí pueda convenir a esta obra es una propuesta que vaya más allá del análisis de las normas jurídicas adoptadas y su contenido, y se detenga en la eficacia y efectividad de tales normas, esto es, en los efectos que en la realidad puedan estar teniendo y los elementos que permitan medir la aplicación de tales medidas legales, respectivamente. Para la medición de la eficacia haría falta un conocimiento científico relacionado con la ecología de la conservación, del

---

[1]   Comunicación de la Comisión al Parlamento Europeo, al Consejo, al Comité Económico y Social Europeo y al Comité de las Regiones. *Estrategia de la UE sobre la biodiversidad de aquí a 2030. Reintegrar la naturaleza en nuestras vidas.* COM (2020), 380 final.

que carecemos, pero para un análisis de la efectividad y aplicación de las normas contamos con la evaluación de medidas programáticas referidas a la biodiversidad de la Región de Murcia.

Este enfoque resulta pertinente en el ámbito de la Región de Murcia, no sólo por la relevancia de su biodiversidad en el ámbito europeo[2], sino por la necesidad de un aporte jurídico general en el perenne debate social regional acerca de las políticas medioambientales, entre las que se incluyen las de protección de la biodiversidad. Estos apuntes y este deseo de búsqueda de la efectividad de las normas, basado en la citada Comunidad Autónoma por el cercano conocimiento del jurista que suscribe a las políticas en materia de espacios naturales protegidos desarrolladas en los últimos treinta años, puede ser extensible a otros territorios del Estado español, dada la similitud del contexto legal, político, económico y social que juegan un papel en el éxito de la conservación del patrimonio natural.

El seguimiento del ordenamiento jurídico ambiental y su desarrollo en la Región de Murcia —que incluye la desactivación de las obligaciones legales y el desarme de la Administración autonómica con competencias ambientales— ya ha venido siendo realizado en diferentes aportaciones doctrinales, especialmente en las crónicas legislativas y jurisprudenciales coordinadas por el profesor ÁLVAREZ

---

[2] La Región de Murcia, como parte del mundo mediterráneo, participa de una elevada responsabilidad en la conservación y uso sostenible de la biodiversidad. En particular, una fracción muy importante (pero no exclusiva) de esta riqueza biológica se relaciona con las condiciones ambientales del sureste semiárido ibérico, de enorme singularidad, especialmente en un contexto europeo, cuyo origen se encuentra tanto en la diversidad de hábitats (heterogeneidad espacial), como en la prolongada presión humana en forma de perturbaciones (roturaciones, incendios, agricultura, ganadería, etc.). Esta especial responsabilidad abarca también la biodiversidad asociada a ambientes menos estrictos desde el punto de vista de la disponibilidad hídrica, tales como las montañas frescas del interior, refugio y límite de distribución de muchas especies, parte de ellas amenazadas. El espacio geográfico regional, con una superficie de 11.317 km2, es el resultado de la conjunción de múltiples condicionantes. A lo largo del tiempo, los factores físicos y las actividades humanas han conformado una especial singular por su riqueza de ambientes y su peculiaridad dentro de la península ibérica y de la cuenca mediterránea (*Estrategia Regional para la Conservación de la Biodiversidad*).

CARREÑO[3] y las contribuciones de la profesora SORO MATEO[4], pero en esta ocasión lo que se pretende es una vista panorámica actual de la aplicación de las normas referidas a la protección de la biodiversidad en materia de espacios naturales que sirva como aportación a la investigación integral de la efectividad del Derecho ambiental en esta Comunidad Autónoma. El diagnóstico de otras herramientas de conservación de la biodiversidad en materia de especies de fauna y flora silvestres, montes, humedales inventariados, árboles monumentales y vías pecuarias, y otros espacios naturales municipales o privados, no puede ser incluido, por su extensión, en el objeto de la presente contribución.

II. MARCO GENERAL LEGISLATIVO Y ESTRATÉGICO

Sin ánimo de exhaustividad en la descripción de las bases jurídicas de la protección de la biodiversidad, por cuanto no es el objeto de esta contribución y ya ha sido suficientemente descrita en monografías[5], incluso en otros capítulos de esta obra, resulta innegable que el componente internacional más importante para el impulso de la conservación de la diversidad biológica, es el Convenio del mismo nombre, adoptado en la Cumbre de la Tierra en Río de Janeiro en 1992, que el Estado español ratificó el 16 de noviembre de 1993. Del marco creado por este Tratado Internacional derivan los instrumentos legales que requieren el desarrollo de políticas de conservación y uso sostenible de la biodiversidad tanto a nivel internacional, como europeo, estatal, autonómico o incluso local.

Lo anterior no debe impedir advertir y reconocer el previo sector del ordenamiento jurídico estatal basado en el principio rector del artículo 45 de la Constitución Española dirigido a la preservación y

---

[3]   Crónicas legislativas y jurisprudenciales contenidas en la Revista Catalana de Dret Ambiental, desde su primer número en 2010 hasta la actualidad.

[4]   SORO MATEO, B., "Diagnóstico sobre la situación jurídica de los espacios naturales en la Región de Murcia", en ESTEVE SELMA, M. A., MARTÍNEZ PAZ, J. M. y SORO MATEO, B. (coord.), *Análisis ecológico, económico y jurídico de la Red de Espacios Naturales en la Región de Murcia*, EDITUM, 2012.

[5]   GARCÍA URETA, A. *Derecho europeo de la Biodiversidad. Aves silvestres, hábitats y especies de flora y fauna.* Iustel, 2010.

utilización racional de los recursos naturales que generó una intervención de las autoridades en materia de espacios naturales protegidos, fauna y flora silvestre, así como normas de origen europeo e internacional (Convenios de Bonn y de Berna, 1979), adoptadas para la protección de aves silvestres o fauna y flora específica, e incluso la adopción de instrumentos legales en regímenes jurídicos preconstitucionales dirigidos a la conservación de la naturaleza y el paisaje.

El Convenio de Diversidad Biológica (en adelante, CDB) contemplaba el compromiso de los Estados parte de desarrollar estrategias, planes o programas nacionales para la conservación y uso sostenible de la biodiversidad. Fruto de tales obligaciones tanto en el ámbito de la Unión Europea como en el del Estado español se desarrollaron documentos estratégicos que han ido evolucionando hasta la actualidad y, en el marco autonómico de la Región de Murcia debemos resaltar, tanto por su cuidado diagnóstico, como por el proceso de conformación participativa de la misma, las medidas propuestas, los instrumentos y directrices de aplicación, el cronograma y la evaluación incluidas, la *Estrategia Regional para la Conservación y el Uso de la Diversidad Biológica*[6], basada en la Estrategia estatal aprobada en diciembre de 1998[7].

Debe referirse especialmente el marco legal que, en materia de diversidad biológica y asumiendo el nuevo enfoque del CDB, supuso la aprobación de la Ley 42/2007, de 13 de diciembre, de Patrimonio Natural y Biodiversidad. Esta norma estatal básica vino a sustituir a la Ley 4/1989, incorporando además nuevos instrumentos de conservación estatales que, respetando el reparto de competencias constitucionales, permitían la actuación legislativa y protectora de desarrollo de las Comunidades Autónomas.

---

[6]   Aprobada mediante Acuerdo del Consejo de Gobierno de 21 de noviembre de 2003 (Boletín Oficial de la Región de Murcia de 18 de diciembre de 2003). Texto de la *Estrategia Regional para la Conservación y el Uso Sostenible de la Diversidad Biológica* disponible en https://murcianatural.carm.es/web/guest/estrategias/-/journal_content/56_INSTANCE_9GoI/14/84596 (último acceso: 31 de agosto de 2022).

[7]   Luego superada por el Plan Estratégico Estatal del Patrimonio Natural y la Biodiversidad, aprobado mediante Real Decreto 1274/2011, de 16 de septiembre (Boletín Oficial del Estado de 20 de septiembre de 2011.

III. EL DESARROLLO DE LOS INSTRUMENTOS JURÍDICOS DE CONSERVACIÓN DE LA BIODIVERSIDAD EN LA REGIÓN DE MURCIA

1. Los espacios naturales protegidos derivados de la política ambiental autonómica

Previamente a la ratificación por el Estado español del CDB y antes de la adopción de las sucesivas Estrategias mencionadas, el poder legislativo de la Región de Murcia, en el ejercicio de las competencias medioambientales legislativas de desarrollo y de gestión asumidas en el Estatuto de Autonomía, vino aprobando instrumentos legales que, sobre la base de la legislación básica estatal en materia de espacios naturales protegidos y fauna y flora silvestre (Ley 4/1989, citada), propiciaron la declaración de una amplia red de espacios naturales protegidos, la conformación de una red de otras áreas naturales protegidas y un marco para la conservación de especies de fauna y flora silvestre. Las normas más relevantes fueron la Ley regional 4/1992, de 30 de julio, de Ordenación y Protección del Territorio de la Región de Murcia, la Ley regional 1/1995, de 8 de marzo, de Protección del Medio Ambiente y la Ley 7/1995, de 21 de abril, de la fauna y flora silvestre y de la caza y la pesca fluvial.

Así, en la Ley 4/1992, de 30 de julio, citada, y que fue aprobada por unanimidad de la Asamblea Regional de Murcia, se reguló en su Título VI (aún vigente), la planificación de los recursos naturales —procedimiento de elaboración, jerarquía y preeminencia— y el régimen jurídico de los espacios naturales protegidos entre los que distinguieron cuatro categorías: Parques Regionales, Reservas Naturales, Paisajes Protegidos y Monumentos Naturales. En su Disposición Adicional Tercera se declararon los espacios que pasarían a formar parte de la Red de Espacios Naturales Protegidos de la Región de Murcia, a saber: los Parques Regionales reclasificados desde anteriores figuras de *Sierra Espuña, Carrascoy-El Valle, Sierra de La Pila, Salinas y Arenales de San Pedro del Pinatar, Calblanque, Monte de las Cenizas y Peña del Águila*, los Paisajes Protegidos de *Humedal de Ajauque y Rambla Salada, Cuatro Calas, Espacios abiertos e islas del Mar Menor y Sierra de las Moreras*, el Parque Natural Costero-Litoral de *Calnegre y Cabo Cope* y la Reserva Natural de *Sotos y bosques de ribera de Cañaverosa*, estos dos últimos por el procedimiento excepcional contemplado en el artículo 15.2 de la Ley estatal 4/1989, citada, que permitía la declaración de un espacio natural protegido sin la previa aprobación de un plan de ordenación de los recursos naturales, siempre que dicha planificación se tramitase en el trascurso de un año desde la declaración, y todo ello dada la "urgencia en la adopción de medidas tendentes a su protección". Además, sin clasificarlos en ninguna categoría se incluyeron determinados espacios naturales para los que se exigía tener aprobado un plan de ordenación de los recursos naturales en un plazo de "un año" desde la entrada en vigor de la propia ley: *La Muela y Cabo Tiñoso, Cañón de Los Almadenes, Sierra de El Carche, Islas e islotes del litoral mediterráneo, Saladares del Guadalentín, Barrancos de Gébar, Cabezo Gordo y Sierra Salinas.*

Desde la visión programática de la Ley 4/1992, amputada en su mayor parte por la legislación autonómica en materia de suelo, y que debiera haber sido íntegramente actualizada y adaptada a la evolución normativa[8], han transcurrido treinta años, después de los cuales la situación de la Red de Espacios Naturales Protegidos de la Región de Murcia y su planificación dista de estar completada, lo que impide indudablemente una gestión adecuada y satisfactoria de tales espacios. A día de hoy, sólo hay cinco Planes de Ordenación de los Recursos Naturales aprobados definitivamente, pese a que, en 1993, la extinta Agencia Regional de Medio Ambiente, acordó el inicio de la elaboración de catorce Planes de Ordenación de los Recursos Naturales[9]. En todo este tiempo ha habido disposiciones generales de la Administración autonómica que han ordenado la aprobación

---

[8]   ÁLVAREZ CARREÑO, S. y SALAZAR ORTUÑO, E., *Crónica de legislación ambiental en la Región de Murcia*, Revista Catalana de Dret Ambiental, Vol. 1 Núm. 2., 2010.

[9]   La Resolución de la Agencia Regional del Medio Ambiente de 22 de septiembre de 1993 acordó el inicio de la elaboración de los planes de ordenación de los recursos naturales de 14 espacios naturales protegidos: *Sierra Espuña, Carrascoy y El Valle, Sierra de la Pila, Salinas y Arenales de San Pedro del Pinatar, Calblanque, Monte de las Cenizas y Peña del Águila, Calnegre y Cabo Cope, Vega Alta del Segura (incluidos los sotos y bosques de ribera de Cañaverosa y Cañón de Los Almadenes), Sierra de la Muela y Cabo Tiñoso, Sierra del Carche, Islas e islotes del Mar Mediterráneo, Saladares del Guadalentín, Cabezo Gordo e Islas y espacios abiertos del Mar Menor, Sierra de las Salinas y Sierra de las Moreras.*

inicial, la tramitación de fases de información pública e incluso el "re-inicio" de la elaboración de los planes de ordenación de los recursos naturales en relación con cinco espacios naturales protegidos[10], pero no se ha completado aún la planificación de los recursos naturales pertenecientes a la Red de Espacios Naturales Protegidos de la Región de Murcia.

En cuanto a los Planes Rectores de Uso y Gestión (en adelante, PRUG), recogidos en las leyes básicas estatales citadas (Ley 4/1989 y Ley 42/2007), como aquellos instrumentos jurídicos que contendrán las normas generales de uso y gestión de los espacios naturales protegidos y que prevalecerán sobre el planeamiento urbanístico, en la Región de Murcia sólo ha sido aprobado recientemente el referido al Parque Regional de Salinas y Arenales de San Pedro del Pinatar[11]. Pese a no contar con un PRUG aprobado, en determinados Parques Regionales del litoral se han adoptado medidas de restricción de entrada de vehículos en el período estival, con desigual resultado, como ha ocurrido en Calblanque de forma exitosa hasta la actualidad y en Calnegre y Cabo Cope[12], en un intento fracasado en 2018 por desagradables enfrentamientos con los vecinos[13].

---

[10]   *Saladares del Guadalentín, Humedal del Ajauque y Rambla Salada, Islas y Espacios Abiertos del Mar Menor* (reinicio en 2003 e información pública en 2005), *Carrascoy y El Valle* (aprobación inicial en 2005) y *Sierra de La Muela, Cabo Tiñoso y Roldán* (aprobación inicial en 2006).

[11]   Decreto 259/2019, de 10 de octubre (Boletín Oficial de la Región de Murcia de 19 de octubre de 2019, Suplemento número 7).

[12]   Orden de 20 de junio de 2018 de la Consejería de Empleo, Universidades, Empresa y Medio Ambiente, por la que se adoptan medidas para la limitación de accesos de vehículos a motor a las playas del Parque Regional de Calnegre y Cabo Cope durante el período estival de 2018 (Boletín Oficial de la Región de Murcia de 21 de junio de 2018).

[13]   Resolución de la Secretaría General de Empleo, Universidades, Empresa y Medio Ambiente por la que se acuerda la publicación del acuerdo entre la Administración General de la Comunidad Autónoma de la Región de Murcia y el Ayuntamiento de Lorca, para la extinción de mutuo acuerdo del convenio de colaboración suscrito el 19 de junio de 2018 para la protección de la biodiversidad del Parque Regional de Calnegre y Cabo Cope (Boletín Oficial de la Región de Murcia, de 31 de octubre de 2018), y https://www.laopiniondemurcia.es/municipios/2018/10/31/coches-podran-aparcar-restricciones-calnegre-31579901.html (último acceso: 31 de agosto de 2022).

Conforme a la legislación autonómica en materia de espacios naturales protegidos, estructurada sobre la legislación básica estatal, existen además cuatro Monumentos Naturales declarados[14] a los que, sin embargo, pese al reconocimiento de sus valores ambientales, geológicos y paisajísticos, no se les ha otorgado ningún régimen de protección específico en los decretos que los declararon, sin perjuicio de su protección discrecional a través de instrumentos urbanísticos municipales.

La situación de retraso en la aprobación definitiva de la planificación de los recursos naturales en los espacios protegidos ha impedido la producción de efectos prevalentes de la preservación de los recursos naturales sobre el resto de políticas (economía, ordenación del territorio, turismo, pesca, etc.) y sobre determinadas actividades con alto impacto en la realidad física de los terrenos, que han venido siendo denunciadas por entidades conservacionistas y ciudadanía concienciada con la protección del entorno. Además, se han generado conflictos territoriales y medioambientales innecesarios con propietarios y promotores de actividades incompatibles con la conservación de la biodiversidad, que han tenido que ser resueltos por los Tribunales regionales a favor de la preservación de la naturaleza[15].

---

[14]   *Monte Arabí* (Yecla), *Gredas de Bolnuevo* (Mazarrón), *Sima de la Higuera* (Pliego) y *Capa Negra* (Caravaca de la Cruz).

[15]   Sin perjuicio de los casos más relevantes en torno al Mar Menor y la Marina de Cope, que serán expuestos más adelante, en relación al Parque Regional de *Carrascoy-El Valle* se han venido generando conflictos con propietarios (véase Sentencia de la Sala de lo Contencioso-Administrativo del Tribunal Superior de Justicia de Murcia de 25 de noviembre de 2014 —recurso 661/2008— y comentario en ÁLVAREZ CARREÑO, S. y SALAZAR ORTUÑO, E., *Crónica de Jurisprudencia ambiental en la Región de Murcia*, Revista Catalana de Dret Ambiental, Vol. 6. Núm. 1, 2015, o la Sentencia 746/2015 de la Sala de lo Contencioso-Administrativo del Tribunal Superior de Justicia de Murcia —recurso 264/2010— y comentario en ÁLVAREZ CARREÑO, S. y SALAZAR ORTUÑO, E. *Crónica de jurisprudencia ambiental en la Región de Murcia*, Revista Catalana de Dret Ambiental, Vol. 7 Núm. 1, 2016) o en relación a proyectos estratégicos como el complejo turístico-recreativo *"Parque Temático Paramount"* (Sentencia de la Sala de lo Contencioso-Administrativo del Tribunal Superior de Justicia de Murcia, 202/2017, de 8 de junio, y comentario en SALAZAR ORTUÑO, E. *Crónica de jurisprudencia ambiental en la Región de Murcia*, Revista Catalana de Dret Ambiental, Vol. 8 Núm. 2, 2017), en torno a cuestiones derivadas de la ausencia de aprobación definitiva de la planificación como son los límites del

Llama poderosamente la atención la escasa aplicación que durante estos años de interinidad ha tenido la obligación de protección cautelar de los recursos naturales de los espacios naturales protegidos en los que se hubiera iniciado la elaboración de su planificación —todos los Parques Regionales, la Reserva Natural y los Paisajes Protegidos escogidos— y durante la tramitación de aquélla, todo ello conforme a la legislación básica estatal[16]. Si las autoridades autonómicas hubieran cumplido con su obligación de proteger cautelarmente, durante los casi treinta años que han transcurrido desde el inicio de la planificación de los espacios naturales protegidos en la Región de Murcia, la realidad física y biológica de los terrenos incluidos en tales unidades de conservación no debería haber sido transformada, frustrando los objetivos de conservación de la diversidad biológica de las declaraciones realizadas por el legislador regional. Desgraciadamente, como se expondrá, la Administración con competencias en materia de biodiversidad no ha sido capaz de aplicar estos preceptos y, especialmente en espacios naturales protegidos del litoral y sobre todo por la expansión de la agricultura intensiva, la transformación de los terrenos ha implicado perjuicios de difícil reparación a los valores ecológicos reconocidos.

Además de los espacios naturales propiamente dichos y derivados de las categorías estatales, existe la *Red de Áreas de Protección de la Fauna Silvestre* creadas por la Ley regional 7/1995, de 21 de abril, de la fauna y flora silvestre y de la caza y la pesca fluvial[17] con el objetivo de preservar la diversidad de la fauna silvestre y conservar sus hábitats naturales, tanto por motivos biológicos y científicos como educativos. La Red de Áreas de Protección de la Fauna Silvestre (en adelante, APFS) estaría constituida por las zonas expresamente indicadas como tales en los espacios naturales protegidos en la forma en que se determine en los respectivos planes de ordenación de los recursos naturales u otros instrumentos de planificación y gestión; y

---

propio espacio natural protegido, la ausencia de plan de ordenación de los recursos naturales y la cuestionada vigencia del Plan Especial de Protección aprobado en 1985.

[16]   Artículo 7 de la Ley 4/1989 y artículo 23 de la Ley 42/2007, citadas.
[17]   Artículo 22 de la Ley regional 7/1995, de 21 de abril, de la fauna y flora silvestre y de la caza y la pesca fluvial.

por aquellas áreas delimitadas por la Comunidad Autónoma mediante decreto, conforme al régimen que en el mismo se establezca, incluidas las ZEPA y las áreas determinadas en los Planes de Recuperación,
Conservación y Manejo de las especies amenazadas. El Anexo II de
la citada Ley 7/1995 incluye las primeras localidades (en principio
eran 17 en total, aunque más de 20 si se computan separadamente
ciertas APFS que incluyen sectores geográficamente disyuntos) que
constituyen la Red, así como —no en todos los casos— los criterios
faunísticos que determinan su inclusión.

La mayor parte de las APFS están incluidas por la presencia de
aves, de modo exclusivo (diez áreas) o en combinación con otros ver-
tebrados (dos áreas que incluyen nutria y/o cabra montesa). De las
cinco restantes, cuatro se refieren exclusivamente a mamíferos (lince,
cabra montés o murciélagos, dos en este último caso) y una exclusivamente a reptiles (tortuga mora). No se incluye ninguna APFS para
anfibios ni para peces.

La referencia de la Ley 7/1995 a la constitución de la Red de APFS
y el Anexo II de la misma no implican que dichas zonas hayan sido
declaradas como APFS *ex lege*. Tales declaraciones exigen la aprobación de la correspondiente norma (decreto regional), en la que se
determinen sus límites geográficos. En la actualidad solo han sido
declaradas y delimitadas recientemente siete APFS en el entorno del
Mar Menor[18], lo que indica el limitadísimo desarrollo de esta figura
de protección.

La propia Ley 1/1995, de 8 de marzo, de Protección Ambiental
de la Región de Murcia, derogada desde 2009, creó las *Áreas de
Sensibilidad Ecológica* como un instrumento ideado para aplicar un
régimen preventivo genérico en áreas previamente protegidas mediante otros instrumentos (tales como espacios naturales protegidos
o APFS), lo cual resultaba particularmente apropiado en el caso fre-
cuente de espacios formalmente declarados, pero sin ninguna normativa de protección y regulación de usos. El efecto de la aplicación de la
figura de Área de Sensibilidad Ecológica a una categoría de protección
preestablecida u otros territorios sin clasificación previa consistía en
el sometimiento al procedimiento de evaluación de impacto ambiental

---

[18]   Artículo 2.2 del Decreto 259/2019, de 10 de octubre.

de cualquier proyecto que alterase la realidad física o biológica de la zona o, en todo caso, que supusiese una transformación de suelo mayor de diez hectáreas, o mayor de cinco hectáreas si la pendiente fuese igual o superior al diez por ciento. Esta figura, que tuvo un empleo muy limitado antes de que la Ley 1/1995 fuese derogada en 2009, podría haber jugado un papel fundamental en la protección preventiva de espacios en trámite de declaración, clasificación y delimitación, de conformidad con las previsiones ya citadas de la normativa básica estatal o de las propias Directivas referidas a la Red Natura 2000.

En la Comunidad Autónoma de la Región de Murcia, aquejada en los últimos quince años de lo que ha sido denominado "déficit normativo ambiental[19]", y en lo que supone un anuncio de lo que será expuesto a continuación, se estuvo planteando desde los últimos meses de 2012 la elaboración de una Ley de Conservación de la Naturaleza, así como una regional Ley de Montes, embriones normativos de los que nunca se volvió a saber nada.

2. La implantación de la Red Natura 2000 en la Región de Murcia

Como consecuencia del preceptivo desarrollo de las obligaciones a los Estados miembros contenidas en las Directivas europeas referidas a la biodiversidad (*Aves* y *Hábitats*, ya citadas), y dado el reparto competencial y la transposición estatal de aquéllas mediante la citada Ley 4/1989, de 27 de marzo y el Real Decreto 1997/1995, de 7 de diciembre, por el que se establecen medidas para contribuir a garantizar la biodiversidad mediante la conservación de los hábitats y la fauna silvestre, la Comunidad Autónoma de la Región de Murcia fue dando los primeros pasos para la implantación de la Red Natura 2000 en el territorio murciano que, como ya hemos significado, alcanzaba un treinta por ciento del mismo.

El proceso, similar al de otras Comunidades Autónomas y conforme a la legislación europea y estatal, fue el de designación inicial de

---

[19]   ÁLVAREZ CARREÑO, S., *"El régimen jurídico en los procedimiento ambientales en la Región de Murcia: consideraciones críticas"*, Revista Catalana de Dret Ambiental, Vol. 3 Núm. 2, 2012.

las Zonas de Especial Protección para las Aves (en adelante, ZEPA) y los Lugares de Importancia Comunitaria (en adelante LIC), elaboración y aprobación de los correspondientes planes de gestión, y posterior declaración de las Zonas de Especial Conservación (en adelante, ZEC).

Conforme a lo anterior, el Gobierno regional, tras la correspondiente recopilación de la información científica que consideró, designó y remitió al Ministerio de Medio Ambiente, la propuesta de cincuenta LIC[20] (47 terrestres y 3 marinos) y veinticuatro ZEPA[21], e inició una tímida aprobación de los correspondientes instrumentos de conservación y gestión.

Tras la aprobación en 2006 por parte de la Comisión Europea de la lista inicial de Lugares de Importancia Comunitaria para la región biogeográfica mediterránea[22] y su actualización[23], se han adoptado algunas decisiones programáticas para la implantación de la Red Natura 2000, tales como el Acuerdo del Consejo de Gobierno de 6 de julio de 2012, que fija un orden de prioridad para la conversión de LIC a ZEC y un cronograma, así como la Orden de 17 de abril de 2015[24] que aprueba las Directrices para la elaboración de la planificación de la Red Natura 2000, propuesta por la Dirección General de Medio Ambiente de la Consejería correspondiente; sin olvidar la Resolución del Secretario General de la Consejería de Agua, Agricultura y Medio Ambiente, por la que se hacen públicos los límites de 39 Lugares de Importancia Comunitaria de la Región de Murcia[25].

Quizá las decisiones más relevantes en torno a la adopción de medidas de conservación y gestión de la Red Natura 2000 han sido

---

[20]   Resolución de 28 de julio de 2000, que dispone la publicación del Acuerdo del Consejo de Gobierno de la Región de Murcia (Boletín Oficial de la Región de Murcia de 5 de agosto de 2000).

[21]   Acuerdos del Consejo de Gobierno de la Región de Murcia, de 23 de julio de 1998, 8 de octubre de 1998, 23 de diciembre de 1999, 23 de marzo de 2000, 6 de octubre de 2000, 16 de febrero de 2001, 30 de marzo de 2001 y 3 de abril de 2014.

[22]   Decisión 2006/613/CE, de 19 de julio de 2006.

[23]   Decisión de Ejecución (UE) 2015/2374, de 26 de noviembre de 2015.

[24]   Boletín Oficial de la Región de Murcia de 14 de mayo de 2015 (Suplemento número 1).

[25]   Boletín Oficial de la Región de Murcia de 22 de enero de 2016.

las que han establecido la relación con la previa Red autonómica de Espacios Naturales Protegidos puesto que, por un lado, se ha unificado la planificación de la totalidad de los espacios de procedencia europea y regional a través de las catorce Áreas de Planificación Integrada definidas en la Orden de la Consejería de Presidencia de 25 de octubre de 2012 sobre planificación integrada de los espacios naturales de la Región de Murcia[26], escogiendo por pretendidas razones de simplificación, coherencia, eficacia y eficiencia, el Plan de Gestión Integral como instrumento aglutinador de todos los instrumentos de conservación, en los casos, y son muchos, de solapamiento territorial entre espacios naturales protegidos de ámbito autonómico o internacional y los espacios de la Red Natura 2000. Lo que se colige de esta norma autonómica, basada en lo preceptuado en la Ley estatal básica 42/2007, de Patrimonio Natural y Biodiversidad[27] y en la Disposición Adicional Tercera de la Ley 6/2012, de 29 de junio, de medidas tributarias, económicas, sociales y administrativas de la Región de Murcia[28], es que el Plan de Gestión Integral unificará en un documento las medidas de conservación y gestión de los espacios naturales coincidentes en el mismo territorio, sea cual sea su origen normativo y que, en el caso de los Parques Regionales y las Reservas Naturales, dicho Plan de Gestión Integral deberá incluir el Plan de Ordenación de los Recursos Naturales, como instrumento específico regulado en la propia Ley 42/2007, citada. Lo cierto es que, a día de hoy, los Planes de Ordenación de los Recursos Naturales en estado

---

[26]   Boletín Oficial de la Región de Murcia de 10 de noviembre de 2012.
[27]   Artículo 29.2, referido al contenido de las normas reguladoras de los espacios naturales protegidos.
[28]   La citada Disposición viene referida a la integración de la planificación ambiental y establece que: *"de acuerdo con lo dispuesto en el artículo 28 de la Ley 42/2007, de 13 de diciembre, del Patrimonio Natural y de la Biodiversidad, si se solapan en un mismo lugar distintas figuras de espacios protegidos, las normas reguladoras de los mismos así como los mecanismos de planificación deberán ser coordinados para unificarse en un único documento integrado, al objeto de que los diferentes regímenes aplicables en función de cada categoría conformen un todo coherente. El instrumento de planificación integrado en el supuesto de que afecte a parques o reservas naturales deberá necesariamente incluir el plan de ordenación de los recursos naturales. Para el caso de paisajes protegidos y monumentos naturales incluirá los planes o medidas específicas de gestión"*.

de tramitación desde 1993 no han sido impulsados por tal decisión unificadora.

Otra decisión legislativa controvertida fue la Disposición Adicional Octava de la Ley 1/2001, de 24 de abril, del Suelo de la Región de Murcia, añadida en los últimos instantes del debate legislativo, que utilizaba torticeramente el solapamiento de espacios naturales protegidos de origen europeo y autonómico en detrimento de algunos espacios naturales incluidos en dicha Red autonómica, mediante la pretensión de reducción de su tamaño (aproximadamente once mil hectáreas), que afortunadamente, y después de doce años desde su aprobación, fue anulada por el Tribunal Constitucional[29], generando diversos efectos perversos en Parques Regionales concretos, como será expuesto más adelante.

Después de ciertas llamadas de atención y de procedimientos de infracción comunitaria iniciados por parte de los órganos de control de la aplicación del Derecho europeo dado el excesivo retraso acumulado, el proceso de conformación de la Red Natura 2000 en la Región de Murcia aún no ha finalizado y, en buena medida, este retraso en la aprobación de los planes y medidas de gestión se justifica por la fuerte presión del lobby económico empresarial en la Región de Murcia, pese a que la versión en los documentos oficiales ha venido siendo la complejidad técnica de dicha planificación[30].

Actualmente, hay declaradas veintisiete Zonas de Especial Conservación[31] de las cincuenta que debieran haberse declarado,

---

[29] Sentencia del Pleno del Tribunal Constitucional 234/2012, de 13 de diciembre (recurso de inconstitucionalidad 4288/2001, interpuesto por sesenta y cinco diputados del Grupo Socialista del Congreso en relación con la disposición adicional octava de la Ley de la Asamblea Regional de Murcia 1/2001, de 24 de abril, del suelo).

[30] ÁLVAREZ CARREÑO, S. y SALAZAR ORTUÑO, E., *Crónica de legislación ambiental en la Región de Murcia*, Revista Catalana de Dret Ambiental, Vol. 4 Núm. 1, 2013, 1 y cfr. https://www.laverdad.es/murcia/v/20130915/local/region/callejon-salida-natura-201309150205_amp.html (último acceso: 31 de agosto de 2022).

[31] Diez ZEC en el Noroeste (Decreto 55/2015, de 17 de abril), una ZEC en los Ríos Mula y Pliego (Decreto 11/2017, de 15 de febrero), dos ZEC en las Minas de la Celia y Cueva de Las Yeseras (Decreto 13/217, de 1 de marzo), una ZEC en la Sierra de Ricote (Decreto 231/2020, de 29 de diciembre), seis ZEC en torno al

incluyendo entre las designadas aquella que, situada en el frente marítimo de la Región de Murcia, corresponde al Ministerio con competencias en materia de medio ambiente[32].

No debería finalizarse este análisis de la implantación de la Red Natura 2000 en la Región de Murcia sin hacer referencia a dos episodios contrarios a la implantación de aquélla, que además han sido judicializados, y de los que pueden desprenderse muchas circunstancias que concurren en la difícil tarea de llevar a cabo políticas de biodiversidad, especialmente si éstas son entendidas como un inasumible límite al derecho de propiedad o si éste pretende emplearse sin atender o perjudicando a los valores ecológicos presentes en determinados terrenos. Esta comprensible y generalizada tensión con los propietarios de los terrenos que debiera ser superada mediante políticas de educación ambiental, fomento y compensación, ha alcanzado cotas peculiares en la Región de Murcia al implicar o bien el abierto enfrentamiento judicial de propietarios frente a las decisiones de la Administración autonómica por la designación y planificación de Zonas de Especial Conservación[33] o bien la comisión de delitos por parte de autoridades públicas para beneficiar el desarrollo de iniciativas urbanísticas en espacios incluidos en la Red Natura 2000 (caso Zerrichera[34]), lo que suponen además puntas de iceberg de la enorme resistencia oculta que vienen encontrando las autoridades competentes en materia de biodiversidad entre determinados sectores económicos regionales.

---

[32] Mar Menor (Decreto 259/2019, de 10 de octubre) y seis ZEC en las Sierras de Lorca y Puerto Lumbreras (Decreto 47/2022, de 5 de mayo).
"Valles submarinos del escarpe de Mazarrón", declarada como Zona de Especial Conservación mediante la Orden AAA/1366/2016, de 4 de agosto, del Ministerio de Agricultura, Alimentación y Medio Ambiente (Boletín Oficial del Estado de 11 de agosto de 2016), que aprueba a su vez las correspondientes medidas de conservación.

[33] Sentencias de la Sala de lo Contencioso-Administrativo del Tribunal Superior de Justicia de la Región de Murcia de 12 de diciembre de 2014 (recurso 23/2013; ponente: Pérez Crespo Payá, José María) y de 24 de abril de 2017 (ponente: Sánchez de la Vega, María Esperanza).

[34] Caso cuyo desenlace judicial contencioso-administrativo y penal ha sido comentado en SALAZAR ORTUÑO, E. Crónica de jurisprudencia ambiental en la Región de Murcia, Revista Catalana de Dret Ambiental, Vol. 6 Núm. 1, 2015 y Vol. 9 Núm. 1, 2018.

3. Áreas marinas protegidas

De entre los espacios naturales protegidos se distinguen las áreas marinas protegidas como categoría específica, merced a la evolución realizada en los últimos años conforme a la legislación en materia de pesca hasta su reconocimiento e inclusión entre las categorías generales de la Ley 42/2007, de Patrimonio Natural y la Biodiversidad[35] y la creación de la Red de Áreas Marinas Protegidas y previsión de un Plan Director por parte de la Ley 41/2010, de 29 de diciembre, de Protección del Medio Marino, este último en fase de proyecto[36].

Como quiera que las competencias autonómicas en el medio marino son limitadas, se realizan principalmente en aguas interiores y se justifican en la necesaria gestión unitaria del medio terrestre y el medio marino, para la declaración de áreas marinas protegidas que no se solapen con espacios naturales protegidos referidos en epígrafes anteriores —especialmente de la Red Natura 2000 o de la Red autonómica murciana— la Comunidad Autónoma ha promovido la conservación de ecosistemas marinos sobre la base de su competencia en pesca en aguas interiores. La primera norma que pretendió el establecimiento de instrumentos jurídicos de preservación de ecosistemas marinos fue el Decreto 74/1985, de 12 de diciembre, sustituido y actualizado por el Decreto 7/1993, de 26 de marzo, de la Consejería de Política Territorial, Obras Públicas y Medio Ambiente[37], sobre medidas para la protección de ecosistemas en aguas interiores, impulsado

---

[35]   Artículos 30, letra c) y 33 de la Ley 42/2007, de 13 de diciembre. Para un conocimiento detallado de esta figura de protección y su encaje en el ordenamiento jurídico español vid. ORTIZ GARCÍA, M., "La red de áreas marinas protegidas de España en la protección del medio marino", en ARANA GARCÍA, E. y SANZ LARRUGA, FJ (Directores), *La ordenación jurídica del medio marino en España*, Civitas, 2012, pp. 333-380; así como VALENCIA MARTÍN, G. "¿De quién es el mar?: La distribución de competencias entre el Estado y las Comunidades Autónomas en materia de medio marino", en SOSA WAGNER (Coord.): *El derecho administrativo en el umbral del siglo XXI. Homenaje al Prof. Dr. Ramón Martín Mateo*, Tirant lo Blanch, 2000, pp. 3590 y ss.

[36]   Resolución de 22 de junio de 2022, de la Dirección General de Calidad y Evaluación Ambiental, por la que se formula informe ambiental estratégico del *Plan Director de la Red de Áreas Marinas Protegidas de España* (Boletín Oficial del Estado de 4 de julio de 2022).

[37]   Boletín Oficial de la Región de Murcia de 10 de abril de 1993.

por la Agencia Regional para el Medio Ambiente y la Naturaleza, ya extinta. En este último Decreto se crearon las Áreas de Sensibilidad Ecológica Alta, Media y Baja —entre las primeras se incluyó al Mar Menor y sus islotes, así como a las islas e islotes del Mediterráneo—, y se estableció una intervención preceptiva de la mencionada Agencia para cualquier tipo de proyecto.

Como quiera que dentro de las competencias autonómicas exclusivas la protección marina se ha planteado a través de las redes de espacios naturales protegidos ya referida, quedaría referirnos a las reservas marinas de interés pesquero que, al amparo de las leyes en la materia[38], se han creado en la Región de Murcia, conjuntamente con la Administración estatal, competente en aguas exteriores. La primera reserva marina de interés pesquero en la Región de Murcia fue la de *Cabo de Palos-Islas Hormigas,* creada conjuntamente mediante Decreto 15/1995, de 31 de marzo, de la Consejería de Agricultura, Ganadería y Pesca[39] y Orden de 22 de junio de 1995 del Ministerio de Agricultura, Pesca y Alimentación[40], con el objetivo de proteger a las "comunidades marinas y a las poblaciones de organismos de interés pesquero" ubicadas en una zona de gran diversidad y riqueza biológica. La citada normativa estableció una delimitación de la reserva marina de 1.931 hectáreas así como de la reserva integral, donde queda prohibida la pesca marítima, la extracción de flora y fauna y las actividades subacuáticas. La reserva marina está sometida a constante y periódica regulación en relación con las actividades subacuáticas, que se han convertido en un gran atractivo turístico para la zona.

Muchos años más tarde, en 2016, se estableció mediante el Decreto regional 81/2016, de 27 de julio y la Orden estatal APM/844/2017, de 28 de agosto[41], la reserva marina de interés pesquero de Cabo Tiñoso, y se definió su delimitación, zonas y usos, con un tamaño

---

38   Destacan, sin perjuicio del derecho europeo que ha conformado la política pesquera común, la Ley 3/2001, de 26 de marzo, de Pesca Marítima del Estado la Ley 2/2007, de 12 de marzo, de Pesca Marítima y Acuicultura en la Región de Murcia, que prevén la creación de reservas marinas entre las medias de protección y regeneración de recursos pesqueros.
39   Boletín Oficial de la Región de Murcia de 21 de abril de 1995.
40   Boletín Oficial del Estado de 7 de julio de 1995.
41   Boletín Oficial del Estado de 8 de septiembre de 2017.

de 1.173 hectáreas en aguas interiores y exteriores frente al litoral oeste del municipio de Cartagena y el de Mazarrón. Dicha reserva forma parte de la Red de doce Reservas Marinas del Ministerio de Agricultura, Pesca y Alimentación y en el Decreto de su creación se menciona la continuidad ecológica con protecciones terrestres de LIC, ZEPA, APFS y espacio natural protegido.

Actualmente, se ha iniciado por parte de la Consejería de Agricultura, Agua, Ganadería, Pesca y Medio Ambiente de la Región de Murcia el proceso para la aprobación de la tercera reserva marina de interés pesquero regional en Cabo Cope, habiendo sido tramitada el pasado abril de 2022 la preceptiva información pública, y elaborado un proyecto de Decreto.

4. Áreas protegidas por instrumentos internacionales

Además de las zonas protegidas en virtud de la transposición del Derecho europeo y de los espacios naturales protegidos pertenecientes a la Red autonómica, interesa referir otras figuras de protección derivadas de compromisos internacionales contraídos por el Estado español, tales como el Convenio de Ramsar (1971) y el Convenio de Barcelona, contra la contaminación del Mediterráneo (1976).

En la Lista de Humedales de importancia internacional del Convenio de Ramsar, desde su entrada en vigor en nuestro Estado en septiembre de 1982, se han incluido 49 lugares, entre los que se incluyó en octubre de 1994 el *Mar Menor y sus humedales periféricos* con una superficie de 14.933 hectáreas[42], constituyendo así el tercer humedal Ramsar más extenso de España, solo superado por el Parque Nacional de Doñana y L'Albufera de Valencia. El humedal de importancia internacional abarca totalmente el Parque Regional de las

---

[42] El Mar Menor cumple al menos tres criterios entre los establecidos por la Conferencia de las Partes para la identificación de humedales de importancia internacional, destacando especialmente por constituir un ejemplo representativo, raro o único de un tipo de humedal natural de la región biogeográfica mediterránea. Los valores ornitológicos más destacados del Mar Menor son la reproducción de cigüeñuela, charrancito, avoceta, chorlitejo patinegro y tarro blanco, el notable paso migratorio del flamenco, la invernada de zampullín cuellinegro, tarro blanco y serreta mediana, así como la presencia más o menos regular de cerceta pardilla.

Salinas y Arenales de San Pedro del Pinatar, así como todos los humedales incluidos en el Paisaje Protegido de los Espacios Abiertos e Islas del Mar Menor, y una pequeña parte (*salinas del Rasall*) del Parque Regional de Calblanque, Monte de las Cenizas y Peña del Águila. Aunque en origen el Convenio se estableció principalmente en torno a la protección de los humedales como lugares importantes para las aves acuáticas, posteriormente fue actualizándose para abarcar criterios más ecosistémicos, relacionados por ejemplo con la representatividad, rareza o singularidad del tipo de humedal y su trascendencia para la conservación de la diversidad biológica.

Como instrumento de más profundo calado, cuya utilización para el Mar Menor no ha sido debidamente evaluada, destaca el denominado *Registro de Montreaux* que el Convenio pone a disposición de las Partes. De inscripción voluntaria, este Registro es la principal herramienta del Convenio para llamar la atención sobre los sitios en que se ha producido o se están produciendo cambios negativos en las características ecológicas y que, por consiguiente, necesitan que se preste una atención prioritaria a su conservación. La inclusión en este Registro contempla, entre otras cosas, el envío de una misión consultiva Ramsar, como mecanismo técnico de asistencia, dentro de un procedimiento más amplio de seguimiento y planificación[43].

En los últimos años se ha solicitado por parte de la Comunidad Autónoma de la Región de Murcia la inclusión de dos humedales en la lista Ramsar, como han sido las *Lagunas de Campotéjar* en Molina de Segura y la *Laguna de Las Moreras* en Mazarrón[44].

Otra de las figuras internacionales presentes en la geografía murciana, de nuevo en el Mar Menor y su entorno, es la de Zona Especialmente Protegida de Importancia para el Mediterráneo (en adelante, ZEPIM), conforme al Protocolo de 1995 sobre las zonas especialmente protegidas y la diversidad biológica del Convenio para la Protección del mar Mediterráneo contra la contaminación, hecho en Barcelona el 16 de febrero de 1976. La propuesta de octubre de

---

[43]   Misiones de este tipo han sido enviadas a las Tablas de Daimiel y al Delta del Ebro.
[44]   ÁLVAREZ CARREÑO, S. y SALAZAR ORTUÑO, E. Crónica, Revista Catalana de Dret Ambiental, Vol. 2 Núm. 2, 2011.

2001 de la Dirección General de Medio Natural de la Administración regional de incluir un lugar denominado *Área del Mar Menor y Zona Oriental mediterránea de la costa de la Región de Murcia*, remitida al centro pertinente del Plan de Acción del Mediterráneo (RAC/SPA) a través del Ministerio de Medio Ambiente, fue aprobada durante el XII Congreso de las Partes del Convenio de Barcelona, realizado en Mónaco del 14 al 17 de noviembre de 2001.

Las ZEPIM pueden incluir zonas marinas y costeras sujetas a la soberanía o jurisdicción de las Partes del Convenio de Barcelona. También pueden ser zonas situadas total o parcialmente en alta mar. Están formadas por lugares protegidos que pueden desempeñar una función importante en la conservación de la biodiversidad biológica del Mediterráneo que contengan ecosistemas típicos mediterráneos, o los hábitats de especies en peligro y que tengan un interés especial desde el punto de vista científico, estético o cultural. En estas Zonas se pretende fomentar el desarrollo sostenible en áreas de alto valor ecológico, contribuyendo al desarrollo e implantación de modelos de gestión que favorezcan la conservación de los recursos naturales. Los objetivos de una ZEPIM son salvaguardar los tipos representativos de ecosistemas costeros y marinos de dimensión adecuada para garantizar su viabilidad a largo plazo y para mantener su diversidad biológica; los hábitats que estén en peligro de desaparición o que tienen un área de distribución natural reducida, los hábitats fundamentales para la supervivencia, reproducción y recuperación de especies de flora o fauna en peligro, amenazadas o endémicas del Mediterráneo; los lugares de particular importancia debido a su interés científico, estético, cultural o educativo.

IV. REFERENCIA A DOS CASOS PARADIGMÁTICOS: LA MARINA DE COPE Y EL MAR MENOR

Para finalizar este retrato de los instrumentos jurídicos regionales referidos a los espacios naturales protegidos no puede eludirse la mención a dos casos del litoral murciano que ejemplifican perfectamente la ausencia de una apuesta clara por la efectividad de las políticas de biodiversidad. En ambos casos, desgraciadamente conocidos por su magnitud y que se acumulan al currículo regional de desastres ecológicos junto al desastre minero de la Bahía de Portmán y a la contaminación industrial causada al Río Segura a finales del siglo XX, la necesaria y drástica intervención de las autoridades ambientales competentes ha cedido a intereses especulativos y ha puesto en peligro de desaparición dos joyas ecológicas del litoral, lo que ha provocado la reacción de la sociedad civil y, por ende, de los tribunales de justicia.

El primer caso se refiere al Parque Regional Calnegre y Cabo Cope, situado en los municipios de Lorca y Águilas, y más concretamente a la llanura litoral a la que rodean los sistemas montañosos incluidos en los LIC de *Calnegre, Cabo Cope y Sierra de Almenara* y la ZEPA *Almenara-Moreras-Cabo Cope*. Precisamente este último aspecto es crucial puesto que, pese a ser incluida dicha llanura conocida como *La Marina de Cope* como espacio natural protegido en la referida Ley regional 4/1992 dentro del Parque Regional citado y, lo que es más grave, pese a reunir los criterios de biodiversidad necesarios para ser incluida en la Red Natura 2000 conforme a la normativa europea citada y la información científica disponible, dicho territorio quedó fuera del LIC propuesto por el gobierno regional a las autoridades ministeriales y europeas. Poco después, y como ya ha sido referido, la disposición adicional octava de la Ley 1/2001, de 24 de abril, del Suelo de la Región de Murcia, dispuso el "ajuste" del tamaño de los espacios naturales protegidos a los de los LIC y ZEPA designados y supuso una "ablación" del Parque Regional de Calnegre y Cabo Cope en más de un tercio de su tamaño[45]. Mientras se tramitaba el recurso de inconstitucionalidad contra la disposición normativa que "liberó" de protección medioambiental a dicha llanura costera, el gobierno regional aprobó una Actuación de Interés Regional[46] de corte urba-

---

[45]   Para una visualización geográfica de la desprotección jurídica se recomienda la visualización del vídeo creado por el periodista MIGUEL ÁNGEL RUIZ PARRA en https://www.youtube.com/watch?v=JVrBVKXQjjg.

[46]   Resolución de 28 de julio de 2004, de la Vicesecretaría de la Consejería de Medio Ambiente y Ordenación del Territorio, por la que se dispone la publicación del Acuerdo del Consejo de Gobierno de de 23 de julio de 2004, por el que se declara como Actuación de Interés Regional la Marina de Cope (Boletín Oficial de la Región de Murcia de 12 de agosto de 2004). La Actuación de Interés Regional es un instrumento de planeamiento autonómico excepcional previsto en la legislación territorial regional murciana y empleado, por ejemplo, en el desarrollo del Aeropuerto Internacional de Murcia.

no-turístico, calificada de estratégica y consistente en la urbanización de los terrenos otrora protegidos para la implantación de un resort costero para albergar a casi 60.000 habitantes, marina interior con 40 hectáreas inundadas y 6 campos de golf, todo ello en terrenos privados (mayoritariamente de *Iberdrola Inmobiliaria*). La adaptación y desarrollo del preceptivo planeamiento municipal urbanístico se retrasó a la vez que grupos de defensa de la naturaleza interponían recursos contencioso-administrativos frente al planeamiento. Finalmente, gracias a la movilización social y, sobre todo, a la intervención judicial instada, en primer lugar del Tribunal Constitucional[47], ya citada, y posteriormente del Tribunal Superior de Justicia de la Región de Murcia[48] y del Tribunal Supremo[49]. A consecuencia de ello, la disposición adicional octava fue declarada nula y la Actuación de Interés Regional y el planeamiento derivado también, con lo que la urbanización de la Marina de Cope devino incompatible con la protección derivada de los límites reconocidos en 1992.

No obstante, y aunque actualmente está en tramitación el Plan de Ordenación de los Recursos Naturales, que debe además incluirse en el Plan de Gestión Integral del Área de Planificación Integral 4 (*Costa occidental de la Región de Murcia*), el retraso en más de treinta años de un instrumento de gestión unido a la tolerancia e inactividad administrativa continuada en relación con actividades de agricultura intensiva en la Marina de Cope puede dar al traste con los objetivos de conservación e incluso recuperación de la biodiversidad terrestre presente hasta hace unos años[50].

---

[47] Sentencia del Pleno del Tribunal Constitucional 234/2012, de 13 de diciembre (recurso de inconstitucionalidad 4288/2001, interpuesto por sesenta y cinco diputados del Grupo Socialista del Congreso en relación con la disposición adicional octava de la Ley de la Asamblea Regional de Murcia 1/2001, de 24 de abril, del suelo).

[48] Sentencias de la Sala de lo Contencioso del Tribunal Superior de Justicia de Murcia de 31 de mayo de 2013 y de 25 de enero de 2019.

[49] Sentencia la Sala Tercera del Tribunal Supremo de 21 de octubre de 2020 (Ponente: Herrero Pina, Octavio Juan), comentada en SALAZAR ORTUÑO, E. *Crónica de jurisprudencia ambiental en la Región de Murcia*, Revista Catalana de Dret Ambiental, Vol. 11 Núm. 2, 2020.

[50] Como muestra de los intereses contrapuestos en la defensa ambiental o aprovechamiento agrícola de la Marina de Cope ver https://www.laverdad.es/murcia/

El segundo caso, lamentablemente más conocido por el desastre ecológico producido desde 2015 en sus hábitats, fauna y flora acuáticos, es el del Mar Menor. Esta laguna costera, que ya ha sido citada en la presente contribución por sus valores y el reconocimiento legal internacional, europeo y autonómico como espacio natural protegido, se sumió en una crisis eutrófica, esto es, un exceso de nutrientes producido fundamentalmente por aportes derivados de la actividad agropecuaria en su cuenca, el Campo de Cartagena, que ha supuesto la puntilla a un estrés al que se le ha venido sometiendo antes de su primera protección legal[51], mediante actividades que han producido históricamente impactos negativos en este ecosistema de gran valor, bien fuesen urbano-turísticas, de vertidos mineros, náuticos, etc. Presiones de las que hasta ahora el ecosistema había mostrado resiliencia y capacidad de recuperación.

Lo que más ha sorprendido a la población —no así a la comunidad científica, asociaciones de defensa de la naturaleza y personal funcionario comprometido con la conservación de este espacio hace décadas— es que, pese a las figuras de protección reconocidas, el Mar Menor haya sido víctima de una agresión semejante, que ha llegado incluso a ser considerada como un ejemplo de "ecocidio[52]". Se dispone de un diagnóstico realizado en los últimos años sobre los errores jurídico-políticos cometidos[53], la tolerancia fruto de un insuficiente ejercicio de la potestad inspectora y sancionadora en materia de nitratos producidos por actividades agropecuarias alrededor de la

---

aguilas/agricultores-ecologistas-escenifican-20180722133855-nt.html (último acceso: 31 de agosto de 2022).

[51]   Ley 3/1987, de 23 de abril, de Protección y Armonización de Usos del Mar Menor. Para un conocimiento de todas las figuras de protección de la laguna costera y de avatares en la planificación de las mismas vid. SALAZAR ORTUÑO, E., *El Mar Menor, colmado de protección legal: apuntes sobre el régimen jurídico de la laguna*, en https://pactoporelmarmenor.blogspot.com/p/el-mar-menor-colmado-de-proteccion.html (último acceso: 31 de agosto de 2022).

[52]   La pérdida temporal del ochenta por ciento de su flora sumergida, las repetidas mortandades masivas de fauna en 2019 y 2021, han justificado la consideración de lo ocurrido en el Mar Menor como un *ecocidio*, figura jurídica propuesta a la Corte Penal Internacional (https://stopecocidio.org/blog/ecocidio-en-el-mar-menor; último acceso: 31 de agosto de 2022).

[53]   SORO MATEO, B., *"Los errores jurídico-políticos en torno al Mar Menor"*. Observatorio de Políticas Ambientales, CIEMAT, 2017, pp. 1023-1068.

laguna[54] y el descontrol hídrico en su cuenca[55]. Se ha desplegado una actividad judicial destinada a la aplicación de las normas vigentes en materia administrativa y al enjuiciamiento criminal de hechos cometidos por determinadas autoridades y empresas agrícolas acusadas en la macro-causa conocida como *Caso Topillo*[56]. Pese a ello, no se dispone de soluciones jurídicas y técnicas a corto plazo para revertir la situación de colapso por la presencia de nitratos en el acuífero y por las escorrentías que aún se producen desde la cuenca, y que se acrecientan en períodos de lluvias. Pese a la aprobación de legislación específica regional, especialmente la Ley 3/2020, de 27 de julio, de Recuperación y Protección del Mar Menor, escasamente desarrollada, a nuestro juicio, la aplicación efectiva del Derecho europeo de la biodiversidad para prevenir los impactos de las actividades en torno a las ZEC del Mar Menor, puede ser un pivote desde el que replantear la preservación de este espacio, limitando aquellos proyectos, obras o actividades que puedan frustrar los objetivos de conservación, y que éstos no sigan siendo papel mojado. Por otro lado, la necesidad de valorar el daño al ecosistema de la laguna costera (incluyendo los servicios ecosistémicos[57]) y de establecer mecanismos de reparación y restauración de conformidad con la Ley 26/2007, de Responsabilidad Medioambiental, imputando a operadores concretos, compete a la Administración autonómica, como ha sido establecido por los Tribunales[58]. Así mismo, el dictamen de la Comisión de Peticiones del Parlamento Europeo pendiente de ser aprobado puede ser un acicate para el empleo de tales normas europeas.

[54] MUÑOZ AMOR, M., "*¿Terminará convirtiéndose el problema del Mar Menor en otro "Algarrobico"? Estado de la cuestión*". Revista de Derecho Urbanístico y Medio Ambiente, núm. 350, 2021, pp. 125-163.
[55] Ver informe de la asociación Greenpeace España, en https://es.greenpeace.org/es/noticias/el-agua-que-mato-al-mar-menor/(último acceso: 31 de agosto de 2022).
[56] Ver SALAZAR ORTUÑO, E., *Crónica de la jurisprudencia ambiental en la Región de Murcia*, Revista Catalana de Dret Ambiental, Vol. 12 Núm. 1, 2021.
[57] BENEDICTO ALBALADEJO, J., *Servicios ecosistémicos y el Mar Menor*, en https://pactoporelmarmenor.blogspot.com/p/servicios-ecosistemicos-del-mar-menor.html (último acceso: 31 de agosto de 2022).
[58] Sentencia de la Sala de lo Contencioso-Administrativo del Tribunal Superior de Justicia de la Región de Murcia, 67/2022, de 10 de marzo (Ponente: Uris Lloret, María Consuelo).

Mientras tanto, gran parte de la sociedad murciana ha abogado por un cambio de paradigma en la consideración del ecosistema del Mar Menor como ente con personalidad jurídica y derechos propios, dentro del movimiento mundial de los *Derechos de la Naturaleza*[59] y ha conseguido mediante 640.000 firmas que se tramite y apruebe en el Congreso de los Diputados una Iniciativa Legislativa Popular de ámbito estatal, pionera en Europa. La futura Ley, pendiente en el momento de escribir estas líneas de su aprobación por parte del Senado, no sólo creará un nuevo orden en la ponderación de los derechos y deberes de los particulares y las Administraciones en relación con los derechos propios del Mar Menor, sino que incrementará la participación ciudadana y el acceso a la justicia para la defensa de tales derechos, lo que sin duda redundará en un beneficio para la biodiversidad presente en los ecosistemas asociados a la laguna costera[60].

V. CONCLUSIONES

Tras la exposición de las ralentizadas y accidentadas políticas de protección de la biodiversidad en la Región de Murcia, y partiendo además de los objetivos, del cronograma y la evaluación contenidas en la Estrategia Regional de Biodiversidad aprobada en 2003, puede concluirse que:

En la Comunidad Autónoma de la Región de Murcia se sentaron bases jurídicas suficientes para una adecuada conservación y uso sostenible de la diversidad biológica presente en su territorio. Si bien la actualización y renovación de dichas bases jurídicas no ha sido satisfactoria y hubiera sido deseable contar con una Ley de Conservación de la Naturaleza o de la Biodiversidad Regional adaptada a los com-

---

[59]   Reconocido en un programa específico de la Organización de las Naciones Unidas —*Harmony with Nature* (http://www.harmonywithnatureun.org)— que en su última Resolución del Secretario de la Asamblea General (RES A/77/244), menciona el ejemplo del Mar Menor y "los valientes esfuerzos de la sociedad civil de Murcia".

[60]   VICENTE GIMÉNEZ, T. y SALAZAR ORTUÑO, E., *"La Iniciativa Legislativa Popular para el reconocimiento de personalidad jurídica y derechos propios al Mar Menor y su cuenca"*, Revista Catalana de Dret Ambiental, Vol. 13 Núm. 1, 2022.

promisos internacionales, europeos y estatales más modernos, tal y como fue el compromiso en la Estrategia Regional de Biodiversidad. Tampoco se han aprobado los instrumentos de aplicación (Planes de Acción y Directrices en los diferentes sectores afectados) contenidos en la Estrategia Regional para la conservación y el uso sostenible de la diversidad biológica aprobada, ni se ha evaluado el cumplimiento de la misma mediante los indicadores de biodiversidad incluidos en aquélla.

El retraso en la finalización del procedimiento planificador, esencialmente mediante la figura de los Planes de Ordenación de los Recursos Naturales y los Planes Rectores de Uso y Gestión de la Red autonómica de los Espacios Naturales Protegidos, supone una deficiencia inasumible para la efectiva gestión de determinados territorios en los que están presentes conflictos con propietarios, obras o actividades con impactos negativos para la biodiversidad, como ha quedado explicitado en los casos expuestos. Los plazos previstos en la Estrategia Regional de Biodiversidad auguraban la aprobación de todos los PORN iniciados para fines de 2004 y para los PRUG antes del final de 2007, iniciándose entonces la elaboración de los Planes de Actuación Socioeconómica (PAS) antes de final de 2012. Todo ello sin tener en cuenta el compromiso de elaborar un Plan Director de la Red Regional de Áreas Protegidas en 2004.

El retraso en la planificación y adopción de medidas de gestión efectivas en todos los espacios naturales integrados en la Red Natura 2000, no favorece la protección de la biodiversidad asociada a los mismos. El plazo comprometido en la Estrategia Regional de Biodiversidad para todos los Planes de Gestión preveía que la aprobación fuera antes de 2006.

El infradesarrollo de figuras como las Áreas de Protección de la Fauna Silvestre dificulta la protección de hábitats, fauna y flora de interés regional.

Existe, pues, una apariencia o vestimenta de políticas de biodiversidad que realmente oculta la desnudez y el abandono de un planteamiento estratégico e integrado, así como impide una gestión efectiva de los recursos naturales, salvo en concretos espacios naturales protegidos.

La presión social ejercida por grupos de defensa de la naturaleza, ciudadanía y comunidad científica ha permitido salvar muchos lugares merecedores de protección y ha invocado en ocasiones la intervención de las autoridades judiciales ante el panorama de interinidad e inseguridad jurídica generado por la Administración en relación con los espacios naturales protegidos y la tolerancia en los mismos o su entorno de actividades que ponen riesgo la conservación de los recursos naturales protegidos, desactivándose además los controles jurídicos. La integración de las normas de gestión de los espacios naturales protegidos en la ordenación territorial con carácter prevalente, debe servir de garantía para evitar cualquier futuro desmán urbanístico o industrial que se proponga, en contra de los usos que deben darse en torno a los ecosistemas regionales más preciados.

Es precisa la reestructuración de la Administración ambiental competente en el Medio Natural de forma que se garantice una sólida protección de los espacios naturales protegidos a través de las herramientas jurídicas disponibles (planes de gestión, evaluación de repercusiones *Red Natura 2000*, protección cautelar de espacios declarados, inspección y vigilancia de conductas con impacto negativo en la biodiversidad, etc.), no sólo para recuperar la credibilidad en la gestión ambiental de cara a la ciudadanía, sino para atajar aquellas actividades más agresivas con la naturaleza.

BIBLIOGRAFÍA

ÁLVAREZ CARREÑO, S. M., *"El régimen jurídico en los procedimiento ambientales en la Región de Murcia: consideraciones críticas"*, Revista Catalana de Dret Ambiental, Vol. 3 Núm. 2, 2012.

ÁLVAREZ CARREÑO, S. M., PÉREZ DE LOS COBOS HERNÁNDEZ, E. y SALAZAR ORTUÑO, E. *Crónicas de legislación ambiental en la Región de Murcia*, Revista Catalana de Dret Ambiental, desde 2010 hasta la actualidad.

BARAZA MARTÍNEZ, F. y DIEZ DE REVENGA MARTÍNEZ, E., Dirección General de Medio Natural. Consejería de Agricultura, Agua y Medio Ambiente de la Región de Murcia. *Estrategia Regional para la Conservación y el Uso de la Diversidad Biológica*, 2003.

GARCÍA URETA, A. *Derecho europeo de la Biodiversidad. Aves silvestres, hábitats y especies de flora y fauna*. Iustel, 2010.

MUÑOZ AMOR, M., *"¿Terminará convirtiéndose el problema del Mar Menor en otro "Algarrobico"? Estado de la cuestión"*. Revista de Derecho Urbanístico y Medio Ambiente, núm. 350, 2021, pp. 125-163.

ORTIZ GARCÍA, M., "La red de áreas marinas protegidas de España en la protección del medio marino", en ARANA GARCÍA, E. y SANZ LARRUGA, FJ (Directores), *La ordenación jurídica del medio marino en España*, Civitas, 2012, pp. 333-380.

SALAZAR ORTUÑO, E., *Crónica de la jurisprudencia ambiental en la Región de Murcia*, Revista Catalana de Dret Ambiental, desde 2010 hasta la actualidad.

SORO MATEO, B., "Diagnóstico sobre la situación jurídica de los espacios naturales en la Región de Murcia", en ESTEVE SELMA, M. A., MARTÍNEZ PAZ, J. M. y SORO MATEO, B. (coord.), *Análisis ecológico, económico y jurídico de la Red de Espacios Naturales en la Región de Murcia*, EDITUM, 2012.

SORO MATEO, B., *"Los errores jurídico-políticos en torno al Mar Menor"*. Observatorio de Políticas Ambientales, CIEMAT, 2017, pp. 1023-1068.

VALENCIA MARTÍN, G. "¿De quién es el mar?: La distribución de competencias entre el Estado y las Comunidades Autónomas en materia de medio marino", en SOSA WAGNER (Coord.): *El derecho administrativo en el umbral del siglo XXI. Homenaje al Prof. Dr. Ramón Martín Mateo*, Tirant lo Blanch, 2000, pp. 3590 y ss.

VICENTE GIMÉNEZ, T. y SALAZAR ORTUÑO, E., *"La Iniciativa Legislativa Popular para el reconocimiento de personalidad jurídica y derechos propios al Mar Menor y su cuenca"*, Revista Catalana de Dret Ambiental, Vol. 13 Núm. 1, 2022.

Capítulo 8

Mar Menor y límites planetarios: análisis ecocriminológico frente al colapso de ecosistemas acuáticos[*]

ESTEBAN MORELLE-HUNGRÍA
Profesor Contratado Doctor (acreditado) de Derecho Penal y Criminología
Universitat Jaume I

I. INTRODUCCIÓN

La cuestión de este artículo es analizar la posibilidad de que atendiendo a los límites planetarios planteados por STEFFEN y otros[1] puedan darse situaciones de tal complejidad que pueda producirse un colapso de determinados ecosistemas[2]. En especial de aquellos que, la especie humana, ha reconvertido o transformado su dinámica natural atendiendo, casi en exclusiva, al interés propio. No es una cuestión baladí, pues atendiendo a la complejidad de esta cuestión nos introduciremos en un análisis desde la ecocriminología[3] para poder configu-

---

[*] Trabajo realizado dentro del proyecto UJI B2021-41, "Respuestas legales de carácter sancionador frente al cambio climático como riesgo a la seguridad nacional." Universitat Jaume I.
[1] STEFFEN, Will, *et al.* Planetary boundaries: Guiding human development on a changing planet. *science*, 2015, 347.6223: 1259855, también en su artículo inicial Rockström y otros analizan esta cuestión. ROCKSTRÖM, Johan, *et al.* Planetary boundaries: exploring the safe operating space for humanity. *Ecology and society*, 2009, 14.2.
[2] Tal como sostiene WWF al analizar el caso de la sobrepesca del bacalao en 1989, donde apunta a un colapso de esta actividad y la identifica como un punto de inflexión. FUND, W. W. Living Planet: Report 2016: Risk and Resilience in a New Era. *World Wide Fund for Nature: Gland, Switzerland*, 2016.
[3] Buscar una única definición de este concepto no es tarea fácil pues cada día van surgiendo nuevas evidencias metodológicas que nos permiten modificar esta acepción. Desde este planteamiento transformador en un mundo global y complejo, podemos definirla como aquella perspectiva criminológica, englobada dentro de las criminologías críticas y a su vez en la Criminología verde que, uti-

rar una respuesta que alcance un mínimo de rigor y pueda contribuir a la mejora de los instrumentos de prevención y protección.

La metodología empleada en el presente, a tenor de la perspectiva utilizada —ecocriminología— utiliza la intersección de determinadas áreas de conocimiento que tienen en la protección ambiental un punto de unión[4]. Por ello se plantean los límites que, hoy en día, se han detectado para el planeta —cuantificados o no— y analizaremos su impacto sobre un ecosistema tan vulnerable como es la laguna salada costera denominada Mar Menor. Para introducir al lector en esta compleja problemática se realiza una búsqueda en bases de datos que, desde 2008 hasta la actualidad, han analizado alguno de los límites antes aludidos seleccionando aquellos estudios que estudian los impactos que pueden inferirse de las consecuencias derivadas de la problemática por este ecosistema de gran valor para el territorio. Asimismo, atendiendo a la perspectiva ecosistémica que la ecocriminología nos permite realizar, señalaremos aquellos daños ambientales directos e indirectos que pueden detectarse pues este primer paso será necesario para introducir mejoras significativas en los instrumentos de protección ambiental que se puedan configurar. No podemos obviar el carácter esencial de una parte de esta perspectiva verde, la victimología, pues en este caso tenemos víctimas potenciales dentro de los ecosistemas afectados. Esta cuestión también es abordada por esta perspectiva que nos permitirá abordar de forma holística una visión sobre el daño ambiental generado por nuestra especie sobre estos

---

lizando metodologías de otras áreas de conocimiento permite analizar y estudiar el daño ambiental generado por la especie humana de tal forma que no solo atendemos a los daños cuantificados y que afectan de forma directa a la especie humana. Se utiliza una perspectiva ecosistémica y con un posicionamiento ecocéntrico para poder analizar de forma holística el impacto de una determinada actividad sobre los ecosistemas y sus integrantes. Véase MORELLE-HUNGRIA, Esteban. Ecocriminología, la necesaria visión ecosistémica en el siglo XXI. *Revista Electrónica de Criminología*, 03-02, 1-14. 2020. POTTER, G. R. "Criminología verde como ecocriminología: el desarrollo de una ciencia social del crimen ecológicamente informada". En GOYES, MOL, SOUTH y BRISMAN (Ed.) *Introducción a la Criminología Verde: Conceptos para la comprensión de los conflictos socioambientales.* Bogotá: Universidad Antonio Nariño. 2017.

[4]   MORELLE-HUNGRIA, Esteban. Ecocriminología, la necesaria visión ecosistémica en el siglo XXI. *Revista Electrónica de Criminología*, 03-02, p. 8, 2020.

ecosistemas[5]. Las potenciales víctimas se consideran los ecosistemas en su conjunto, pues se aplica una perspectiva denominada ecojusticia y comprende que los humanos están inmersos en los ecosistemas y, por lo tanto, forman una parte del mismo. Tampoco podemos obviar que a partir de las relaciones existentes entre las especies que en ellos conviven podrán darse afecciones directas o indirectas, afectando al equilibrio de este complejo sistema[6].

II. EL MAR MENOR: UNA ALBUFERA EN PELIGRO

El Mar Menor es una albufera de algo más de 130 km2 de superficie y de máximo 7 m de profundidad, está entre las mayores lagunas del Mediterráneo de la que está separada por formaciones rocosas y dunares que superan los 20 km de longitud, conocida con la denominación de "La Manga". Se trata de un sistema biológico de gran importancia pues, las propiedades que presentan las lagunas costeras permiten que sean consideradas ecosistemas muy productivos biológicamente, aparte de los servicios ecosistémicos y culturales[7]. Durante el paso del tiempo los usos antrópicos que se han venido generando han ido transformando el curso natural de este importante sistema. De esta forma se ha ido sobrecargando el sistema con nutrientes generados por las actividades humanas[8], principalmente de-

---

[5] El daño ambiental antrópico no ha sido objeto de estudio con especial interés hasta hace apenas unos años, tal como sugieren algunos autores, bien se ha ignorado o trivializado y legalizado, no obstante, no podemos obviar que existen víctimas potenciales que desde la ecocriminología se encargan de estudiar. HALL, M. Victims of environmental harm: rights, recognition and redress under national and international Law. London: Routledge. 2013. WHITE, R. and HECKENBERG, D. *Green Criminology: an introduction to the study of environmental harm.* London: Routledge, p. 40. 2014.

[6] WHITE, R. Environmental harm: an eco-justice perspective. Bristol: Policy Press. 2013. WHITE, R. Climate change Criminoogy. Bristol: Policy Press. 2020.

[7] PÉREZ-RUZAFA, A., MARCOS, C. & GILABERT, J. The ecology of the Mar Menor coastal lagoon: a fast-changing ecosystem under human pressure. En: Gönenç, I. E. & Wolflin, J. P. (Eds.), Coastal Lagoons: Ecosystem Processes and Modeling for Sustainable Use and Development. CRC Press, Boca Ratón, Florida: 392-422. 2005.

[8] RUIZ, J. M.; ALBENTOSA, M.; ALDEGUER, B.; ÁLVAREZ-ROGEL, J.; BELANDO, M. D.; BERNARDEU, J., CAMPILLO, J. A.; DOMINGUEZ, J. F.; FERRERA, I.; FRAILE-NUEZ, E.; GARCÍA, R.; GÓMEZ-BALLESTEROS, M.;

rivados de nitratos, fosfatos y amonio procedentes mayoritariamente de la actividad agrícola que han propiciado la transformación de un sistema oligotrófico a otro eutrófico[9]. En el año 2016 estas aguas experimentaron ese cambio drástico que se activó como se ha indicado por una sobrecarga de nutrientes que ocasionó lo que se conoce como "sopa verde" lo cual afectó a las praderas de fanerógamas existentes en ese ecosistema, este hecho propició una situación de colapso del ecosistema habida cuenta de la situación generada: una elevada concentración de algas unicelulares que favorecía la generación de un manto que actuaba de filtro frente a la luz solar que ocasionó una disminución de las concentraciones de oxígeno y ello finalizó con la muerte de especies de este hábitat, por ello se concibe como el colapso del sistema[10]. Pero no se quedan ahí las presiones ejercidas por nuestra especie, pues a lo anterior debemos sumar otras situaciones como los fenómenos meteorológicos adversos como las lluvias torrenciales de 2019 donde se detectó una elevada mortandad de determinadas especies. Además las actividades vinculadas al turismo y al ocio también se sitúan como generadoras de situaciones de riesgo para los ecosistemas acuáticos, la turbidez de las aguas, así como el ruido generado también afectarán a la situación generada. Otra cuestión de gran interés en este caso se sitúa sobre los fondeos de las embarcaciones, incluso estando prohibida su práctica por la legislación autonómica[11], se detectan prácticas que ponen en peligro al propio ecosistema

GÓMEZ, F.; GONZÁLEZ-BARBERÁ, G.; GÓMEZ JAKOBSEN, F.; LEÓN V. M.; LÓPEZ-PASCUAL, C.; MARÍN-GUIRAO, L.; MARTÍENZ-GÓMEZ, C.; MERCADO, J. M.; NEBOT, E.; RAMOS, A.; RUBIO, E.; SANTOS, J.; SANTOS, F.; VÁZQUEZ-LUIS, M.; YEBRA, L. Informe de evolución y estado actual del Mar Menor en relación al proceso de eutrofización y sus causas. Informe de asesoramiento técnico del Instituto Español de Oceanografía (IEO), pp. 165. 2020.

[9]   Eutrofización. *(nom. f.)* Proceso por el que los nitratos abonan las algas y el fitoplancton, que se reproducen de forma descontrolada, impidiendo que la luz llegue al fondo. El agua se torna verdosa y la pradera marina muere.

[10] GUAITA-GARCÍA, Noelia. Evaluación integrada de sostenibilidad en un sistema socioecológico complejo del litoral mediterráneo mediante un proceso de investigación inter y transdisciplinar. Tesis Doctoral: Universidad de Alcalá. 2021.

[11] Véase artículo 66.1 de la Ley 3/2020, de 27 de julio, de recuperación y protección del Mar Menor que prohíbe estas prácticas en determinadas situaciones y otros sistemas de gestión en aras de mejorar la capacidad de este ecosistema. https://www.boe.es/eli/es-mc/l/2020/07/27/3.

al colocar muertos para el fondeo o bien el arrastre de las anclas que puede suponer un riesgo grave para algunas de las especies catalogadas como especie de interés o protegidas a nivel internacional[12].

La situación actual tras estos episodios derivados de la actividad antrópica es desoladora. En el Mar Menor los equilibrios existentes se han visto alterados e inclusive desestabilizados, lo que explica que la degradación de este ecosistema esté en una situación de extrema gravedad[13].

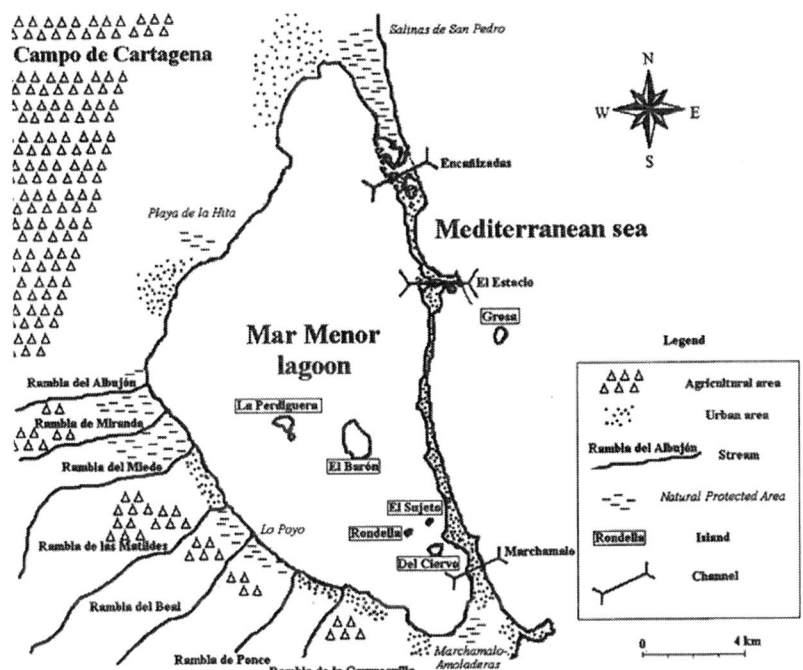

Fuente: Conesa y Jiménez-Cárceles (2007).

12   MORELLE-HUNGRÍA, Esteban. Posidonia oceánica: destrucción por fondeos y su concepción como delito ambiental en las Illes Balears. *Actualidad Jurídica Ambiental*, 78. 2018.

13   La problemática actual puede analizarse de la síntesis efectuada por el Ministerio para la Transición Ecológica y el reto demográfico, consultado en https://www.miteco.gob.es/es/ministerio/planes-estrategias/mar-menor/problematica-actual.aspx el 3 de septiembre de 2022.

III. LÍMITES PLANETARIOS Y LA BÚSQUEDA DEL EQUILIBRIO DESEADO

Las presiones antrópicas ejercidas sobre los ecosistemas no es una problemática nueva ya que todos los ecosistemas tienen la capacidad de soportar presiones, pero como los estudios científicos han demostrado, todo tiene un límite[14]. Hacer frente a las situaciones que en el plano ambiental se han generado en el Mar Menor será posible con medidas integrales que se acompañen de infraestructuras. Asimismo, será una piedra angular —desde nuestro posicionamiento— atender a los límites que los diferentes ecosistemas presentan, el planeta está compuesto de todos los ecosistemas que conforman la biosfera y por ello se precisan de mecanismos normativos eficaces y eficientes para hacer frente a esta situación. Contar con códigos deontológicos y una planificación y ordenación del litoral que contemplen estos límites que el planeta puede soportar, incrementará la eficacia de los instrumentos configurados para hacer frente, de otra forma, a la desaparición de especies y ecosistemas, el desequilibrio en los ciclos biogeoquímicos de esta zona, serán una evidencia para la ecocriminología de la existencia del daño ambiental y sistemático generado por nuestra especie.

Hace algo más de una década, un grupo de científicos liderados por ROCKSTRÖM, STEFFEN Y NOON (2009) establecieron las limitaciones que el planeta en su conjunto podría tener. Demostraron la existencia de nueve límites, donde aparecían siete de ellos cuantificados y con un valor umbral que permitía reconocer la zona de incertidumbre que en caso de sobrepasar este límite nos adentrábamos en los conocidos como puntos de no retorno. Estos puntos suponían un verdadero problema a la hora de garantizar la estabilidad de los ecosistemas y sus integrantes, incluida nuestra

---

[14] En este sentido FOLKE (2013, p. 53) aborda las limitaciones planteadas por la comunidad científica para el planeta, donde pone de manifiesto la existencia a nivel macro de umbrales críticos que en caso de sobrepasar situarían al planeta en una zona de incertidumbre. Es interesante este posicionamiento ya que lo realiza atendiendo a un claro enfoque ecosistémico, con el conocimiento de la existencia de zonas que pueden suponer un peligro para el equilibrio del planeta. FOLKE, Carl; WORLDWATCH INSTITUTE. Respetar los límites del planeta y recuperar la conexión con la biosfera. *Worldwatch Institute, The State of the World*, 2013.

propia especie. Como ya hemos planteado, nuestra perspectiva eco-sistémica que dentro de la ecocriminología se contempla, permite que los daños generados y que según este estudio pionero detectó también permitan afectar a otros límites, por la interconexión existente entre estos límites[15].

El cambio climático, se sitúa como el primero de estos límites que fueron cuantificados y que han sido traspasados, el valor umbral establecido por ROCKSTRÖM y otros (2009) se situaba en 350 ppm, siendo sobrepasados los 400 ppm en la actualidad[16]. Este límite está relacionado con el modelo económico implantado y desarrollado en la actualidad pues las emisiones están vinculadas al uso de los combustibles fósiles lo que atendiendo a la escalada en el uso de estos recursos finitos, los daños ambientales generados sobre los ecosistemas son de gran impacto a nivel global. Asimismo, debemos tener en cuenta que tal como afirma WHITE (2020, p. 107) la explotación de los recursos naturales es un negocio que genera un gran patrimonio y en consecuencia se vinculan a este sector una gran diversidad de complejos intereses movidos, principalmente, por cuestiones económicas[17]. De esta forma se puede desprender como una de las principales problemáticas para poder establecer mecanismos frente a estas prácticas deben de incorporar un cambio de modelo hacia la descarbonización.

El segundo de los límites planteados se concentra sobre la biodiversidad del planeta, otro de los valores que se han traspasado, de las diez especies por millón/año (ROCKSTRÖM y otros, 2009) frente a las cien millones de especie por millón/año[18]. En tercer lugar, la concentración de ozono estratosférico, el cual se trata del único valor

---

15   ROCKSTRÖM J. y otros. Breaking boundaries. Documental de Clay, John. Net-flix. Visionado el 2 de julio de 2022. ROCKSTRÖM, J. *et al*. A safe operating space for humanity. *Nature*, 461, 472-475. 2009.

16   Durante este año 2022, se han ido sobrepasando valores récord en los registros de partículas de dióxido de carbono (CO_2), alcanzando los 421 ppm, niveles que no se registraban desde hace millones de años. Consultado en https://www.elsaltodiario.com/cambio-climatico/atmosfera-alcanza-421-ppm-co2-niveles-4millones-anos.

17   WHITE, R. Climate change Criminoogy. Bristol: Policy Press. 2020.

18   BERNAT, P. Criminología verde y límites planetarios: el impacto del cambio climático en la criminología. Trabajo Final de Grado. 2022. Universitat Jaume I, p. 25.

que se han registrado tendencias de descenso derivado principalmente, por los instrumentos normativos que desde 1989 se vieron activados con la detección del agujero de la capa de ozono y que derivó en un movimiento social de gran impacto, aprobándose por ejemplo, el Protocolo de Kyoto (1997)[19] o el Acuerdo de París (2015)[20], asimismo se introdujeron por parte de los medios de control social formal mecanismos que priorizaron el cambio de los emisores de los principales gases de efecto invernadero y que perjudicaban gravemente a la capa de ozono, como fue la aprobación del Protocolo de Montreal (1987)[21].

La acidificación de mares y océanos se encuentra también entre estos límites planteados por la comunidad científica, donde se puede observar ese carácter ecosistémico de interconexión entre unos límites y otros. En este caso las concentraciones de dióxido de carbono (vinculadas al límite del cambio climático) pueden llegar a depositarse en el gran manto azul del planeta Tierra. Este problema, plantea uno de los mayores retos que según nuestro parecer podrá afrontar el planeta en su conjunto, al no poder olvidar que ese manto azul es el componente mayoritario existente en el planeta y que, además, alberga a la mayoría de las especies existentes en el mismo. La transformación química de mares y océanos puede repercutir de forma directa sobre la biodiversidad existente en estos ecosistemas, siendo este un nuevo ejemplo de la interconexión de estos límites. En este sentido, especies marinas como las praderas de posidonia oceánica del Mediterráneo, que pueden ser un gran aliado para hacer frente al calentamiento global al actuar como sumidero de dióxido de carbono, pueden ser una

---

[19]   Consultado en https://unfccc.int/es/kyoto_protocol el 30 de julio de 2022.
[20]   Consultado en https://unfccc.int/es/process-and-meetings/the-paris-agreement/el-acuerdo-de-paris el 2 de agosto de 2022.
[21]   Sin duda fue el instrumento que permitió ese cambio necesario para poder revertir la situación detectada en aquel momento. 88/540/CEE: Decisión del Consejo de 14 de octubre de 1988 relativa a la celebración del Convenio de Viena para la protección de la capa de ozono y del Protocolo de Montreal relativo a las sustancias que agotan la capa de ozono. Protocolo de Montreal relativo a las sustancias que agotan la capa de ozono - Declaración de la Comunidad Económica Europea. Consultado en https://eur-lex.europa.eu/legal-content/ES/TXT/HTML/?uri=LEGISSUM:4413653 el 2 de agosto de 2022.

víctima de este límite establecido por la ciencia[22]. Para hacer frente a este límite serán necesarios mecanismos que permitan un cambio en el modelo agrícola establecido, pasando de sistemas extensivos a modelos tradicionales, al haberse determinado que el uso de fertilizantes es uno de los compuestos que contribuyen a la acidificación marina[23].

En el medio acuático también se ha configurado otra limitación, en este caso por el uso del agua dulce existente en el planeta, una cuestión de gran importancia pues es una fuente limitada y fundamental. En este sentido debemos atender a una cuestión básica para comprender este valor, se trata del ciclo del agua, pues es la base del funcionamiento hídrico para gran parte de los ecosistemas. Tal como afirma ROSEGRANT, RINGLER y ZHU (2009) el cambio climático y el calentamiento global incide sobre los cambios climatológicos generando cambios en las precipitaciones, de hecho, en la actualidad, somos testigos de esta gran variabilidad de periodos de sequía y grandes precipitaciones que generan daños sobre actividades antrópicas. Actualmente este límite fue fijado inicialmente por ROCKSTRÖM y otros. (2009) en 4000 km3, se ha visto traspasado pues únicamente se habían utilizado valores para su cálculo mediante la denominada agua azul y por el contrario, en esta nueva investigación incluyen en estos análisis la denominada agua verde —el agua disponible para la vegetación-[24].

Como se observa, hasta el momento, los diferentes límites planteados se encuentran interconectados, bien de forma directa o indirecta, lo mismo sucede con la transformación de los usos a nivel freático, conocido como usos del suelo. La agricultura extensiva ha transformado una parte de la superficie terrestre donde la deforestación es una de las actividades vinculadas a este sector. A modo de ejemplo, podemos citar el caso de la selva amazónica, donde las prácticas implementadas basadas en modelos mecanizados de agricultura han supuesto una degradación directa de los bosques, gene-

---

[22]   *Ibídem nota 11.*
[23]   Ibídem nota 16, p. 29.
[24]   WANG-ERLANDSSON, Lan, *et al.* A planetary boundary for green water. *Nature Reviews Earth & Environment*, 2022, 1-13.

rando una amenaza sobre la biodiversidad de la zona[25]. Esta cuestión está directamente relacionada con la capacidad de los bosques de hacer frente a las emisiones de dióxido de carbono, por el papel de sumideros de este componente de la selva amazónica, siendo una evidencia más de la importancia de conocer los límites del planeta en aras de garantizar una respuesta eficaz frente a las actividades precursoras de incrementar estos límites.

Los ciclos químicos de componentes esenciales: nitrógeno y fósforo. Se trata de dos componentes esenciales para la vida, asimismo está relacionado con otros ya comentados, como el uso del suelo, al ser básicos en la composición de fertilizantes. Estos límites fueron cuantificados por el equipo de ROCKSTRÖM, en 62 tg/año para el nitrógeno y 6,2 tg/año en el caso del fósforo, siendo sobrepasados desde hace tiempo, superando 150 tg y 14 tg al año respectivamente. Este será una de las cuestiones básicas en el entendimiento del caso que nos ocupa, al ser detectada como una actividad precursora de la situación de eutrofización del Mar Menor, debido a que parte de los fertilizantes empleados se detectan en zonas acuáticas[26].

En unión a los anteriores, debemos señalar otro de los componentes contaminantes, vinculados a ese modelo económico industrial implantado y sostenido por la propia humanidad, las nuevas entidades. Se trata de un viejo ya conocido contaminante, pues nadie concibe en pleno siglo XXI una vida sin el compuesto estrella, el plástico. Pese a ello, conscientes del riesgo y la amenaza que supone este para el planeta en su conjunto, se han incrementado las medidas, al incorporar, por ejemplo, limitaciones en el uso del plástico. La cuantificación de este límite todavía no se ha efectuado pero la comunidad científica ha evidenciado el gran impacto que supone

---

[25]   NUNES, Cássio Alencar, *et al.* Linking land-use and land-cover transitions to their ecological impact in the Amazon. *Proceedings of the National Academy of Sciences*, 2022, 119.27: e2202310119.

[26]   BENNET, E. M.; CARPENTER, S. R.; y CARACO, N. F. Human impact on erodable phosphorus and eutrophication: a global perspective increasing accumulation of phosphorus in soil threatens rivers, lakes, and coastal oceans with eutrophication. *BioScience*, 51(3), pp. 227-234. 2001.

este tipo de producción para la integridad del planeta, afectando a diversos ecosistemas[27].

Otra de las novedades todavía sin cuantificar y vinculadas a este último, son las partículas generadas y emitidas a la atmósfera por aerosoles. Se trata de un compuesto de partículas generadas en un medio gaseoso de un tamaño muy reducido, entre 0.002 y 100 micrómetros con una característica muy perjudicial, la rápida velocidad de propagación, al poder ser transportadas a grandes distancias de donde han sido emitidos[28].

A modo de conclusión podemos observar cómo los límites establecidos inicialmente se han venido actualizando con los recientes estudios científicos publicados, de tal forma que cinco de los ocho límites planetarios establecidos se encuentran sobrepasados y uno sin cuantificar (las partículas atmosféricas emitidas por aerosoles). En cuanto a la acidificación de océanos se encuentra al borde de ser sobrepasado el valor umbral establecido por la ciencia. No obstante, no podemos obviar la gran complejidad de estos estudios y que nos indican que existen variables que permiten considerar la existencia de incertidumbres que, gracias a la ciencia puede ser actualizada, tal como se ha visto con el límite para el agua dulce.

[27] PERSSON, L.; CARNEY-ALMROTH, B. M.; COLLINS, C. D.; CORNELL, S.; DE WIT, C. A.; DIAMOND, M. L.; FANTKE, P.; HASSELLOV, M.; McLEOD, M.; RYBERG, M. W.; SOGAARD JORGENSEN, P.; VILLARUBIA-GÓMEZ, P.; WANG, Z.; y ZWICKY-HAUSCHILD. Outside the safe operating space of the planetary boundary for novel entities. *Environmental science & technology*, 2022, 56.3: 1510-1521.

[28] HINDS, W. C. Aerosol technology: proprieties, behavior, and measurement of airborne particles. John Wiley and Sons. 1999. OLMEDA, C. T. Los aerosoles atmosféricos y su influencia en la península ibérica. Manual formative de ACTA, 48. 9-20. 2008.

234

Updated Planetary Boundaries. Figure designed by Azote
for Stockholm Resilience Centre, based on analysis in Wang-
Erlandsson, 2022, Persson, 2022 and Steffen, 2015

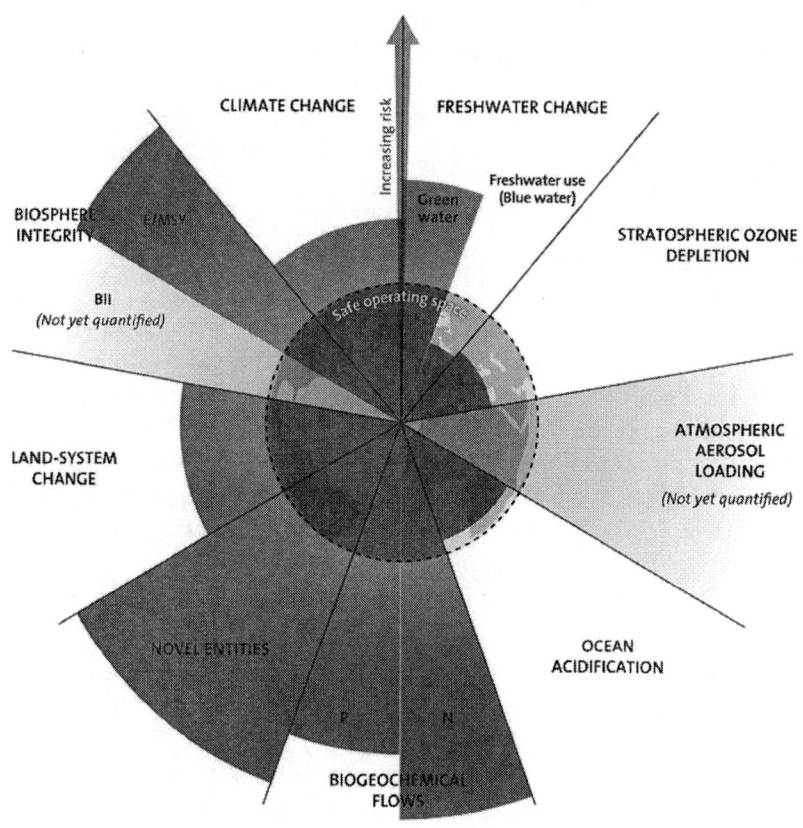

IV. LA CONCEPCIÓN DEL COLAPSO

Los riesgos asociados a las actividades humanas en el Mar Menor
han ido sobreponiéndose lo que ha derivado en un efecto acumulativo
de las consecuencias que se han generado sobre estos ecosistemas. No
se trata de una única causa —pero no todas contribuyen proporcio-
nalmente—, como bien indican los estudios recientes sobre el análisis

del Mar Menor se trata de diferentes causas y, esta concatenación de sucesos culminó —entre otros— con el cambio de secano a regadío del régimen agrícola, lo que originó un impacto significativo al generar un proceso denominado de eutrofización.

Como se ha indicado, estas albuferas son biológicamente activas y muy diversas, pero también son especialmente sensibles a procesos como la eutrofización. Se puede producir un proceso desequilibrio en el balance de oxígeno que puede derivar en la gran afección sobre los ecosistemas o sus integrantes y, asimismo, puede producir un gran impacto sobre el propio ecosistema al pasar a un estado de anoxia desde un sistema sobresaturado. En este caso y, una vez iniciada esta transformación, será muy difícil hacer frente a esta situación, al precisar de medidas integrales de gran impacto que permitan —entre otras cuestiones— frenar la entrada de nutrientes para poder revertir esta situación generada. De esta situación los informes emitidos por el Ministerio de Transición Ecológica y el Reto Demográfico señalaron que se generó un colapso en las praderas marinas existentes en el Mar Menor, siendo uno de los hechos con mayor relevancia en este tipo de ecosistemas, esa situación detectada en 2016, propició la muerte y descomposición a corto plazo de una gran cantidad de biomasa, lo que permitió el acceso de un volumen excesivo de materia orgánica, los efectos según este informe, devastadores y de gran importancia al suponer una incidencia directa sobre los límites del planeta antes analizados. La producción de un desequilibrio en los ciclos biogeoquímicos que, en unión, a las consecuencias de la situación de otros límites como puede ser el cambio climático, puede suponer un riesgo de mayor nivel para el propio ecosistema y, en consecuencia, para los límites del planeta[29].

V. LA ECOCRIMINOLOGÍA Y EL ESTUDIO DEL DAÑO AMBIENTAL

La ecocriminología contempla la vinculación de las ciencias sociales y jurídicas, en general, con las metodologías empleadas en las

---

[29]   Ibidem nota 8.

ciencias como la ecología, pues se evidencia una mayor eficacia en la integración a la hora de analizar ciertas problemáticas que se han suscitado como consecuencia de posibles daños ambientales. Las consecuencias y efectos que estos cambios generan van más allá de lo ambiental, llegando a plantear problemas sociales e inclusive, de salud, al poder afectar a la salud de la especie humana.

En este planteamiento surge un elemento común que, dentro de la ecocriminología, la ecología, siendo el elemento vertebrador para nuestro posicionamiento, como apunta el maestro MARTIN-MATEO (1977) *"Siendo el hombre un componente de ecosistemas a los que puede influir y alterar es preciso condicionar conductas individuales y sociales para evitar la introducción en el medio de perturbaciones a la lógica ecológico-natural",* de tal forma que la especie más evolucionada —se supone— del planeta es la que puede afectar al equilibrio de los ecosistemas de tal forma que pueda desestructurar su normal funcionamiento.

Algunos autores como POTTER (2017) establecen de forma rotunda que, para delimitar los contornos de la ecocriminología no basta con que el objeto del estudio sea la preocupación por la naturaleza y los daños que se puedan generar sobre la misma, sino que el análisis se debe de conjugar sobre la criminología y la ecología, pues de esta simbiosis, surgirá un incremento sobre la efectividad de los análisis[30]. Teniendo en cuenta los aspectos que desde otras áreas de las ciencias sociales como la ecosociología o psicosociología se pueden incorporar, resurge con fuerza esta perspectiva, donde la fusión multidisciplinar da lugar a un eje central, "el crimen", los delitos, delincuentes y víctimas (incorporando a aquellas no humanas).

Establecer límites planetarios es un paso esencial para la concepción del daño ambiental que pueda generarse por las actividades humanas, en este caso, los impactos directos e indirectos que ha supuesto el caso planteado nos debe de servir para poder reflexionar sobre la eficacia de los instrumentos que se configuran para hacer frente a

---

[30]   POTTER, G. R. "Criminología verde como ecocriminología: el desarrollo de una ciencia social del crimen ecológicamente informada". En GOYES, MOL, SOUTH y BRISMAN (Ed.) *Introducción a la Criminología Verde: Conceptos para la comprensión de los conflictos socioambientales.* Bogotá: Universidad Antonio Nariño. 2017.

situaciones como esta. Se puede observar según lo descrito en el presente, cómo la transformación de los recursos naturales por actividades antrópicas generan impactos que pueden dar lugar a situaciones de colapso ecológico y pueden suponer una afección mucho más allá de lo estrictamente ambiental o ecológico. Los usos del suelo y de los recursos acuáticos se han dado desde hace miles de años, siempre buscando el equilibrio para poder extraer lo necesario del sistema Tierra y así poder regenerarse de forma autónoma. Este ciclo se ha visto desestabilizado con el modelo económico implantado desde hace siglos y que ha permitido una transformación sin precedentes de los usos de los recursos planetarios, llegando a situaciones límite, como las descritas en el presente artículo. Para poder comprender la magnitud de las consecuencias la ecocriminología nos puede ayudar, como se ha visto, no únicamente debemos atender al daño ambiental generado, pues éste contempla una cantidad de daños sociales vinculados al mismo, la comprensión de este hecho puede suponer ya todo un revulsivo a la hora de configurar instrumentos de protección ambiental. La interconexión entre los límites estudiados permitirá incrementar la eficacia de estos instrumentos que deben contemplar una premisa fundamental, el marcado perfil ecosistémico de las normas, pues atendiendo a ese posicionamiento ecocéntrico, como especie somos una más dentro de ese conglomerado que conforma el planeta.

VI. CONCLUSIONES

La situación generada por la actividad antrópica que de forma incontrolada se ha evidenciado a través de los resultados científicos, supone una inoperancia administrativa de las diferentes administraciones.

Los instrumentos de protección ambiental deben de reconocer las limitaciones existentes para el planeta y los ecosistemas que éste integra, todo ello atendiendo a un modelo de sistemas propio de los posicionamientos ecocéntricos. Entender el ecosistema como bien jurídico prioritario permitirá confeccionar mecanismos más eficaces y para ello la interconexión entre las ciencias puras y sociales puede contribuir a una mejora sustancial del resultado final. No podemos obviar que tras el daño ambiental generado se derivan una serie de consecuencias de impacto socioeconómico, pero ello no debe de desviarnos de ese posicionamiento que sostenemos al ser nuestra especie una más. Las normas deben de prever las limitaciones del planeta y dejar atrás los posicionamientos antropocéntricos. Los modelos biocentristas permitirán ayudar en la protección de ecosistemas, pero deben de ser éstos los que sean tenidos en cuenta de forma prioritaria, al considerarlos como víctimas.

La ecocriminología no ha sido, ni sigue siendo, una perspectiva que se tenga en cuenta para propiciar mejoras en el ámbito de protección ambiental, sin embargo, consideramos muy loables los esfuerzos de la comunidad científica por evidenciar la importancia de estas investigaciones que ponen de relevancia el análisis del daño ambiental con análisis complejos. La propia doctrina criminológica debe impulsar esta perspectiva por la importancia que sus estudios tienen, no podemos olvidar que estamos en una grave situación de emergencia climática y que, como el caso planteado, la propia humanidad ha generado situaciones de gran complejidad y con daños ambientales de afección global.

La situación del Mar Menor ha evidenciado una cuestión que desde antaño se viene observando a tenor por la comunidad científica, nuevamente la inoperancia de los mecanismos de control formal para hacer frente a agresiones a los ecosistemas que posibilitan el equilibrio del planeta. Los límites planetarios establecidos por ROCKSTRÖM y otros en 2009, ya nos permitían esa visión de interconexión necesaria, tal como hemos indicado, estos posicionamientos se han obviado o mantenido en un segundo o inclusive, tercer plano, pues no ha sido hasta hace apenas unos meses cuando se han activado todos los mecanismos necesarios para afrontar de forma holística la situación derivada de la sobresaturación generada por la propia especie humana.

La transformación de los recursos planetarios puede suponer una grave afectación a los ecosistemas llegando a colapsar algunos de ellos. Como se ha observado se ha visto colapsado uno de estos ecosistemas del Mar Menor lo que nos lleva a plantearnos que las situaciones derivadas de sobrepasar los límites planteados permitirá, por desgracia, colapsar otros ecosistemas.

Capítulo 9
Análisis técnico y normativo de las estrategias de recuperación del Mar Menor enfocadas en su cuenca alta

MIGUEL ÁNGEL SÁNCHEZ-SÁNCHEZ
CEGOT-Portugal y Universidad de Murcia

ALFONSO ALBACETE
CEBAS-CSIC y CEGOT-Portugal

I. INTRODUCCIÓN

Tal y como establece el "Plan Estratégico para la Diversidad Biológica 2011-2020" aprobado por la Convención Internacional sobre la Diversidad Biológica, la adquisición de nuevos conocimientos sobre la diversidad biológica y su aplicación, junto a los derivados de los servicios ecosistémicos se convierten en "una herramienta importante para difundir la temática de la diversidad biológica"[1]. Asimismo, la Estrategia Europea 2030 para la Biodiversidad considera de interés las soluciones basadas en la naturaleza, tales como la gestión sostenible de suelos agrarios y forestales, así como la recuperación y protección de ecosistemas costeros frente a eventos que deterioran el medio ambiente. Los principales factores que influyen en la pérdida de biodiversidad son "los cambios en los usos del suelo y del mar, la sobrexplotación, el cambio climático, la contaminación y las especies exóticas invasoras". Además, las amenazas más importantes a las que se enfrenta la sociedad en el próximo decenio son "la pérdida de biodiversidad y el colapso de los ecosistemas"[2].

---

[1] Convención sobre la diversidad biológica (2011). Decisión adoptada por la conferencia de las partes de la Convención sobre la Diversidad Biológica durante su décima reunión. https://www.miteco.gob.es/es/biodiversidad/temas/conservacion-de-la-biodiversidad/plan_estrategico_db_tcm30-156087.pdf.

[2] Comisión Europea (2020). Estrategia de la UE sobre la biodiversidad de aquí a 2030. Reintegrar la naturaleza en nuestras vidas. https://eurlex.europa.eu/

En el ámbito estatal español la Ley 42/2007, de 13 de diciembre, del Patrimonio Natural y de la Biodiversidad "establece el régimen jurídico básico de la conservación, uso sostenible, mejora y restauración del patrimonio natural y de la biodiversidad española"[3] (art. 1). Cabe destacar la función social y pública de la biodiversidad, recogida en esta Ley, por su relevancia en relación a los efectos sobre las personas y su contribución al desarrollo socio-económico. Así, la variabilidad de los organismos vivos y de los ecosistemas dan lugar a lo que esta Ley define como "biodiversidad o diversidad biológica" (art. 3).

A nivel de la Comunidad Autónoma de la Región de Murcia no existe normativa relativa a la biodiversidad. Se podría decir que determinadas normas autonómicas inciden de algún modo sobre la biodiversidad. A este respecto, algunas de las que hacen mayor referencia a la biodiversidad son el Decreto Nº 50/2003, de 30 de mayo, por el que se crea el Catálogo Regional de Flora Silvestre Protegida de la Región de Murcia y se dictan normas para el aprovechamiento de diversas especies forestales, y la Ley 3/2020, de 27 de julio, de recuperación y protección del Mar Menor.

En lo que respecta a la Ley de recuperación y protección del Mar Menor, hay que destacar el tratamiento dado a la "ordenación y gestión del patrimonio natural, forestal y de la biodiversidad del Mar Menor"[4], proponiéndose "directrices técnicas para la implantación de estructuras vegetales de conservación"[5]. También, las acciones vinculadas a las restauraciones hidrológico-forestales (art. 19) inciden en aspectos relacionados con la biodiversidad.

La superficie terrestre que circunda el Mar Menor, junto a este, forman la denominada Cuenca o Campo del Mar Menor. "Desde el punto de vista estrictamente morfológico, la cuenca es una amplia cu-

resource.html?uri=cellar:a3c806a6-9ab3-11ea-9d2d-01aa75ed71a1.0007.02/DOC_1&format=PDF.

[3] Ley 42/2007, de 13 de diciembre, del Patrimonio Natural y de la Biodiversidad. *Boletín Oficial del Estado*, 299, de 14 de diciembre de 2007, 51275 a 51327, https://www.boe.es/eli/es/l/2007/12/13/42/dof/spa/pdf.

[4] Ley 3/2020, de 27 de julio, de recuperación y protección del Mar Menor. *Boletín Oficial de la Región de Murcia*, 177, de 1 de agosto de 2020, 18053 a 18139, https://www.borm.es/services/anuncio/ano/2020/numero/4172/pdf?id=786682.

[5] *Ibid.*

beta sedimentaria en declive general hacia la actual laguna salada"[6]. Presenta una extensa red de cauces, en forma de ramblas y barrancos, que aumentan en densidad conforme nos adentramos en la cabecera alta de la cuenca, especialmente en las laderas y pies de monte de las Sierras de Carrascoy, Altaona y Escalona. De entre los cauces presentes en la cuenca, uno de los principales es la "rambla del Albujón, que actúa como colector central y auténtico eje de simetría morfológico, edáfico e incluso histórico del Campo del Mar Menor"[7].

El Mar Menor viene sufriendo en los últimos años situaciones de degradación ambiental de gran impacto vinculadas a diferentes factores. La afluencia de volúmenes de agua, bien superficiales o subterráneos, hacia la laguna han contribuido, en parte, a su deterioro. Estos aportes de agua pueden ser de origen natural (precipitaciones) o antrópico (regadíos). Los primeros han destacado por la aportación significativa de partículas sólidas (limos, arcillas y arenas), mientras que los segundos han transportado algunos de los nutrientes (principalmente nitratos) incorporados al medio como consecuencia de la actividad agraria.

Frente a esta situación surgen propuestas como las recogidas en el documento "Marco de actuaciones prioritarias para recuperar el Mar Menor"[8] del Ministerio para la Transición Ecológica y el Reto Demográfico. Algunas indicen de manera más o menos directa sobre la biodiversidad. Entre las vinculadas al medio terrestre encontramos las "actuaciones de restauración de ecosistemas en la franja perimetral del Mar Menor y creación del cinturón verde y la renaturalización y mejora ambiental de las ramblas y creación de corredores verdes que doten de conectividad a toda la red de drenaje..."[9]. Esta posibilidad de introducción de especies vegetales silvestres influirá sobre la biodi-

---

[6]   LILLO CARPIO, M. J. (1978). "Geomorfología litoral del Mar Menor". *Papeles de Geografía*, (8). Recuperado a partir de https://revistas.um.es/geografia/article/view/41781, p. 15-16.

[7]   *Ibid.*, p. 15-16.

[8]   MITECO (2022). Marco de Actuaciones prioritarias para recuperar el Mar Menor. Ministerio para la Transición Ecológica y el Reto Demográfico [MITECO]. https://www.miteco.gob.es/es/ministerio/planes-estrategias/mar-menor/marcodeactuacionesprioritariaspararecuperarelmarmenor_18022022_tc m30-536394.pdf.

[9]   *Ibid.*, p. 14-18.

versidad de la cuenca del Mar Menor, incidiendo de manera directa e indirecta sobre otros seres vivos (polinizadores, aves, etc.). Desde un punto de vista técnico, las actuaciones pueden ser realizadas sobre toda la cuenca a la vez, o bien por sectores territoriales.

Teniendo en cuenta lo anterior, el objetivo de este trabajo es realizar un análisis técnico-normativo de los posibles efectos de las medidas de recuperación del Mar Menor, enfocadas en su cuenca alta, sobre la biodiversidad global del sistema.

II. METODOLOGÍA

La cuenca alta del Mar Menor se corresponde con la cabecera de las principales ramblas. De este estudio se excluyeron las denominadas como "ramblas mineras" por el MITECO, por lo que el área se circunscribe a las sierras de Carrascoy, Altaona y Escalona y su entorno próximo (Figura 1). Esta delimitación se justifica por la coincidencia de espacios de titularidad pública con otros protegidos por sus valores naturales (Parque Regional de Carrascoy y El Valle y ZEPA Monte El Valle y Sierras de Altaona y Escalona). Además, la pendiente también fue determinante, ya que estos territorios muestran una gran energía potencial en relación a las aguas superficiales.

Área de estudio

Fuente: Google Terrain (2022).

El trabajo se centró en los cauces de orden 1, 2 y en algunos casos de orden 3[10], ubicados en el área de estudio (Figura 2).

Figura 2. Red de cauces de la cuenca alta del Mar Menor: verde (orden 1), azul claro (orden 2), azul oscuro (orden 3)

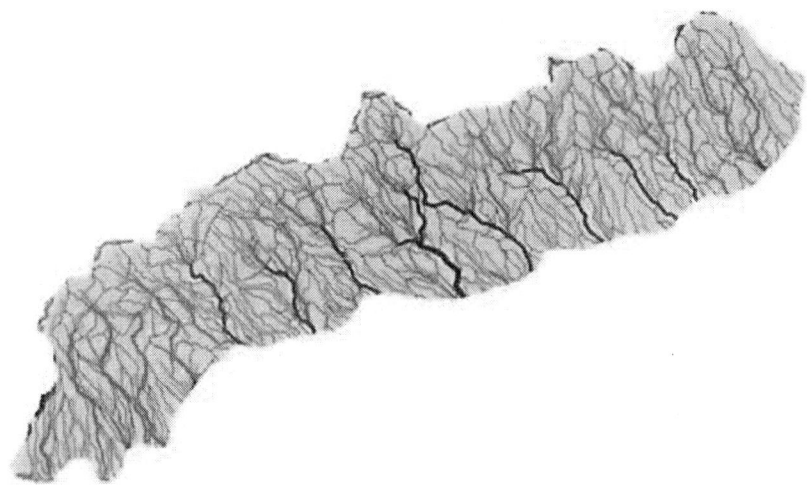

Fuente: IDERM (2022).

De entre las acciones propuestas por el MITECO (2022) en el "Marco de actuaciones prioritarias para recuperar el Mar Menor"[11], se analizaron las siguientes:

1) "Renaturalización y mejora ambiental de las ramblas y creación de corredores verdes que doten de conectividad a toda la red de drenaje"[12].

2) "Restauración y mejora ambiental en las explotaciones agrarias"[13].

---

[10]   CHS (2022). Confederación Hidrográfica del Segura. https://www.chsegura.es/es/.
[11]   MITECO (2022). Marco de Actuaciones prioritarias para recuperar el Mar Menor.
[12]   *Ibid.*
[13]   *Ibid.*

Se realizaron análisis de gabinete y salidas de campo, con transectos en toda el área de estudio.

III. RESULTADOS Y DISCUSIÓN

En la vista parcial aérea del área de estudio se observa la existencia de sistemas forestales con dominancia de barrancos y agrosistemas (Figura 3). En los primeros aparecen masas arbóreas con diferentes densidades, en las que domina el pino carrasco (*Pinus halepensis*) y matorral mediterráneo adaptado a la aridez. Los agrosistemas se caracterizan por la presencia de explotaciones agrícolas en régimen intensivo con auxilio de riego y algunas explotaciones tradicionales de secano. Los cultivos de secano muestran una mayor adaptación al relieve, presentándose en ocasiones en "cañadas", que son pequeñas depresiones donde el nivel freático es más alto que en las tierras circundantes.

Figura 3. Vista parcial aérea de la Sierra de Carrascoy y cuenca alta del Mar Menor

Fuente: Google Earth (2020).

La declaración de las actuaciones previstas por Ley como obra pública de interés general, amparadas en el Real Decreto-Ley 27/2021, se erige como un aspecto de la actuación de recuperación que facilita la misma, máxime al ser promulgada en el rango normativo de Ley.

En relación a la primera de las actuaciones propuestas por el MITECO y analizadas en este estudio, la restauración y mejora ambiental de la cuenca del Mar Menor, que apunta a soluciones basadas en la naturaleza, nos hace pensar en la primacía de intervenir sobre la vegetación, bien por eliminación de especies invasoras o mediante la introducción de otras autóctonas, y siempre con una mínima intervención a través de obras. Las intervenciones se hacen extensibles a todos los cauces de dominio público hidráulico. En aquellos cauces que no cumplan esta condición, pero cuyo titular es alguna Administración Pública (montes propiedad de la Comunidad Autónoma de la Región de Murcia o del Ayuntamiento de Murcia, en el Parque Regional de Carrascoy y El Valle) se podrá actuar con mayor agilidad administrativa. Algo parecido puede suceder con los montes de particulares consorciados existentes en el área de estudio. En la renaturalización de los cauces sería apropiado retrotraerse en el tiempo para conocer cómo era el medio natural en situaciones pretéritas donde la intervención humana era exigua. Una manera podría ser determinar en el espacio protegido (Parque Regional) cuál es la vegetación espontánea y el devenir hidrológico de los cauces menos intervenidos. La información obtenida podría ser aplicada en cauces próximos y/o condiciones ambientales similares (suelos, geomorfología, régimen hidrológico, erosión, etc.).

La segunda actuación analizada propuesta por el MITECO corresponde a la actividad agraria. La aplicación de medidas agroambientales puede considerarse uno de los pilares más eficaces para la restauración y mejora ambiental del Mar Menor y su cuenca. Para ello se contemplan actuaciones tales como la reducción de escorrentías y procesos erosivos en parcela y prácticas de agricultura de conservación, entre otras. En el caso de escorrentías y procesos erosivos, una actuación prioritaria sería la incorporación de vegetación silvestre autóctona en zonas de taludes de la explotación agraria. Además, tendría otros beneficios, como zona de cobijo de polinizadores y refugio a fauna diversa. Por otro lado, la reducción del laboreo, la labranza siguiendo las curvas de nivel, la rotación de cultivos y el manejo adecuado del agua de riego son prácticas que influyen directamente en la mejora de la calidad del suelo y la reducción de la escorrentía y la erosión.

IV. CONCLUSIONES

La intervención en la cuenca alta del Mar Menor supone un menor grado de conflicto por el régimen de titularidad pública de los terrenos, amparados en distintas declaraciones de protección (Parque Regional, Red Natura 2000) o por la existencia de convenios entre particulares y administración en la modalidad de montes consorciados.

El desarrollo, concreción y aplicación de las diversas propuestas de actuación sobre los cauces y sobre las explotaciones agrarias incidirá en la mejora de la biodiversidad y la reducción de la erosión y escorrentía. Pero para que las actuaciones propuestas tengan éxito se hacen necesarias medidas de sensibilización y participación ciudadana, como campañas de repoblación a pequeña escala enfocadas en centros educativos y habitantes de la zona.

BIBLIOGRAFÍA

CHS (2022). Confederación Hidrográfica del Segura. https://www.chsegura.es/es/

COMISIÓN EUROPEA (2020). Estrategia de la UE sobre la biodiversidad de aquí a 2030. Reintegrar la naturaleza en nuestras vidas.

CONVENCIÓN SOBRE LA DIVERSIDAD BIOLÓGICA (2011). Decisión adoptada por la conferencia de las partes de la Convención sobre la Diversidad Biológica durante su décima reunión.

GOOGLE EARTH (2020).

IDERM (2022). Infraestructuras de Datos Espaciales de la Región de Murcia. https://visoriderm.carm.es/mapstore/#/viewer/openlayers/1

LEY 42/2007, de 13 de diciembre, del Patrimonio Natural y de la Biodiversidad. *Boletín Oficial del Estado,* 299, de 14 de diciembre de 2007, 51275 a 51327.

LEY 3/2020, de 27 de julio, de recuperación y protección del Mar Menor. *Boletín Oficial de la Región de Murcia,* 177, de 1 de agosto de 2020, 18053 a 18139, https://www.borm.es/services/anuncio/ano/2020/numero/4172/pdf?id=786682

LILLO CARPIO, M. J. (1978). "Geomorfología litoral del Mar Menor", *Papeles de Geografía*, (8). https://revistas.um.es/geografia/article/view/41781

MITECO (2022). Marco de Actuaciones prioritarias para recuperar el Mar Menor. Ministerio para la Transición Ecológica y el Reto Demográfico [MITECO].

Capítulo 10

El cambio climático desde la perspectiva del *canis lupus signatus* (el lobo ibérico), un vínculo inequívoco. Especial referencia a su situación en Murcia

ANDRÉS EUGENIO LÓPEZ BERRA[1]
Universitat Rovira i Virgili

I. INTRODUCCIÓN

En materia de biodiversidad los retos a los que nos enfrentamos son numerosos, siendo el cambio climático una de las mayores amenazas que repercute en la pérdida de la biodiversidad y sus hábitats naturales.

En este sentido, es necesario recordar que mitigar el cambio climático es una necesidad imperante pues nos encontramos ante una emergencia climática en nuestro planeta como pone nuevamente de manifiesto el Sexto Informe de Evaluación del IPCC[2], que estima que de continuar en este nivel de aumento de temperaturas para 2100, el 48% de las especie animales y vegetales corren un alto riesgo de extinción.

El valor de la biodiversidad, puede estimarse de dos formas: por un lado, como el valor intrínseco que tiene en sí misma una especie y el valor de su conservación para la naturaleza (el valor natural) o, por otro lado, en función de su aportación dentro del ecosistema. Es decir, desde un punto de vista utilitarista del servicio ecosistémico que presta en las redes tróficas (el ecosistema).

---

[1]   Doctorado por la Universidad Rovira y Virgili, con correo electrónico: andreseulopez@gmail.com. ORCID: https://orcid.org/0000-0002-4920-7673.
[2]   INTERGOVERNMENTAL PANEL ON CLIMATE CHANGE (2022) "IPCC Sixth Assessment Report Mitigation of Climate Change" [Artículo en línea]. [Fecha de consulta: 11 de mayo de 2022]. https://www.ipcc.ch/report/ar6/wg3/.

En sentido, vamos analizar la visión ecosistema del *canis lupus signatus* dentro del ecosistema y, como esta especie puede contribuir a mitigar los efectos del cambio climático intentando ofrecer así una visión distinta a la que habitualmente nos ofrecen de la biodiversidad como víctima del calentamiento global.

En este mismo sentido, estamos acostumbrados a percibir a la biodiversidad como un sujeto que recibe los efectos negativos de la emergencia climática. En el ámbito de los grandes carnívoros un buen ejemplo de ello son los osos polares que son la víctima icónica del calentamiento global, pues su supervivencia está ligada a la del hielo Ártico.

Ahora bien, en esta sucinta exposición, se pretende ofrecer una visión distinta de los grandes carnívoros (especialmente del *canis lupus*), ensalzándolo como un mecanismo natural que puede ayudarnos a mitigar los efectos del cambio climático. Este mecanismo de mitigación se manifiesta en estas especies claves y apicales a través de la interdependencia natural de los hábitats.

Así podremos ver como el *canis lupus* puede evitar la superpoblación de herbívoros, lo que se traduce en un mantenimiento de estas especie en cantidad estables y esto a su vez se traduce en una correcta capacidad de carga de los ungulados en los ecosistemas, lo que tiene como consecuencia una correcta masa forestal en el hábitat, lo que hace que el hábitat natural tenga la función de almacenar dióxido de carbono que es el principal gas de efecto invernadero.

Por tanto, debe reivindicarse la correcta regulación jurídica y protección del *canis lupus signatus* en España como un instrumento no solo de conservación ambiental, que también, sino como una herramienta para luchar y mitigar el cambio climático[3/4].

---

[3]   WWF. (2018) "Vida silvestre y calentamiento global. Los efectos del cambio climático en la biodiversidad de los Sitios Prioritarios de WWF" [Artículo en línea]. [Fecha de consulta: 11 de mayo de 2022]. https://www.wwf.es/?52580/VIDA-SILVESTRE-Y-CALENTAMIENTO-GLOBAL.

[4]   MINISTERIO PARA LA TRANSICIÓN ECOLÓGICA Y EL RETO DEMOGRÁFICO (2021) "Impactos y riesgos derivados del cambio climático en España". NIPO (en papel): 665-20-004-2. [Artículo en línea]. [Fecha de consulta: 11 de mayo de 2022]. https://www.adaptecca.es/sites/default/files/documentos/impactosyriesgosccespanawebfinal_tcm30-518210_0.pdf.

La correcta gestión a través de la renaturalización de la especie y de su hábitat por extensión afecta a los ecosistemas que contribuirán notablemente en la reducción y la emisión de los gases de efecto invernadero a la atmósfera. Por lo tanto vamos a poder constatar como la biodiversidad y esta especie en particular son un elemento fundamental en la lucha contra el cambio climático como elemento que contribuye a la mitigación potenciando los sumideros de carbono[5][6].

II. EL PODER DE MITIGACIÓN DEL *CANIS LUPUS SIGNATUS* SOBRE EL CAMBIO CLIMÁTICO

La propia Unión Europea a través del Pacto Verde Europeo[7] establece como uno de sus objetivos principales (punto 2.1.7) la necesidad de preservación y restablecimiento de la biodiversidad, incluyendo los ecosistemas para que de esta forma la Unión Europea pueda alcanzar la neutralidad climática[8].

La biodiversidad es un concepto clave, ya que cada especie desempeña un papel importante para el correcto funcionamiento de los ecosistemas porque todas las especies son insustituibles y su supervivencia garantiza la nuestra al ser la biodiversidad la que sustenta y

[5] MINISTERIO PARA LA TRANSICIÓN ECOLÓGICA Y EL RETO DEMOGRÁFICO (2022) "Impactos sobre la biodiversidad animal, pp. 249-302 [Artículo en línea]. [Fecha de consulta: 11 de mayo de 2022] https://www.miteco.gob.es/es/cambio-climatico/temas/impactos-vulnerabilidad-y-adaptacion/06_biodiversidad_animal_2_tcm30-178497.pdf.
[6] MINISTERIO PARA LA TRANSICIÓN ECOLÓGICA Y EL RETO DEMOGRÁFICO (2022) "Evaluación Preliminar de los Impactos en España por Efecto del Cambio Climático". [Artículo en línea]. [Fecha de consulta: 11 de mayo de 2022]https://www.miteco.gob.es/es/cambio-climatico/temas/impactos-vulnerabilidad-y-adaptacion/plan-nacional-adaptacion-cambio-climatico/evaluacion-preliminar-de-los-impactos-en-espana-del-cambio-climatico/eval_impactos.aspx.
[7] COMISION EUROPEA. "COM (2019) 640 final. Comunicación de la comisión al parlamento Europe o, al consejo europeo, al consejo, al comité económico y social europeo y al comité de las regiones. El Pacto Verde Europeo". 2019.
[8] COMISION EUROPEA. "Orientaciones de la UE COM (2019)305 FINAL "Orientaciones de la UE sobre la integración de los ecosistemas y sus servicios en la toma de decisiones, e informe de la comisión al parlamento europeo, al consejo, al comité económico y social europeo y al comité de las regiones".2019.

suministra todo lo que necesitamos para poder sobrevivir, desde alimentos hasta la protección contra los incendios. Por lo tanto, nuestra continuidad depende de la biodiversidad y los ecosistemas[9].

La pérdida de la biodiversidad es un factor creciente que nos conduce a la sexta extinción, puesto que cada vez nuestro planeta está más fragmentado respecto de los hábitats naturales y se está destruyendo la red interconectada de los ciclos ecológicos de la biodiversidad como pone de manifiesto el Informe de 2019 de la Plataforma Intergubernamental sobre Biodiversidad y Servicios de los Ecosistemas (IPBES)[10], que señalaba que alrededor de un millón de especies de animales y plantas, de los ocho millones de especies existentes, están ahora en peligro de extinción.

La desaparición y aislamiento de especie claves provocará de no remediarse en los próximos años que la capacidad de los ecosistemas para proporcionarnos recursos vitales para nuestra supervivencia disminuya y esto pondrá en peligro la salud humana.

En Europa y la Península Ibérica vivimos en un momento de clara desaparición de la vida natural, principalmente de especies por la falta de una regulación jurídica efectiva para la conservación de la biodiversidad según la propia Comisión Europea en su Informe sobre el Estado de la Naturaleza en Europa para el periodo 2006-2012. Solo el 23 % de las especies de la Directiva Hábitats está en estado de conservación favorable[11].

La realidad respecto de la protección de la biodiversidad es muy clara en cuanto a las tasas actuales de extinción y declive de las poblaciones de fauna silvestre, ya que son entre 100 y 1.000 veces superiores a las tasas de extinción de todos los registros históricos que se

---

[9]   SUÁREZ, L.; A M.; RIVERA, LENNYS. Y OTROS. "Pérdida de naturaleza y pandemias. Un planeta sano por la salud de la humanidad" en WWF. 2020 [Artículo en línea]. [Fecha de consulta: 8 enero de 2021] https://d80g3k8vowjyp. cloudfront.net/downloads/naturaleza_y_pandemias_wwf.pdf.

[10] INTERGOVERMENTAL SCIENCIE-POLICY PLATAFORM ON BIODIVERSITY AND ECOSYSTEM SERVICES. "Summary for policymakers of the global assessment report on biodiversity and ecosystem services" ISBN No: 978-3-947851-13-3. 2019, pp. 12-45.

[11] COMISIÓN EUROPEA "Estado de la Naturaleza en la Unión Europea. Bruselas, 20.5.2015 COM (2015) 219 final".2015.

tiene en la tierra, por lo que deben tomarse medidas para la supervivencia de la biodiversidad y de la propia especie humana.

La biodiversidad y el medio natural pueden paliar el cambio climático a través de la absorción del CO_2 y reducir el impacto, pero para reducir las emisiones y los efectos de los gases de efecto invernadero debemos apoyarnos en los principios ecológicos favorables que aporta la biodiversidad, lo que sin duda incluye también la conservación y preservación del *canis lupus signatus,* puesto que su impacto en los ecosistemas es de vital importancia para conseguir el objetivo de conservación ambiental de los ecosistemas como fuentes de absorción de CO_2 como analizaremos seguidamente[12].

La presencia del *canis lupus signatus* en los ecosistemas tiene un importante papel frente a las emisiones de carbono atmosférico, puesto que el *canis lupus signatus* realiza su actividad depredadora controlando la abundancia de sus presas herbívoras y esto limita el consumo de masa forestal, por lo que el dióxido de carbono queda acumulado en la vegetación que no es ingerida por los ungulados y se mantiene almacenada durante toda la vida vegetal, ergo, el *canis lupus signatus* aumenta la absorción de dióxido de carbono de los espacios naturales a través del control de los ungulados silvestres.

La reintroducción del *canis lupus signatus*, como sucede con otros grandes carnívoros en sus hábitats naturales históricos, sería una importante herramienta para estabilizar y minimizar los impactos del cambio climático como concluye actualmente la ciencia y por lo tanto garantizar la protección del *canis lupus signatus* es también mejorar la situación climática ya que son problemas ambientales que se refuerzan mutuamente, son por así decirlo dos caras de una misma moneda.

En este sentido, los recientes estudios realizados por WILMERS y SCHMITZ llegaron a la conclusión de que el *canis lupus* tiene una importante afectación indirecta en la reducción de los gases de efecto invernadero al contribuir en el almacenamiento de dióxido de carbono en los hábitats naturales donde tiene presencia, concluyendo su

---

12   CEBALLOS, G.; EHRLICH, PAUL, R.; BARNOSKY, ANTHONY, D. y OTROS., Accelerated modern human-induced species losses: Entering the sixth mass extinction, Science Advances Vol. 1, núm. 5, 2015, pp. 1-6.

Andrés Eugenio López Berra

investigación que en todos los hábitats naturales donde hay presencia del *canis lupus* existe un aumento estimado en el almacenamiento de carbono de entre 46 millones y 99 millones de toneladas métricas en comparación con los hábitats naturales donde existe una ausencia total de *canis lupus*, lo que acentúa la importancia y la necesidad de conservación y protección de la especie[13].

Así pues, el *canis lupus signatus* tiene la misma función que el *canis lupus* en los ecosistemas del norte de los Estados Unidos. Es por ello, que su labor como especie apical fomenta el almacenamiento de carbono en los hábitats naturales reduciendo el efecto del calentamiento global. Sin embargo, no debe entenderse este factor como una solución global, sino como un mecanismo complementario que ayudaría conjuntamente con otras medidas a paliar los efectos del cambio climático sobre nuestro planeta[14].

Ahora bien, debe tenerse en cuenta que la presencia del *canis lupus signatus*, dentro de los hábitats naturales, tiene tal importancia que incluso su presencia puede determinar la orografía física de los hábitats naturales.

En este sentido, un buen ejemplo de ello es el Parque Nacional de Yellowstone donde la reintroducción del *canis lupus* en 1995 (después de su extinción en este hábitat natural durante 70 años), supuso un cambio radical para el ecosistema, como expondremos sucintamente a continuación[15].

En el Parque Nacional de Yellowstone, hasta la reintroducción del *canis lupus*, los alces no tenían presas naturales y su número creció

---

[13] WILLOUGHBY, L., Proceedings of the National Academy of Sciences of the United States of America (PNAS) March 6, n° 115 (10) 2260-2263; "News Feature: Can predators have a big impact on carbon emissions calculations" 2018 [Artículo en línea]. [Fecha de consulta: 3 enero de 2021] https://www.pnas.org/content/115/10/2260.

[14] HAINES, AUBREY L. "La historia de Yellowstone: una historia de nuestro primer parque nacional. II". Ed. Niwot, CO: University Press of Colorado. ISBN 0-87081-391-9, pp. 80-82, 1996.

[15] NATIONAL PARK SERVICE (2020). *"Gray Wolf"*. [Artículo en línea]. [Fecha de consulta: 8 enero de 2021]https://www.nps.gov/yell/learn/nature/wolves.htm#:~:text=Numbers,94%20wolves%20in%20the%20park.&text=In%20general%2C%20wolf%20numbers%20have,and%20108%20wolves%20since%202009.

exponencialmente a pesar de la actividad cinegética para su control, lo que causó una importante reducción de la vegetación al utilizarla como fuente de alimentación los alces y otras especies[16].

Ahora bien, en 1995 con la reintroducción del *canis lupus* se incrementó la presión depredadora sobre los alces y ciervos (que comenzaron a evitar determinadas zonas) que estaban deforestando los pastizales cercanos a los cauces del río, lo que se tradujo en un descenso de los alces en el ecosistema y permitió que no se siguiera erosionando el cauce del río. Posteriormente, los canales del río se estrecharon y formaron nuevas lagunas y rápidos como consecuencia de la estabilización de la vegetación que asentó los sedimentos de la tierra que antes estaba poco asentada garantizando así el correcto cauce de los ríos, por lo que el *canis lupus* sin lugar a dudas garantizó la adecuada conservación orografía del Parque Nacional y está colaborando en la reducción de gases de efecto invernadero[17/18].

III. EL PAPEL INTERNACIONAL DE LA BIODIVERSIDAD RESPECTO AL CAMBIO CLIMÁTICO

Entrando ya en el caso del *canis lupus signatus*, debe tenerse presente que para poder comprender el papel del derecho en la protección de esta especie debemos entender los principales precedentes jurídicos, que son también de afectación directa sobre la especie como veremos seguidamente.

---

[16] Normativa de protección del *canis lupus* en los Estados Unidos: *"Endangered Species Act of 1973. An Act to provide for the conservation of endangered and threatened species of fish, wildlife, and plants, and for other purposes.* [Artículo en línea]. [Fecha de consulta: 8 enero de 2021] https://www.govinfo.gov/content/pkg/STATUTE-87/pdf/STATUTE-87-Pg884.pdf.

[17] ECOWORKING (2014). *"Los lobos introducidos en Yellowstone reequilibran el ecosistema"*. [Artículo en línea]. [Fecha de consulta: 8 enero de 2021 https://www.ecoworking.es/2014/02/25/loslobos-introducidos-en-yellowstone-reequilibran-elecosistema/#:~: ext=Adem%C3%A1s%20est%C3%A1n%20los%20descomponedores%2C%20que,como%20el%20de%20los%20alces.

[18] NATIONAL PARK YELLOWSTONE (2008). *"Yellowtone Wolf Project"*. [Artículo en línea]. [Fecha de consulta: 10 enero de 2021] https://www.nps.gov/yell/learn/nature/upload/wolf-ar-2008.pdf.

1. El Convenio sobre Diversidad Biológica

En el contexto del Convenio sobre Diversidad Biológica de 1992, se crea el Grupo Especial de Expertos Técnicos Ad Hoc Technical Expert Group que en 2009 publicó el primer informe donde concluyó que la biodiversidad y los ecosistemas se ven afectados por el cambio climático y que la biodiversidad es un elemento clave para la mitigación y adaptación de estos efectos, por lo que la gestión de la biodiversidad debe ser parte de las estrategias climáticas[19].

La biodiversidad y el cambio climático se articuló de este modo como una misma cara de una misma moneda, pues podría decirse que sigue la teoría de los vasos comunicantes y, por lo tanto, a mayor cambio climático mayor pérdida de biodiversidad y viceversa.

Por lo que respecta a la biodiversidad, la primera referencia directa en el ámbito del cambio climático la encontramos en la Cumbre de Diversidad Biológica de Nagoya de 2010, donde con la aprobación del Plan Estratégico de la Diversidad Biológica 2011-2020 se establecen las conocidas Metas de Aichi.

En este sentido, es importante destacar que dentro de sus objetivos IV, concretamente en el apartado de objetivos estratégicos D ("*aumentar los beneficios de la diversidad biológica y los servicios de los ecosistemas para todos*"), se establece como meta relacional de los conceptos de cambio climático y biodiversidad la Meta 15 que señala:

Se habrá incrementado la resiliencia de los ecosistemas y la contribución de la diversidad biológica a las reservas de carbono, mediante la conservación y la restauración, incluida la restauración de por lo menos el 15 por ciento de las tierras degradadas, contribuyendo así a la mitigación del cambio climático y a la adaptación a este, así como a la lucha contra la desertificación.

---

[19]   SECRETARIO DEL CONVENIO SOBRE LA DIVERSIDAD BIOLÓGICA (2009). "*Relación entre la diversidad biológica y la mitigación y adaptación al cambio climático*" [Artículo en línea]. [Fecha de consulta: 10 mayo de 2022] https://www.cbd.int/doc/publications/ahteg-brochure-es.pdf.

2. Los objetivos de Desarrollo del Milenio de Naciones Unidas

En el año 2000 se fijó por parte de Naciones Unidas los Objetivos de Desarrollo del Milenio que establecieron siete objetivos, entre los que encontramos *"garantizar la sostenibilidad del medio ambiente"*[20] que se orientaban a adoptar medidas para paliar el cambio climático y reducir la pérdida de la biodiversidad. Posteriormente, en 2015[21], en los renovados principios de Desarrollo Sostenible de Naciones Unidas, se establecen diecisiete principios básicos de los que deben destacarse dos (el trece sobre acción por el clima, y el quince sobre vida de los ecosistemas terrestres) siendo este último donde claramente se hace una apuesta sobre la capacidad de los ecosistemas para mitigar el cambio climático.

Así pues, estos objetivos son los pilares sobre los que se asienta posteriormente la Agenda para el desarrollo sostenible 2030 que implementan los estados.

3. Conferencia de las partes sobre cambio climático (COP21). Acuerdo de París

La última gran referencia a nivel internacional, sobre el importante papel de la biodiversidad como elemento mitigador del cambio climático se encuentra en el Acuerdo de París de 2015, donde se estableció que los ecosistemas eran y son los principales sumideros de carbono y que, por lo tanto, deben ser protegidos garantizando así su conservación, como queda reflejado en el artículo 5, que indica:

Las Partes deberían adoptar medidas para conservar y aumentar, según corresponda, los sumideros y depósitos de gases de efecto invernadero a que se hace referencia en el artículo 4, párrafo 1 d), de la Convención, incluidos los bosques.

Así pues, podemos observar cómo desde una etapa temprana ya desde el derecho internacional se realiza una interconexión clara entre cambio climático y biodiversidad[22], viéndose estas manifestaciones

---

[20]   PROGRAMA DE LAS NACIONES UNIDAS PARA EL DESARROLLO (2015) *"Objetivos de desarrollo del milenio"*.
[21]   Vid, supra.
[22]   BORRÀS PENTINAT, S y VILLAVICENCIO CALZADILLA, P. "El acuerdo de París sobre el cambio climático: un acuerdo histórico o una oportunidad perdi-

posteriormente reflejadas en el derecho europeo, nacional, autonómico y local que abordaremos desde la perspectiva de la protección del *canis lupus signatus*.

4. *The Biodiversity Strategy for 2030*

En la actualidad, a nivel de la Unión Europea se está trabajando en la *Biodiversity Strategy for 2030*, que realiza una mención especial a la protección de los hábitats naturales y de la biodiversidad.

En este sentido, la Unión Europea está comprometida a cumplir entre otros el objetivo 15 *"para proteger, restablecer y promover el uso sostenible de los ecosistemas terrestres, gestionar sosteniblemente los bosques, luchar contra la desertificación, detener e invertir la degradación de las tierras y detener la pérdida de biodiversidad"*. Concretamente afectan al *canis lupus signatus* el apartado quinto y sexto que compromete a la Unión Europea y a todos los estados miembros para que en el año 2030 adopten las siguientes medidas[23]:

- Adoptar medidas urgentes y significativas para reducir la degradación de los hábitats naturales para de esta forma también detener la pérdida de la biodiversidad, lo que conlleva proteger adecuadamente a todas aquellas especies amenazadas o en peligro de extinción.

- Adoptar medidas urgentes y eficaces para poner fin a la caza furtiva y el tráfico de especies protegidas, abordando y regulando el tema de la oferta y la demanda de estos productos ilegales.

IV. LA BIODIVERSIDAD Y EL CAMBIO CLIMÁTICO EN LA UNIÓN EUROPEA

La regulación de los grandes carnívoros en Europa es muy importante, pues conlleva una injerencia sobre los ecosistemas y el incorrecto estado de conservación de estas especies produce de forma directa

---

da? Análisis jurídico y perspectivas futuras". Ed. Aranzadi. Véase en concreto el Capítulo IV. ISBN: 9788491976332. 2018.

[23]   EUROPEAN PARLIAMENT (2018). "EU Biodiversity Strategy to 2030, pp. 1-3.

una degradación de los ecosistemas, al tener un efecto cascada, lo que implica no solo influir en el resto de especies sino también reducir la capacidad de almacenamiento de carbono de los ecosistemas y su capacidad natural de secuestro. Es por ello que la lucha contra el cambio climático pasa por la preservación de la biodiversidad y muy especialmente por los grandes carnívoros.

Por lo tanto, y por lo que respecta al *canis lupus signatus* es necesario establecer una correcta regulación jurídica de la especie pues ello redundará en una importante contribución para frenar el cambio climático a través de la mitigación.

1. La Directiva Hábitats respecto de la regulación del canis lupus signatus en relación al cambio climático

El derecho de la Unión Europea, a través de la Directiva Hábitats (en adelante, DH) establece de forma clara los conceptos de estado de conservación favorable tanto para los hábitats naturales como para las especies (artículo 1 e) e i) sucesivamente) siendo estos dos conceptos simbióticamente relacionados y, por lo tanto, solo cuando la especie tenga garantizado el estado de conservación[24] favorable esta podrá ayudar a mitigar el cambio climático en los términos anteriormente expresados respecto del *canis lupus*.

En lo que respecta al *canis lupus signatus*, debe indicarse que la correcta protección jurídica de la subpoblación de la Península Ibérica es vital puesto que la posibilidad de extinción de esta especie endémica supondría la pérdida de una especie para siempre.

1.1. El concepto de estado de conservación favorable entre hábitat natural y el *canis lupus signatus*

El artículo 1, de la DH establece que para poder determinar el estado de conservación favorable de una especie debe evaluarse como requisito previo al propio estado de conservación favorable del

---

[24]   FAJARDO DEL CASTILLO, T "La (des)protección del lobo en España: Excepciones a las reglas en el Convenio de Berna y en la Directiva Hábitats". Revista Catalana de dret ambiental. Vol. XII, Nº 1, pp. 1-47, 2021.

canis lupus signatus [artículo 1, apartado i)], el estado de conservación favorable del hábitat natural de la especie (artículo 1, apartado e), puesto que ambos conceptos establecen criterios simbióticamente relacionados, por lo que no podrá entrar a evaluarse el estado de conservación del *canis lupus signatus* si previamente el estado de conservación de su hábitat no es favorable y viceversa.

En el caso concreto del *canis lupus signatus*, a día de hoy, podemos afirmar que su hábitat natural no tiene un buen estado de conservación en España, ya que su hábitat natural está muy fragmentado y en regresión respecto a su extensión.

En este mismo sentido podemos concluir que respecto de esta especie su estado de conservación no es favorable, ya que tiene una dinámica poblacional deprimida y un área de distribución en retroceso y, todo ello como resultado de una incorrecta aplicación de los principios básicos que se aplican en el derecho ambiental que incorporan no solo los principios propios de la ciencia jurídica, sino también los principios de la ciencia biológica de la conservación, lo que implica para su correcta aplicación necesariamente tener en cuenta el principio de referencia cambiante, que en el caso de España, no se ha aplicado para el *canis lupus signatus* asumiendo así un estado poblacional y de hábitat no ajustado a la realidad de la especie.

1.2. La Directiva Hábitats respecto de la regulación jurídica del *canis lupus signatus* en la actualidad

En el derecho de la Unión Europea, la regulación del *canis lupus signatus* en España no se ajusta a la realidad interna de la especie, creando así una importante inseguridad jurídica puesto a pesar de la reciente modificación introducida por la Orden TED/980/2021, el estatus jurídico de la especie para la DH continúa dependiendo del curso fluvial del río Duero y, por lo tanto, se mantienen dos categorías jurídicas que eran de aplicación en España con anterioridad a la citada norma.

En el sur del río Duero, la especie tiene la categoría de especie de interés comunitario de protección estricta (Anexo II y IV).

En el norte del río Duero, la especie tiene la categoría de interés comunitario que puede someterse a medidas de gestión ambiental (Anexo V).

En este sentido, comentar que ya no pueden aplicarse medidas de control letal como sucedía hasta 2021, pues en España ya tiene la categoría jurídica de especie en régimen de protección especial en todo el territorio, lo que implica que es una especie protegida.

En este mismo sentido, debe indicarse que el *canis lupus signatus* como especie endémica de la Península Ibérica tiene una categoría reforzada de protección, puesto que al estar catalogada en su taxón con un (*) tiene la categoría jurídica en toda la Península Ibérica de especie de protección prioritaria, lo que implica un deber de vigilancia (artículo 2.2 y 11) de la especie desde la ratificación de la DH en 1986 por parte de las administraciones públicas (artículo 14)[25/26].

Finalmente, indicar que la propia EIONET en su último informe, puso de manifiesto que el estado de conservación de esta especie en la Península Ibérica se encuentra en un estado de conservación desfavorable/desconocido[27/28].

2. *La Estrategia de la Unión Europea sobre Biodiversidad 2030*

La legislación europea es clara, pues como bien apunta GARCÍA URETA[29] y sostiene también este investigador, la propia DH no solo establece el deber de conservación de todas las especies de la DH en

[25]   Asunto C-75/01, de la Comisión *vs* Luxemburgo (ECLI:EU:C:2003:95).
[26]   GARCÍA URETA, A. "Consideraciones sobre el régimen jurídico de la Unión Europea e internacional de aplicación al lobo (*canis lupus*) y su translación al derecho español". Actualidad Jurídica Ambiental, núm. 111, Sección "Artículos doctrinales". ISSN: 1989-5666; NIPO: 832-20-001-3, pp. 17. 2021.
[27]   EUROPEAN ENVIRONMENT AGENCY. EIONET. CENTRAL DATA REPOSITORY (2018). "Report on progress and implementation (Article 17, Habitats Directive)". [Artículo en línea]. [Fecha de consulta: 1 diciembre de 2020] http://cdr.eionet.europa.eu/es/eu/art17/envxrm14a.
[28]   EUROPEAN COMMISSION (2021). "Article 17.– Species report/Species assessments at Member State level" [Artículo en línea]. [Fecha de consulta: 15 de abril de 2021] https://natureart17.eionet.europa.eu/article17/species/report/?period=5&group=Mammals&country=ES&region=#
[29]   GARCÍA URETA, A. "*Consideraciones sobre el régimen jurídico de la Unión Europea e internacional de aplicación al lobo (canis lupus) y su translación al derecho español*". Actualidad Jurídica Ambiental, n. 111, Sección "Artículos doctrinales". ISSN: 1989-5666; NIPO: 832-20-001-3, pp. 3-5, 2021.

un estado de conversación favorable en los términos anteriormente expresados, sino que la presente Estrategia apunta a que debe restablecerse y mejorarse este estado de conversación favorable, tanto para las especies como para sus hábitats naturales si existe dicha posibilidad.

La Estrategia sobre la Biodiversidad 2030 establece de forma expresa que debe aplicarse el principio de ganancia neta, por el que debe restaurarse a la naturaleza (biodiversidad y ecosistemas) a su estado de conservación y este debe ser garantizado por lo que en propias palabras del texto debemos *"devolver a la naturaleza más de lo que se le quita"*, por lo que debemos restaurar los estados de conservación y recuperar los estados de conservación de la biodiversidad para garantizar que la acción humana no produzca o favorezca extinciones de especie.

La Estrategia pretende evitar extinciones de especies como la que se ha producido del *canis lupus signatus* en Andalucía en estos últimos años por una deficiente gestión en la aplicación jurídica, tanto de la categoría jurídica de la especie como de su gestión, y para ello pretende establecer sucintamente cuatro líneas de acción.

En primer lugar, establecer una red coherente de espacios protegidos, para de esta forma ampliar los espacios protegidos incrementado para 2030 un 30% la superficie terrestre confiriendo protección jurídica y para ello se implementará una red de corredores ecológicos que complementen a la Red Natura 2000 para de esta forma crear la Red Transeuropea de Espacios Naturales. Este es un factor determinante puesto que, para el propio caso del *canis lupus signatus,* sus hábitats naturales incluidos los de la propia Red Natura 2000 en su actual concepción se implementan sin directrices para la biodiversidad y crean islas de conservación que tienden por su falta de conectividad a la degradación genética del ecosistema, por lo que no se garantiza la conservación a largo plazo de las especies[30] y por lo tanto se requiere de una red de corredores ecológicos protegidos.

En segundo lugar, establecer un Plan de recuperación de la naturaleza en la Unión Europea a través de la implantación de un marco de

---

[30]   MORELL, V. Massive wolf kill disrupts long-running Yellowstone park study. Revista Science Volumen 375. ISSUE 6580, p. 482, 2022.

Gobernanza para de esta forma mejorar la aplicación y cumplimiento de la legislación en materia de protección ambiental, porque aunque la propia DH *"ya obliga, en parte, a los estados miembros a recuperar el estado de conservación de las especie"* no es menos cierto que han existido importantes lagunas en la aplicación normativa, incluso incumplimientos de la propia regulación que han obstaculizado el mantenimiento del estado de conservación favorable especialmente en el caso del *canis lupus signatus*. Por lo tanto pretende la UE a través de la Estrategia 2030 que se permita a través de una regulación jurídica eficaz la recuperación de la especie, incluyendo la reintroducción de algunas extintas pues ello permitirá también cumplir con algunos de los objetivos marcados y recuperar *"grandes superficies de actuales ecosistemas degradados y ricos en carbono"* mejorando así la conservación del hábitat y de la especie garantizando la naturalidad ecológica de los espacios y garantizando su estado de conservación favorable e incrementar así la tendencia de numerosas especies.

En tercer lugar, la propia Estrategia apuesta por un enfoque integrado y transversal de la protección de la biodiversidad que debe pasar por implicar a toda la sociedad para lo que será necesaria la educación ambiental tanto para la administración pública, las empresas y los ciudadanos.

Así pues, claramente la DH ya obliga a España a recuperar y mejorar la protección de la biodiversidad y a garantizar el estado de conservación favorable del *canis lupus signatus*, pero como veremos todavía, aun con las actuales reformas legales, existen importantes lagunas en la aplicación y en la normativa que obstaculizan garantizar la protección de las especies pues solo pretende cumplirse legalmente con los parámetros de protección, obviando la necesidad de establecer criterios no solo para el cumplimiento de la normativa, sino buscando garantizar un estado de conservación favorable efectivo para las especies.

Por lo tanto, se desprende de la propia Estrategia, que la protección del c*anis lupus signatus* es necesaria y no solo debe ser adecuada a la legalidad de la DH, que también, sino que esta debe concebirse como efectiva, ya que si se pretende que en 2050 *"todo los ecosistemas (...) sean resilientes y estén adecuadamente protegidos (...) y no se produzca ninguna extinción de especie por culpa de la acción* *humana*"[31], si puede evitarse y quiere lucharse contra el cambio climático el *canis lupus* puede y tiene que jugar un importante papel en los ecosistemas de la Península Ibérica.

V. SUCINTA REFERENCIA A LA ACTUAL REGULACIÓN JURÍDICA DEL CANIS LUPUS SIGNATUS A NIVEL ESPAÑOL

En la actualidad en el caso de España, la regulación jurídica en 2021 sufrió un cambio de paradigma modificando radicalmente la categoría jurídica de protección pues, se homogeneizó el régimen jurídico de protección a nivel nacional a través de la Orden TED/980/2021[32], lo que supuso proteger a la especie en el norte del río Duero y la imposibilidad de aplicar medidas de control letal.

La citada Orden, establecido que la especie estuviera como mínimo en todas las Comunidades Autónomas regulado el *canis lupus signatus* con la categoría de especie en régimen de protección especial y, por lo tanto, modifica todas las regulaciones no ambientales del norte del río Duero (por tener categorías jurídicas propias de la ley de caza) que aún están pendientes de modificación.

En este sentido, debe indicarse que la Orden TED/980/2021 supone iniciar el punto de partida jurídico respecto de su catalogación que debía haberse transpuesto en 1986 por parte de España al ratificar la DH.

Ahora bien, aunque la Orden TED/980/2021 cumple actualmente con los parámetro de la DH respecto a la catalogación de la especie, aún no garantiza el estado de conservación favorable del *canis lupus signatus,* puesto que no atiende correctamente los criterios establecidos por la Resolución de 6 de marzo de 2017[33], pues en vista de estos

---

[31] Comisión Europea (2020) "Estrategia sobre Biodiversidad para 2030", p. 22.
[32] MINISTERIO PARA LA TRANSICIÓN ECOLÓGICA Y EL RETO DEMOGRÁFICO (2021) "Orden TED/980/2021, de 20 de septiembre, por la que se modifica el Anexo del Real Decreto 139/2011, de 4 de febrero, para el desarrollo del Listado de Especies Silvestres en Régimen de Protección Especial y del Catálogo Español de Especies Amenazadas".
[33] Resolución de 6 de marzo de 2017, de la Dirección General de Calidad y Evaluación Ambiental y Medio Natural, por la que se publica el Acuerdo del Consejo

criterios de vulnerabilidad (Anexo IV.A) y amenazas complementarias (Anexo II) el *canis lupus signatus* debería estar catalogado no en LESRPE sino en el CEEA con la categoría de especie en peligro de extinción.

En este sentido, para las Comunidades Autónomas, el cumplimiento de la legislación ambiental para la protección de la biodiversidad como es el caso *del canis lupus signatus* debe ser importante no solo por el respeto a la regulación jurídica que emanada del propio legislador autonómico, sino también porque garantizar el estado de conservación favorable del *canis lupus signatus* puede ayudar a cumplir los objetivos de mitigación del cambio climático. Es por ello que vamos analizar el régimen jurídico de esta especie en Murcia[34].

VI. LA SITUACIÓN ACTUAL DEL *CANIS LUPUS SIGNATUS* EN LA COMUNIDAD DE MURCIA

En la actualidad, esta Comunidad Autónoma, no tiene manadas reproductoras en su territorio, pero es importante analizar su regulación jurídica para poder evaluar las medidas que se están adoptando para garantizar la recuperación de la especie y que en el futuro la especie pueda volver a habitar en esta Comunidad Autónoma[35/36].

1. La categoría jurídica de la especie

La regulación jurídica del *canis lupus signatus* la encontramos con carácter general mediante la Ley 7/1995, de 21 de abril, de fauna silvestre de la Región de Murcia, concretamente en su Título II sobre

---

de Ministros de 24 de febrero de 2017, por el que se aprueban los criterios orientadores para la inclusión de taxones y poblaciones en el Catálogo Español de Especies Amenazadas.

[34] LOZANO CUTANDA, B., "Tratado de derecho ambiental" Ed. CEF. ISBN: 9788445428887, pp. 20-124, 2015.

[35] MINISTERIO DE AGRICULTURA, ALIMENTACION Y MEDIO AMBIENTE (2020). "Censo 2012-2014 del lobo ibérico en España".

[36] ESTEVE PARDO, J. "Derecho al medio ambiente" Ed. Marcial Pons. 4°edicion, ISBN: 978-84-9123-420-3, pp. 25-35.2017.

protección de la fauna silvestre que abarca desde el artículo 6 hasta el artículo 92.

En este mismo sentido, a través del artículo 16 de la citada Ley, se crea el Catálogo de Especies Amenazadas de la Región de Murcia, en el que se incluyen las especies, subespecies o poblaciones de fauna silvestre que requieren medidas específicas de protección.

Así pues, el artículo 17 clasifica a las especies que estén incluidas en el Catálogo Regional. Ahora bien, para poder identificar la categoría jurídica del *canis lupus signatus* dentro de la Comunidad Autónoma deberemos acudir al Catálogo de Especies Amenazadas de la Región de Murcia.

El Catálogo de Especies Amenazadas de la Región de Murcia, se desarrolla mediante el Anexo I, de la Ley 7/1995, de 21 de abril, de fauna silvestre de la Región de Murcia, donde el *canis lupus signatus* queda catalogado a través del apartado D), quedando establecida su categoría jurídica como una especie extinguida[37].

En este sentido, entiende el Catálogo de Especies Amenazadas de la Región de Murcia, que tendrán esta consideración aquellas especies que aun teniendo alguna presencia en este territorio hayan dejado de reproducirse en Murcia durante el siglo XX, y cuya posible reintroducción pueda ser estudiada.

Así mismo, en la actualidad existe una página web[38] disponible donde consta publicado y actualizado el Catálogo de Especies Amenazadas de la Región, pero no existe un portal específico para el *canis lupus signatus* aun siendo una especie extinta.

2. La implementación del sistema de gestión de la especie

La Comunidad Autónoma de Murcia, aunque ha catalogado al *canis lupus signatus* como una especie extinguida en su territorio, lo que conlleva necesariamente en virtud del artículo 18 apartado 5 y

---

[37]   BOLETIN OFICIAL DEL ESTADO (2020). *"Ley 7/1995, de 21 de abril, de la fauna silvestre, caza y pesca fluvial.*

[38]   REGION DE MURCIA (2020). *"Especies de fauna extinguidas en la Región de Murcia"*. [Artículo en línea]. [Fecha de consulta: 25 de agosto de 2020]. http://www.murcianatural.carm.es/web/guest/especies-extinguidas1.

6 de la Ley 7/1995, de 21 de abril, de fauna silvestre de la Región de Murcia, la adopción de Planes de gestión de la fauna amenazada que debe consistir en la adopción e implementación de dos medidas principalmente.

Por un lado, la elaboración de un Estudio de viabilidad de la especie para valorar su reintroducción, que de existir la posibilidad de ser viable, se deberán emplear los medios necesarios para que la especie sea reintroducida en su hábitat originario.

Por otro lado, se deberá establecer un Plan de protección y mejora cautelar de los hábitats naturales originarios del *canis lupus signatus* para eliminar las amenazas que existieran o existan sobre la especie en la Comunidad Autónoma.

En este sentido, en la actualidad debe indicarse que no existe ni estudio de viabilidad para la reintroducción de la especie, ni tampoco un plan de protección y mejora cautelar de los hábitats naturales originarios, lo que se traduce en la inexistencia de un plan de recuperación para el *canis lupus signatus*, conllevando que la administración autonómica no pueda adoptar *"sistemas de vigilancia y seguimiento del estado de conservación de las especies amenazadas y de los hábitats sensibles, evaluándose periódicamente los efectos"*, lo que por extensión supone la vulneración del artículo 18.6 de la citada ley autonómica.

Además, como se ha visto anteriormente, este incumplimiento tiene sus posteriores efectos sobre el cambio climático imposibilitando al *canis lupus signatus* para cumplir con su labor ecológica, tanto respecto al resto de la biodiversidad, como respecto al hábitat natural, lo que imposibilita su labor de mitigación.

VII. CONCLUSIONES

1) La interconexión del cambio climático y la biodiversidad es clara, es por ello que, la preservación y reintroducción del *canis lupus signatus* se configura como un método de mitigación en la lucha contra el cambio climático. Así se configura como un mecanismo para reducir, e incluso mitigar, los efectos de las emisiones de gases de efecto invernadero, pues la presencia del *canis lupus signatus* en los ecosistemas peninsulares favorece el almacenamiento del dióxido de carbono

incrementando la retención del dióxido de carbono entre 46 millones y 99 millones de toneladas métricas en los hábitats naturales donde contamos con la presencia de la especie. Es por ello, en sí mismo, que el *canis lupus signatus* se configura como un mecanismo para luchar contra el calentamiento global.

2) La protección de la biodiversidad como elemento de mitigación del cambio climático está reconocido a nivel internacional desde el Convenio sobre Diversidad Biológica de 1992 hasta la actualidad, siendo una de las medidas a implementar en la Estrategia Europea de biodiversidad 2030 que, además, aborda el concepto de estado de conservación favorable y eventual restauración en el caso de ser necesario.

3) En este sentido, establecer una regulación jurídica para la recuperación y en su caso reintroducción de la especie en sus territorios históricos puede contribuir, no solo al cumplimiento respecto a las emisiones de gases de efecto invernadero, sino también al cumplimiento de requisitos específicos de incremento de protección de los hábitats naturales. Para ello, el establecimiento de medidas como la implementación de corredores ecológicos, pasos de fauna y, la implementación de una infraestructura verde, jugarán un papel fundamental, ya que son los instrumentos necesarios para garantizar un correcto estado de conservación favorable.

4) En la Comunidad Autónoma de Murcia, específicamente la categoría jurídica del *canis lupus signatus,* es la de especie extinta, por lo que esta Comunidad Autónoma debe realizar esfuerzos complementarios para restablecer el estado de conservación favorable al *canis lupus signatus* Para ello deberá adoptar una posición proactiva para el cumplimiento legal de la regulación autonómica.

En este sentido, además de todas las medidas propias de restablecimiento ecológico del hábitat natural de la especie, esta Comunidad Autónoma debe dejar de incumplir la Ley 7/1995, de 21 de abril, de fauna silvestre de la Región de Murcia, he implementar un Plan de gestión para esta especie amenazada, que de conformidad con su artículo 18 deberá consistir como mínimo y con carácter urgente en la implementación de un Plan de protección y mejora cautelar de los hábitats naturales originarios de la especie y, también, deberá realizar un estudio de viabilidad para la reintroducción del *canis lupus signatus.*

Esto será importante para comenzar a cumplir la legalidad respecto de la especie, y restaurar así la funcionalidad ecológica de los ecosistemas murcianos, lo que redundará a su vez en importante beneficios en la lucha contra el cambio climático.

BIBLIOGRAFÍA

BORRÀS PENTINAT, S. y VILLAVICENCIO CALZADILLA, P. "El acuerdo de París sobre el cambio climático: un acuerdo histórico o una oportunidad perdida? Análisis jurídico y perspectivas futuras". ISBN: 9788491976332. 2018.

GARCÍA URETA, A. "Consideraciones sobre el régimen jurídico de la Unión Europea e internacional de aplicación al lobo (canis lupus) y su translación al derecho español". Actualidad Jurídica Ambiental, n. 111, Sección "Artículos doctrinales". ISSN: 1989-5666; NIPO: 832-20-001-3. 2021.

LOZANO CUTANDA, B. "Tratado de derecho ambiental" Ed. CEF. ISBN: 9788445428887.2015.

WILLOUGHBY, L. "News Feature: Can predators have a big impact on carbon emissions calculations" Ed. (PNAS) March 6, n° 115 (10) 2260-2263. 2018

PARTE 3
ESTUDIOS SECTORIALES

Capítulo 11

Mecanismos existentes en la legislación de aguas chilena para la protección y conservación de los ecosistemas y su biodiversidad

TATIANA CELUME BYRNE[1]
Doctora en Derecho
Universidad de Salamanca
Docente Investigadora de la Facultad
de Derecho y Gobierno de la Universidad San Sebastián

MÓNICA MUSALEM JARA[2]
Ingeniera Civil Hidráulica
Universidad de Chile
Asesora de la Dirección General de Aguas
del Ministerio de Obras Públicas

I. INTRODUCCIÓN

El texto original del Código de Aguas (CA) de 1981 no contemplaba mecanismos de preservación ecosistémica. El articulado normativo no contenía normas para instrumentalizar el deber estatal de tutelar por la preservación de la naturaleza, no imponía requisitos para la obtención de los derechos de aprovechamiento, ni condicionaba su ejercicio al respeto de caudales ecológicos o ambientales[3]. Lo anterior, a pesar de que hasta el año 1981, Chile ya había suscrito relevantes instrumentos internacionales en materia de biodiversidad[4].

---

[1] Correo electrónico: tatiana.celume@uss.cl. Dirección Postal: Bellavista 7, Recoleta, Chile. Este proyecto se inserta dentro del Proyecto Fondecyt de Iniciación Nº 11180644.

[2] Correo electrónico: mmusalem@gmail.com.

[3] CELUME, T., *Régimen Público de las Aguas*, Thomson Reuters, 2013.

[4] Destacan la Convención para la protección de la flora, fauna y de las bellezas escénicas naturales de los países de américa, promulgada en 1967; la Convención sobre el comercio internacional de especies amenazadas de fauna y flora Silvestres, promulgada en 1975; la Convención relativa a las zonas húmedas de

Previo a la reforma de la Ley N° 21.435 de 2022, el eje del texto legal de aguas se fundaba en que la reasignación de los derechos de aprovechamiento se efectuaba a través de los mecanismos de oferta y demanda que operaban sobre la base del mercado de las aguas, sin una regulación del legislador para asignar y proteger aquellos usos que quedaban fuera de esta lógica. En este sentido Costa señala que,

> [l]a primera y principal característica de la regulación actual de las aguas es el hecho de que los derechos de aguas están concebidos como derechos reales, apropiables y transables en el mercado. El sistema —como tantos otros en Chile— es el fruto de una construcción neoliberalista, donde la propiedad privada era vista como la única y mejor manera de lograr estabilidad, eficiencia y justicia[5].

De este modo, la iniciativa privada para que los particulares contribuyesen en la consecución de objetivos de conservación ambiental de las aguas y de protección de los servicios ecosistémicos que presta el recurso, fueron prácticamente abandonados, de frente a alternativas de uso más rentables.

La reforma al Código de Aguas que hoy se encuentra aprobada en la Ley N° 21.435 se sustenta en diversos pilares fundamentales. Dichos ejes se enfocan, principalmente, en la priorización del uso del agua para el consumo humano; en la protección de la conservación y la sustentabilidad del recurso; en el uso efectivo de las aguas; y, en la inscripción y registro de los derechos de aprovechamiento. A través de esta reforma se incorporaron al marco regulatorio de las aguas modificaciones amparadas en la intensificación del carácter público de las aguas justificadas en la función social de la propiedad y coherentes con la ley ambiental vigente en Chile.

---

importancia internacional, especialmente como hábitat de aves acuáticas, promulgada en 1981; la Convención sobre la protección del patrimonio mundial, cultural y natural, promulgada en 1980; y el Convenio sobre la conservación de especies migratorias de la fauna silvestre, promulgado en 1981. Con posterioridad a 1981, Chile también ha suscrito la Convención internacional para la regulación de la caza de ballenas, promulgada en 1979; el Convenio sobre la Diversidad Biológica, promulgado en 1994, cuya implementación debe verse reflejada en una adecuada protección de la biodiversidad; y la Convención de las Naciones Unidas sobre el Derecho del Mar, promulgada en 1997.

5 COSTA, E., "Diagnóstico para un cambio: Los dilemas de la regulación de las aguas en Chile", *Revista Chilena de Derecho*, Vol. 43, Núm. 1, 2016.

Desde el momento en que se creó en Chile la institucionalidad ambiental en 1994, a través de la Ley de Bases Generales del Medio Ambiente, Ley N° 19.300, (LBGMA), gradual y muy lentamente, las decisiones y los criterios que la DGA fue implementando fueron impregnados por los principios ambientales de la LBGMA. En la reforma del CA reciente, se alcanza una expresión legislativa mucho más consistente entre los textos normativos, de tal forma que, al abrigo de la Ley ambiental el nuevo CA y la DGA han sido dotados de facultades tanto en materia de conservación como de sustentabilidad.

Como reflexiona Soro,

> [...] el avance del Derecho Ambiental, y en especial del que se ha venido en denominar Derecho de los recursos naturales, está incidiendo de manera decisiva sobre instituciones básicas del Derecho de aguas como la distribución de competencias, la planificación hidrológica y sus relaciones con el resto de instrumentos planificadores, las técnicas jurídicas para el control de avenidas e inundaciones y los títulos habilitantes de su uso como bien de dominio público natural[6].

El principio rector de estas atribuciones lo encontramos en el artículo 5° bis, inciso cuarto del CA, que dispone que "[l]a autoridad deberá siempre velar por la armonía y el equilibrio entre la función de preservación ecosistémica y la función productiva que cumplen las aguas". Como se desprende de esta disposición, no se trata de una norma de priorización de la función ecosistémica, sino de la protección de los servicios ecosistémicos que proveen las aguas. El CA no ha querido desconocer los usos productivos de las aguas, sino que, por el contrario, darle amparo a todos aquellos usos que quedan fuera de la lógica del mercado.

Como sostiene Embid,

> [...] los usos que lleven a cabo los particulares de las aguas deben ser "racionales", y la misma decisión pública sobre atribución de usos deberá ser presidida por el criterio de la racionalidad, entendiéndose por tal

---

6   SORO, B., "La revisión de concesiones de uso privativo de agua para su adaptación a las exigencias ambientales de los planes hidrológicos y su eventual indemnización", *Revista Aragonesa de Administración Pública*, Núm. 47-48, 2016.

racionalidad la presente en los proyectos que supongan una mejor utilización del recurso desde el punto de vista de su conservación[7].

Para otorgar esta protección, el legislador recurre a diversas herramientas tales como el establecimiento de reservas estatales sobre aguas disponibles, la implementación de caudales ecológicos retroactivos, la prohibición de la exploración y la explotación en sitios protegidos y la prohibición de drenar turberas en la zona austral del país, entre otras normas, como la creación de derechos no extractivos o *in situ*.

II. NORMAS DE PROTECCIÓN ECOSISTÉMICA GENERALES

Se describirán a continuación aquellas normas de la legislación de aguas que proveen de instrumentos para la protección de los ecosistemas en general, sin distinguir las especificidades del ecosistema, como serían su vegetación o su estado de conservación.

1. Caudal ecológico mínimo (artículo 129 bis 1 del CA)

La Ley N° 20.017, de 2005, que modificó el Código de Aguas, introdujo el artículo 129 *bis* 1, estableciendo funciones vinculadas a temáticas ambientales, a través del caudal ecológico. Hasta el año 2005, la legislación chilena no contemplaba una norma expresa para establecer un caudal ecológico mínimo en los cauces. La ley permitía otorgar a los particulares todo el caudal disponible teniendo sólo la obligación de respetar los derechos de aprovechamiento de aguas otorgados con anterioridad. Sin embargo, desde 1995 la DGA, consciente del problema, y sin contar con los medios legales pertinentes, comenzó con los primeros intentos para aplicar un caudal ecológico de facto, en la asignación de derechos de aprovechamiento. Posteriormente vino la consagración jurídica definitiva y en consecuencia la obligación legal para la autoridad de establecer un caudal

---

[7]   EMBID, A., "Evolución del Derecho y de la política de aguas en España", *Revista de Administración Pública*, Núm. 156, 2001.

mínimo ecológico mediante la modificación al Código de Aguas realizada por la Ley N° 20.017, de 2005. La norma introducida en la legislación de aguas recién el año 2005 fue una expresión coherente con la LBGMA.

A diferencia de lo que ocurre en España, en que como lo señala Embid,

> [e]n cuanto a la naturaleza jurídica y como también me parece adecuado, los caudales ecológicos se configuran en la normativa vigente como "limitación previa a los flujos del sistema de explotación" (art. 26.1 LPHN) o como "restricción que se impone con carácter general a los sistemas de explotación" (art. 59.7 TRLA), no en modo alguno como "uso", (...)[8].

La exigencia de establecer un caudal ecológico en Chile no está enfocada al cauce mismo, es decir, no se impuso a la Autoridad la obligación de medir los caudales promedios de un cauce y establecer un caudal mínimo a respetar por todos los usuarios de la fuente involucrados en el uso o la gestión del cauce. Por el contrario, el caudal ecológico se dirigió a restringir las solicitudes de nuevos derechos de aprovechamiento, estableciéndose que cada vez que se otorgara un nuevo derecho, éste debía considerar la obligación de "dejar pasar" ciertos caudales asociados a su título, los que no podría utilizar. En palabras de Boettiger, "[e]l caudal ecológico se ha definido como el agua mínima necesaria para preservar los valores ecológicos en el cauce de ríos u otros cauces de aguas superficiales"[9].

La crítica que subsiste a la institución de los caudales ecológicos mínimos dice relación con su determinación local en el derecho de aprovechamiento de aguas (DAA) al margen de su constitución en la fuente natural, como un caudal definido a respetar. Al sustentarse en un DAA, la medida se concreta de manera puntual y aislada. Lo anterior, obviando el principio de la unidad de la corriente.

---

8   EMBID, A., "El agua y la energía en el ordenamiento jurídico. Reflexiones generales con atención singular a la regulación del orden de utilización y al caudal ecológico", en EMBID, A. (Dir.), Agua y Energía, Thomson Reuters, 2010, pp. 13-81.
9   BOETTIGER, C., "Caudal ecológico o mínimo: regulación, críticas y desafíos, *Actas de Derecho de Aguas*, Núm. 3, 2013.

Indudablemente es necesario afectar la fuente natural al respeto a los caudales ecológicos mínimos en su integridad.

El cauce, en cambio es un ecosistema continuo que, en el caso chileno, nace en la cordillera y muere en el mar. Asegurar un caudal ecológico mínimo en una sección transversal de la fuente superficial es insuficiente para proteger la biodiversidad del ecosistema en su totalidad. Esta solución aislada del caudal ecológico mínimo es contraria a la globalidad a la que se refiere el concepto de medio ambiente. Ha sido el legislador quien ha dispuesto que el caudal ecológico mínimo tenga un carácter hidrológico y se mida en el punto específico de la extracción de las aguas. Hay una inconsistencia entre los objetivos declarados en la norma del 129 bis 1, cuando se refiere a la protección del medio ambiente y a la preservación de la naturaleza con las limitaciones establecidas para su determinación. Ello, porque el medio ambiente se refiere al conjunto global de elementos naturales y artificiales y, por su parte, la preservación de la naturaleza tiene como objetivo asegurar el desarrollo de los ecosistemas del país.

El legislador pretendió neutralizar el impacto que la determinación de un caudal ecológico a nivel de cuencas pudo haber generado en la economía, al privar a todos los usuarios de la capacidad de disponer de parte de su caudal. En este sentido, en la discusión legislativa se sostuvo que

> [l]a finalidad de esta norma es evitar que un cauce con vida natural desaparezca como ecosistema por efecto de la extracción absoluta del agua, y su establecimiento significará que en los cauces, no se concederá el total del agua puesto que una parte de ella deberá mantenerse escurriendo para sostener la vida natural ligada al río correspondiente"[10].

Sin embargo, en el desarrollo de la discusión parlamentaria se señaló que como la disposición del caudal ecológico implicaba una afectación al modo de adquirir el dominio de los DAA, dicho caudal mínimo debía tener un máximo determinado por ley y no quedar su determinación entregada a la Administración[11]. A partir de este

---

[10]   Historia Ley N° 20.017. Segundo trámite Constitucional. Primer Informe Comisión de Obras Públicas del Senado, mayo de 1999.

[11]   El H. Senador Diez planteó que "la disposición importa, en el fondo, regular un modo de adquirir el dominio, por cuanto la adquisición de un derecho de apro-

momento el caudal ecológico mínimo deja de concebirse como una herramienta de protección de la fuente superficial y pasa a conceptualizarse como una restricción o una limitación al DAA.

Profundizando en lo anterior, podemos señalar que la elección metodológica de un caudal "hidrológico" para determinar el monto máximo a afectar el DAA, condicionó el alcance de los criterios técnicos de que gozaba la Administración para determinar el caudal ecológico mínimo. En otras palabras, si el organismo técnico, es decir, la DGA, hubiese querido implementar un caudal ecológico midiendo factores holísticos, ambientales, ecosistémicos, etc., quedaba vedada, puesto que sólo pudo medirlos a partir de una connotación hidrológica.

El caudal ecológico mínimo, hasta 2022, no se aplicaba a los derechos de aprovechamiento ya otorgados que en su título no tienen incorporada esta obligación. La crítica de rigor era: ¿qué ocurre en aquellos cauces en los que no existía disponibilidad a la entrada en vigor de la Ley Nº 20.017 y en los que los derechos de aprovechamiento fueron otorgados sin la obligación de un caudal ecológico? Dichos cauces, están totalmente desprovistos de la medida. Cualquier intento de aplicar un caudal ecológico fundado en la protección de la fuente y que afectara derechos de aprovechamiento ya otorgados, estaría sujeta a un reproche de constitucionalidad ya que, en la lógica constitucional vigente, ello implicaría una limitación a la esencia del derecho de propiedad que recae sobre el DAA.

Sin perjuicio de lo anterior, para la DGA existen dos instancias para la determinación de caudales ecológicos. La primera es su atribución sectorial, que le permite establecer caudales ecológicos mínimos a través del CA, dentro del proceso de otorgamiento de derechos

---

vechamiento de aguas queda sujeta a la fijación del respectivo caudal ecológico que la autoridad administrativa efectúe, en los términos del inciso segundo de esta norma. Consideró que, por su naturaleza, dicha materia debe ser regulada por ley y no quedar entregada a la Administración. En consecuencia, sugirió fijar el caudal máximo en la propia disposición legal en análisis, sin perjuicio de facultar, también en ella, al Presidente de la República para que, en casos calificados y mediante decreto fundado, lo altere". Historia de la Ley Nº 20.017. Segundo Trámite Constitucional. Primer Informe de Comisión de Constitución del Senado. Enero de 2000.

de aguas, en cumplimiento del artículo 129 *bis* 1, del modo descrito *supra*. La segunda facultad de la DGA para establecer caudales ecológicos denominados, en estos casos "caudales ambientales", es a través de la LBGMA, la cual dispone que los proyectos incluidos en el artículo 10 de dicho cuerpo normativo deberán someterse al Sistema de Estudio de Impacto Ambiental (SEIA).

En este punto es importante señalar que, en el caso de Estudios de Impacto Ambiental, el caudal ambiental se aplica o se determina como una medida de mitigación, frente a los impactos que pueda provocar el proyecto. Para Tala,

> [e]s indudable que la intervención legislativa más gravitante de la Ley 19.300 en el régimen de aprovechamiento hidráulico, consiste en la introducción de la planificación como instrumento de gestión ambiental, particularmente bajo la modalidad de plan de manejo, que está orientada al uso y aprovechamiento de los recursos naturales renovables de modo que se asegure su capacidad de regeneración (no sólo genética o reproductiva sino también de recarga), y que, fiscalizado por el organismo público pertinente, conforme al artículo 42, letra a), de la Ley 19.300, debe incluir como consideración ambiental, la "mantención de caudales de agua y conservación de suelos". Esto es, ni más ni menos, que la regulación jurídico positiva del llamado caudal ecológico, [...][12].

Con la aprobación de la Ley N° 21.435 de 2022, se aprobaron diversos caudales ecológicos retroactivos, es decir, aplicables a derechos de aprovechamiento ya constituidos. Esta segunda posibilidad de la Administración para disponer la creación de caudales ambientales a derechos de aprovechamiento que, en su constitución originaria, no lo tenían impuesto, ha venido a suplir la imposibilidad de afectar derechos otorgados con anterioridad a la Ley N° 20.017, desde una perspectiva práctica, legítima y constitucionalmente válida.

Previo a la identificación de estos casos de aplicación del caudal ecológico mínimo retroactivo, conviene señalar que las tres hipótesis constituyen atribuciones facultativas de la DGA. La DGA podrá establecer un caudal ecológico mínimo, respecto de aquellos DAA ya otorgados en las áreas declaradas bajo protección oficial de la biodiversidad, como los parques nacionales, reservas nacionales, reservas

---

[12]   TALA, A., *Derecho de Recursos Naturales*, Ediciones Jurídicas La Ley, 1999.

de región virgen, monumentos naturales, santuarios de la naturaleza, los humedales de importancia internacional y los sitios prioritarios de primera prioridad.

La DGA siempre podrá establecer, en el nuevo punto de extracción, un caudal ecológico mínimo en la resolución que autorice el traslado del ejercicio del DAA superficiales. Esta práctica ya se venía ejerciendo por la autoridad administrativa y había sido ratificada por la Corte Suprema[13].

La DGA podrá, en el marco de la evaluación ambiental de un proyecto, proponer un caudal ecológico mínimo o uno superior al mínimo establecido en el momento de la constitución del o los DAA superficiales en aquellos casos en que éstos se aprovechen en las obras a que se refieren los literales a), b) y c) del artículo 294 (obras mayores). Esta última norma formaliza una práctica que la DGA ha venido ejecutando en el Sistema de Evaluación de Impacto Ambiental[14]. Vale recordar que el SEIA es una instancia previa a la materialización de la obra. Se trata de un instrumento preventivo de la LBGMA que se desarrolla previo a la ejecución del proyecto de obra mayor. De esta forma, si la obra que utilizará el DAA no tenían un caudal ecológico asociado, la DGA lo establece. En caso contrario, lo redefine para que éste sea ambientalmente idóneo.

La disposición comentada lo que hace es reconocerle a la DGA su competencia en materia ambiental, en tanto ésta puede valorar las medidas de mitigación, reparación o compensación. Lo interesante es que esta atribución se traduce en que la DGA obliga al titular de DAA asociados a una obra mayor a que éste compense, mitigue o repare, siempre dejando agua en el cauce. En este sentido, conviene aclarar que, la aplicación de esta norma se hace de forma disociada al proceso de evaluación ambiental consistente en determinar los impactos adversos significativos de un proyecto. En otras palabras, si del SEIA se desprende que la obra mayor no presenta los mencionados impactos y en coherencia con ello no requiere de medidas de mitigación, repara-

13   Ver Sentencia Corte Suprema Rol N° 9654-2009, "Sergio Menichetti Cuevas con Dirección General de Aguas".
14   Ello debe ser leído de conformidad al artículo 10, literal a) y del artículo 11, literal b), ambos de la Ley N° 19.300.

ción o compensación, igualmente, la DGA podrá informar la cuantía del caudal ambiental que deberá ser respetado por la obra.

Sin embargo, la disposición en comento, en caso de que el DAA se esté ejerciendo en una obra que ya ha pasado por el SEIA, no tiene carácter retroactivo. Es decir, si los DAA han sido o serán ejercidos por un proyecto que ya cuenta con autorización ambiental, esta atribución de la DGA no tiene efecto práctico.

2. Derechos no extractivos (artículo 129 bis 1°A del CA)

La Ley N° 20.017 de 2005 incorporó una "patente por no uso de las aguas". En la exposición de motivos de ese proyecto de ley, se advirtió la necesidad de incorporar causales de caducidad a los derechos de aprovechamiento de aguas, por su no uso efectivo. Durante la tramitación legislativa de la reforma al CA y dadas las circunstancias políticas y sociales de la época, la patente por no uso surge como una alternativa a la figura de la caducidad por no utilización de las aguas y al establecimiento de una tarifa por tenencia de los DAA. De la historia legislativa y del momento político en que se gestó la reforma podemos señalar que la posibilidad de establecer un gravamen general a la tenencia de los DAA se descartó debido a que no existía ningún catastro o registro único y completo de los DAA existentes en la época. Mal podría gravarse a los titulares de DAA si la autoridad no tenía conocimiento de su existencia. La caducidad, por su parte, fue desechada por el símil que tenía con la figura contenida en el CA de 1951 y por la fragilidad institucional que dicho cuerpo supuso en la época de la reforma agraria.

La patente por no uso implica la imposición de un gravamen (o de una sanción) en caso de que un titular de un DAA no esté dando un uso efectivo a las aguas, entendiéndose por tal, si no ha construido las obras suficientes y aptas para captar y restituir las aguas, en su caso. Esta norma si bien tuvo por objetivo evitar el acaparamiento ocioso de derechos y la consecuente especulación con ellos —especialmente, de los derechos no consuntivos—, generó un incentivo perverso consistente en gravar (o sancionar) a aquellos titulares de DAA que deseaban promover un uso ecológico o turístico a las aguas, dejándolas correr. Como puede apreciarse, la patente por no uso de las aguas no incentiva un uso más racional y sostenible del recurso hídrico, sino que, por el contrario, consagra un uso ineficiente de las aguas.

Para dar solución a este problema, la Ley N° 21.435 dispuso en el artículo 129 bis 1A que se podrán constituir DAA para que estos sean aprovechados en su propia fuente sin requerirse su extracción, ya sea para fines de conservación ambiental, o para el desarrollo de un proyecto de turismo sustentable, recreacional o deportivo.

3. Reservas de caudales

En su historia legislativa, la reserva de caudales estuvo orientada a suplir la falta de recurso hídrico para el abastecimiento de la población y para impulsar el desarrollo de actividades productivas relevantes en el contexto regional[15]. No se trata de un instrumento limitado a consideraciones ambientales ni tampoco ha sido creado para ello. Creemos que el objetivo de esta norma estaba más bien ligado a la posibilidad de que el Estado pudiese reservar aguas con la finalidad de propender al fortalecimiento de las iniciativas económicas particulares, dando cabida al desarrollo de grandes proyectos estratégicos. Sin embargo, la institución de la reserva mudó a un concepto más bien amplio y susceptible de ser utilizado con objetivos de marcado carácter ambiental[16].

---

[15] El texto original de la indicación del Ejecutivo contenida en el Boletín N° 876-0928 y que se incorporó durante su segundo trámite constitucional en el Senado.

[16] Al menos en dos ocasiones y con la finalidad adicional de fortalecer el desarrollo económico regional, se autorizó a la DGA para denegar ciertas solicitudes de derechos de aprovechamiento no consuntivos pendientes con fundamentos de conservación ambiental, ver Sentencias de la Ilustrísima Corte de Apelaciones, Rol N° 2395-2010 y 2396-2010 sobre Recurso de Reclamación Hidroaysén S.A. con MOP y Rol N° 352-2010, sobre Recurso de Reclamación Sur Electricidad y Energía S.A. con MOP. Asimismo, el Informe Técnico N° 2 "Reserva del río Cochamó para la conservación ambiental y el desarrollo local de la cuenca", realizado por la División de Estudios y Planificación de la Dirección General de Aguas, de agosto de 2009 e Informe Técnico N° 3 "Análisis de caudales de reserva de agua superficial para el desarrollo de la cuenca del río Pascua, Región de Aysén del General Carlos Ibáñez del Campo", de la Dirección de Administración de Recursos Hídricos de la Dirección General de Aguas, de fecha 16 de enero de 2015.

La reserva de caudales ambientales se estructuró como un mecanismo eventual y residual en virtud del cual, la DGA podía evitar la constitución de nuevas titularidades privativas para aprovechar las aguas, tanto consuntivas como no consuntivas[17]. En el primer caso, sólo con la finalidad de abastecer a la población. En el segundo, en circunstancias excepcionales y basándose en consideraciones de interés nacional. Ambos términos son muy amplios y permiten la introducción de diversas justificaciones, tanto ambientales como sociales o geopolíticas. Las consideraciones de interés nacional han sido estrictamente definidas por la jurisprudencia y no han sido consistentes en dar paso a razones ambientales para reservar el recurso.

La reserva de caudales, hasta antes de la reforma, constituía una herramienta de escasa aplicación práctica para preservar la naturaleza y conservar el recurso hídrico y su aplicación extensiva para dar cumplimiento a los deberes estatales en materia de conservación ambiental, quedaba entregada a la interpretación que de la norma hagan los tribunales superiores de justicia con motivo del recurso de reclamación judicial.

Fruto de la reforma de 2022, el Estado podrá constituir reservas de aguas disponibles, superficiales o subterráneas con el objetivo de asegurar la función de preservación ecosistémica. Antes de la reforma de la Ley Nº 21.435 de 2022, para que el Estado pudiera reservar aguas, debía denegar parcialmente solicitudes pendientes. Además, se distinguía si dichas solicitudes eran sobre derechos consuntivos y no consuntivos, pudiendo denegarse las solicitudes hechas para derechos consuntivos en beneficio del abastecimiento de la población, mientras que las hechas para usos no consuntivos sólo podían denegarse en casos excepcionales y basadas en el interés nacional. En dicho interés nacional no tenía cabida la preservación ecosistémica de las aguas. Así, como resultado de la reforma de 2022, basta con que existan aguas disponibles para que la Administración pueda reservarlas con fines ecosistémicos.

---

[17]   Para la Dirección General de Aguas, "[l]a figura de la reserva de caudales para ciertos usos, consiste en denegar en parte determinadas solicitudes, de modo que exista disponibilidad de recursos para la constitución de solicitudes que se encuadren dentro de las hipótesis que señala la norma", en Informe "Análisis de metodología y determinación de caudales de reserva turísticos" (2010, p. 1).

III. NORMAS DE PROTECCIÓN ECOSISTÉMICA ESPECÍFICAS

Se describirán a continuación aquellas normas de la legislación de aguas que proveen de instrumentos para la protección de los ecosistemas en específico, distinguiendo por su vegetación o su estado de conservación.

1. *Áreas declaradas bajo protección oficial para la biodiversidad*

En virtud de la Ley Nº 21.435, se impone a la DGA el otorgamiento de nuevos DAA con el objetivo de proteger la biodiversidad del país (artículo 129 bis 2, incisos tercero, cuarto y quinto del CA). En este sentido la Ley prohíbe otorgar DAA en las áreas declaradas bajo protección oficial para la protección de la biodiversidad, a menos que se trate de actividades compatibles con los fines de conservación del área. Prohíbe, además, otorgar DAA en aquellas zonas que alimentan vegas, bofedales y pajonales de las regiones de Arica y Parinacota, Tarapacá, Antofagasta, Atacama y Coquimbo; las zonas que corresponden a sectores acuíferos que alimentan humedales que hayan sido declarados por el Ministerio del Medio Ambiente como ecosistemas amenazados, ecosistemas degradados o sitios prioritarios; y, los humedales urbanos declarados en virtud de la ley Nº 21.202, a menos que se trate de actividades compatibles con los fines de conservación de los sitios referidos, lo que deberá ser acreditado mediante informe del Ministerio del Medio Ambiente.

Los derechos de aprovechamiento ya existentes en las áreas indicadas sólo podrán ejercerse en la medida que ello sea compatible con la actividad y fines de conservación de éstas.

Las normas comentadas tienen el objetivo de definir el límite razonable de la actividad productiva que lo haga compatible con la declaración de áreas protegidas. Este objetivo es absolutamente coherente con la reserva legal que el constituyente ha otorgado al legislador en el artículo 19 Nº 8 de la Constitución, en virtud de la cual "[l]a ley podrá establecer restricciones específicas al ejercicio de determinados derechos o libertades para proteger el medio ambiente". Esta norma habilita al legislador para restringir el derecho de propiedad (artículo

19 N° 24 de la Constitución) y la libre iniciativa económica (artículo 19 N° 21 de la Constitución). Con ello lo que se ha querido significar es que el derecho a vivir en un medio ambiente libre de contaminación sólo es compatible con el desarrollo sustentable. Así, en palabras de Aguilar

> [...] es indispensable la consideración del principio de desarrollo sustentable en conexión indivisible con el derecho al desarrollo dentro de la materia cubierta por el derecho a un medio ambiente sano, adecuado, ecológicamente equilibrado y apto para el desarrollo y el bienestar de las personas[18].

2. *Normas de Protección de Ecosistemas en Sistemas Vegetacionales Hídricos Terrestres*

La zona norte del país, definido también como la zona hídrica denominada Norte Grande, entre las Regiones de Arica y Parinacota, Iquique y Antofagasta, tiene un ambiente marcadamente árido, en el que el suministro de aguas está condicionado a la existencia de sistemas vegetacionales característicos, conocidos con el nombre de "vegas y bofedales". Dichos sistemas, corresponden a un ambiente de humedal altiplánico y proveen la función ecosistémica de forrajeo y abrevadero del ganado de los pueblos originarios amenazados en su conservación, tales como, la vicuña, el guanaco, la llama y la alpaca.

> "Los sistemas vegetacionales azonales hídricos de altura corresponden a ecosistemas ampliamente distribuidos en la Cordillera de los Andes, sin embargo pese a su vasta presencia, es un recurso muy escaso en la zona Norte y Centro Norte del país, constituyéndose en lugares de alta relevancia por su particular diversidad biológica y por el rol que representan para los sistemas productivos de las comunidades locales, basados en técnicas ancestrales"[19].

Sólo a partir de 1992, con el objeto de remediar en parte la situación de total desprotección en las áreas de vegas y bofedales, se modi-

---

[18]   AGUILAR, G., "Las deficiencias de La fórmula "derecho a vivir en un medio ambiente libre de contaminación" en la constitución chilena y algunas propuestas para su revisión", *Estudios Constitucionales*, Año 14, Núm. 2, 2016.
[19]   Guía Descriptiva de los Sistemas Vegetacionales Azonales Hídricos Terrestres de la Ecorregión Altiplánica (SVAHT), SAG, septiembre 2009,

fica el Código de Aguas, incorporando su tutela mediante la prohibición de explorar y explotar los recursos subterráneos, que constituyen su base esencial. A estos efectos, la Ley N° 19.145 agregó en el inciso tercero al artículo 58 que no se podrán efectuar exploraciones en terrenos públicos o privados de zonas que alimenten áreas de vegas y de los llamados bofedales en las Regiones de Tarapacá y de Antofagasta; y, en el artículo 63 que Las zonas que correspondan a acuíferos que alimenten vegas y los llamados bofedales de las Regiones de Tarapacá y de Antofagasta se entenderán prohibidas para mayores extracciones que las autorizadas.

El mensaje de la Ley N° 19.145[20] se ve reafirmado por lo indicado por el señor Director General de Aguas, quien sostuvo que con la iniciativa legal

> se pretende proteger esos entornos naturales denominados bofedales o vegas, sobre la base de establecer limitaciones a la utilización de las aguas subterráneas, cuando ellas los alimentan"[21].

Esta norma de resguardo, en la práctica, tuvo diversos inconvenientes en su aplicación. El más grave y de mayor repercusión se refiere a la delimitación las zonas "que alimentan las vegas y los bofedales". Fuese por la tecnología de la época o por la naturaleza física que presenta un acuífero, los confines de las zonas objeto de la protección legal, fueron insuficientes para cumplir la finalidad de preservación de estos humedales. Además, se trataba de impedir "mayores extracciones" o "nuevas explotaciones", sin poder afectar derechos ya otorgados en esas zonas, sin perjuicio de la declaración de una zona de prohibición. Lo que conviene destacar es que esta disposición primigenia, tiene la virtud de constituir el primer atisbo de preservación

---

[20]   Historia de la Ley N° 19.145. En el mensaje se indica que: "El presente proyecto de ley persigue evitar la desaparición de bofedales y vegas en la I y II Regiones, con su consecuencia de emigración de poblaciones hacia centros urbanos, lo que atenta contra la presencia nacional en el altiplano y aumenta los problemas de pobreza y marginalidad urbana. El proyecto limita la extracción de aguas subterráneas por terceros, cuando éstas alimentan esas áreas de pastoreo, y sólo admite la posibilidad de concesiones de derechos de aguas en condiciones muy restringidas que aseguran la permanencia en el tiempo de esas zonas naturales".
[21]   Historia de la Ley N° 19.145 (Informe de la Comisión de Obras Públicas).

ecosistémica en la legislación de aguas chilena introducida al Código de Aguas de 1981.

Vemos a su vez, en virtud de la Ley N° 21.435 de 2022, se incorpora como objeto de protección a los "pajonales" que son formaciones vegetacionales típicas del altiplano.

> Por milenios esta vegetación ha brindado servicios de talaje, combustible y alimento a las poblaciones humanas originarias y actuales. En algunos casos la utilización de algunos de estos recursos ha sobrepasado la capacidad de respuesta de las especies, con la consecuente degradación y problemas de conservación, como es el caso de la llareta y la queñoa, por lo que ambas especies enfrentan problemas de conservación[22].

Así también, se incorpora como objeto de protección aquellos sistemas vegetacionales que se ubican en las regiones de Tarapacá y Coquimbo, regiones localizadas más al sur que las primera tres, en lo que se denomina zona hídrica "Norte Chico". Vale la pena recordar que la distribución regional en Chile se organiza de norte a sur, siendo Arica y Parinacota la región más boreal del territorio chileno "Norte Grande", y hacia el sur, van sucediendo las otras regiones listadas en el texto normativo. Ambas zonas hídricas, el Norte Grande y Norte Chico, presentan un clima desértico y la disponibilidad de aguas es muy inferior a las necesidades para asegurar la subsistencia.

3. *Ecosistemas Amenazados, Degradados y Sitios Prioritarios para la Conservación de la Biodiversidad*

No existe una definición legal vigente aplicable al concepto de Ecosistemas Amenazados o Ecosistemas Degradados. Sin embargo, actualmente, se discute el Proyecto de Ley al que se refiere el Boletín 9404-12 y que crea el Servicio Nacional de Biodiversidad y Áreas Protegidas[23]. Por su parte, los denominados "sitios prioritarios" co-

---

[22] Wildlife Conservation Society, *Chile País de Humedales*, 2018.
[23] En dicho proyecto de ley se define ecosistema amenazado como aquel "ecosistema que presenta riesgos que pueden producir disminución en su extensión o cambios en su composición, estructura o función [...]". En complemento, se define ecosistema degradado como aquel "ecosistema cuyos elementos físicos, químicos o biológicos han sido alterados de manera significativa con pérdida de biodiversidad, o presenta alteración de su funcionamiento y estructura, causados

rresponden a los informados en el artículo tercero transitorio de la Ley N° 21.435 y se refieren a los sesenta y ocho sitios definidos en la Estrategia para la Conservación y Uso Sustentable de la Biodiversidad, de 2003 y que tienen efectos para el Sistema de Evaluación de Impacto Ambiental.

El Estado debe asegurar la diversidad biológica, tutelar la preservación de la naturaleza y conservar el patrimonio ambiental según se lo mandata el Artículo 34° de la LBGMA, pero aún se discute el nivel de protección que como sociedad estamos dispuestos a otorgarle a la biodiversidad. Lo primero será preguntarnos qué entendemos por biodiversidad en Chile. Para estos efectos, el artículo 2° literal a) de la Ley de Bases Generales del Medio Ambiente (LGBMA) de 1994 define la Biodiversidad o Diversidad Biológica.

Ahora bien, conviene destacar que estos conceptos tienen un distinto significado. En este sentido, para Fernández, la preservación de la naturaleza es

> "[...] la mantención del estado natural original de determinados componentes del ambiente o de lo que reste de dicho estado, mediante la limitación de la intervención humana al nivel mínimo compatible con dicho objetivo"[24].

Consiste en no intervenir la naturaleza, que esta quede despojada de la mano del hombre. Por otro lado, la conservación del patrimonio ambiental, que nuestra Constitución regula como una exigencia de la función social para limitar o establecerle obligaciones al derecho de propiedad, se resuelve en la LBGMA como el "[...] uso y aprovechamiento racionales o la reparación, en su caso, de los componentes del medio ambiente"[25]. En otras palabras, lo que se ampara es el desarrollo sustentable. Existen así, dos técnicas disímiles para intervenir las especies naturales. Una, que consiste en no aprovechar (la preser-

---

por actividades o perturbaciones que son demasiado frecuentes o severas [...]". Agrega el proyecto de ley que la declaración como ecosistema degradado tendrá la finalidad de "recuperar su estructura y funciones".

[24] FERNÁNDEZ, P., *Manual de Derecho ambiental chileno*, Legal Publishing, 2013.

[25] Artículo 2 de la LBGMA.

vación) y otra, que consiste en un uso que asegure a las generaciones presentes y futuras que podrán seguir utilizando (la conservación).

3.1. Prohibición de nuevas exploraciones de aguas subterráneas (artículo 58 del CA)

Esta norma condiciona la protección del ecosistema a que su estructura y funcionamiento esté dada por las aguas subterráneas. En otras palabras, la razón de la amenaza o la degradación debe estar relacionada con los recursos hídricos. Si bien el ecosistema está constituido por los componentes bióticos y los abióticos y el agua es uno de esos componentes abióticos que pudiera darle soporte y estructura, lo relevante es que la norma aplica sólo cuando existe un ecosistema que está amenazado, degradado o es prioritario, pero siempre y cuando la amenaza o la degradación tenga su origen en un cambio o detrimento en la cantidad (una reducción) o la calidad de las aguas.

Con ello, la reforma al CA contribuye a la Conservación del Patrimonio Ambiental, entendida como

> "el uso y aprovechamiento racionales o la reparación, en su caso, de los componentes del medio ambiente, especialmente aquellos propios del país que sean únicos, escasos o representativos, con el objeto de asegurar su permanencia y su capacidad de regeneración"[26].

Y es coherente con el deber del estado de proponer políticas y formular planes, que favorezcan la recuperación y conservación de los recursos hídricos, genéticos, la flora, la fauna, los hábitats, los paisajes, ecosistemas y espacios naturales, en especial los frágiles y degradados, contribuyendo al cumplimiento de los convenios internacionales de conservación de la biodiversidad[27].

3.2. Prohibición de nuevas explotaciones de aguas subterráneas (artículo 63 del CA)

Además, de las ya comentadas prohibiciones de exploración, a partir de la reforma de 2022, quedan comprendidas en la prohibición

---

[26] Artículo 2°, Literal b) de la LBGMA.
[27] Artículo 70, literal i) de la LBGMA.

para mayores extracciones que las autorizadas como para nuevas explotaciones, sin necesidad de declaración expresa los humedales urbanos declarados en virtud de la Ley N° 21.202 de 2020, en la medida que dicha declaración, en coordinación con la DGA, contenga entre sus fundamentos los recursos hídricos subterráneos que los soportan. De acuerdo con la historia de la Ley N° 21.202 la definición de humedal urbano no es otra que la del Convenio sobre la conservación de especies migratorias de la fauna silvestre, promulgado en 1981[28], pero que se encuentran dentro del perímetro del radio urbano definido por los correspondientes planes reguladores.

Estas protecciones se verifican *ipso iure*, sin que sea necesaria una declaración previa por parte de la Administración, la que sólo tendrá que circunscribir el área donde ésta operará. Una vez circunscritas, no se podrán otorgar nuevos DAA en aquellas zonas.

Vale la pena informar que el CA recoge el principio de unidad de la corriente[29], noción que incluye el afloramiento de las aguas subterráneas, instancia donde dichas aguas ocultas propician la conformación de ecosistemas y sostienen la biodiversidad. Por ello, las normas recién comentadas relativas a la prohibición de nuevas exploraciones y explotaciones en ecosistemas amenazados, degradados y sitios prioritarios para la conservación de la biodiversidad resultan especialmente pertinentes como mecanismo de protección y conservación.

IV. CONCLUSIONES

Por su parte, la Dirección General de Aguas asume nuevas atribuciones para la conservación del recurso hídrico. En este sentido,

---

[28]   Extensiones de marismas, pantanos y turberas, o superficies cubiertas de agua, sean estas de régimen natural o artificial, permanentes o temporales, estancadas o corrientes, dulces, salobres o saladas, incluidas las extensiones de agua marina, cuya profundidad en mareo baja no exceda los 6 metros.

[29]   El Artículo 3° del CA informa que "Las aguas que afluyen, continua o discontinuamente, superficial o subterráneamente, a una misma cuenca u hoya hidrográfica, son parte integrante de una misma corriente.//La cuenca u hoya hidrográfica de un caudal de aguas la forman todos los afluentes, subafluentes, quebradas, esteros, lagos y lagunas que afluyen a ella, en forma continua o discontinua, superficial o subterráneamente".

destacan las prohibiciones de exploración y de explotación en sitios protegidos. Asimismo, la imposibilidad de constituir nuevos DAA en zonas protegidas para la biodiversidad. Por último, conviene destacar que la nueva legislación incorpora el concepto de caudal ecológico retroactivo en zonas protegidas y reconoce la existencia de derechos no extractivos de agua o derechos in situ.

Como fuera informado, el nuevo CA es coherente con la mantención de la función ecológica que las aguas proveen y con la eliminación de incentivos negativos para la conservación de la diversidad biológica, abordando las causas subyacentes de la pérdida de la diversidad biológica mantenido los impactos del uso de los recursos hídricos dentro de límites ecológicos seguros, en coherencia con lo establecido en el objetivo estratégico A de las Metas AICHI para conservación de la biodiversidad[30]

La reforma del Código de Aguas fortalece a la Administración para la consecución de los fines propuestos en la tutela de la preservación de la naturaleza del artículo 19, número 8 CPR, y crea incentivos para que los particulares puedan inclinarse a la tarea de preservar el medio ambiente. Asimismo, promueve la conservación de los beneficios ecosistémicos que proveen las aguas sin que los titulares de los derechos de aprovechamiento incurran en un costo o gravamen adicional que pueda traducirse en una desigualdad en la distribución de las cargas públicas (artículo 19, número 20 CPR), al asumir dichos titulares el coste individualmente, y proporcionando el beneficio a toda la sociedad, sin que esta última asuma la carga, en igualdad de condiciones.

Hoy por hoy, podemos señalar que el CA contempla especiales mecanismos idóneos para proteger la biodiversidad. La Dirección General de Aguas (DGA) actúa interviniendo en la gestión del recurso y ha sido dotada de facultades tanto en materia de conservación como de sustentabilidad.

BIBLIOGRAFÍA

AGUILAR, G., "Las deficiencias de La fórmula "derecho a vivir en un medio ambiente libre de contaminación" en la constitución chilena y algunas

---

[30]   Disponible en https://www.cbd.int/doc/strategic-plan/2011-2020/Aichi-Targets-ES.pdf.

propuestas para su revisión", *Estudios Constitucionales*, Año 14, Núm. 2, 2016.

BOETTIGER, C., "Caudal ecológico o mínimo: regulación, críticas y desafíos, *Actas de Derecho de Aguas*, Núm. 3, 2013.

CELUME, T., *Régimen Público de las Aguas*, Thomson Reuters, 2013.

COSTA, E., "Diagnóstico para un cambio: Los dilemas de la regulación de las aguas en Chile", *Revista Chilena de Derecho*, Vol. 43, Núm. 1, 2016.

DONOSO, G., "Análisis del funcionamiento del mercado de los derechos de aprovechamiento de agua e identificación de sus problemas", *Revista de Derecho Administrativo Económico*, Vol. 1, Núm. 2, 1999.

EMBID, A., "El agua y la energía en el ordenamiento jurídico. Reflexiones generales con atención singular a la regulación del orden de utilización y al caudal ecológico", en EMBID, A. (Dir.), *Agua y Energía*, Thomson Reuters, 2010, pp. 13-81.

EMBID, A., "Evolución del Derecho y de la política de aguas en España", *Revista de Administración Pública*, Núm. 156, 2001.

FERNÁNDEZ, P., *Manual de Derecho ambiental chileno*, Legal Publishing, 2013.

SORO, B., "La revisión de concesiones de uso privativo de agua para su adaptación a las exigencias ambientales de los planes hidrológicos y su eventual indemnización", *Revista Aragonesa de Administración Pública*, Núm. 47-48, 2016.

TALA, A., *Derecho de Recursos Naturales*, Ediciones Jurídicas La Ley, 1999.

Capítulo 12

La gestión ética de colonias felinas en el Anteproyecto de Ley de Protección, Derechos y Bienestar de los Animales

JOSEP RAMÓN FUENTES I GASÓ
Profesor Titular de Derecho Administrativo
Universitat Rovira i Virgili
josepramon.fuentes@urv.cat

ÓSCAR EXPÓSITO LÓPEZ
Investigador Predoctoral de Derecho Administrativo
Universitat Rovira i Virgili
oscar.exposito@urv.cat

I. INTRODUCCIÓN

Con la intención de desgranar las motivaciones y las consecuencias que tendría la aprobación del anteproyecto de ley en materia de bienestar animal en el ámbito de las colonias felinas urbanas, territorio hasta ahora inexplorado por la legislación básica, será necesario sumergirse en la concepción del felino como animal de compañía y hasta dónde abarca esta categorización así como si puede tener efectos sobre los gatos urbanos, lo cual los dotaría de derechos inherentes a éstos de forma indirecta ya que este hecho podría tener efectos sumamente beneficiosos para los animales en algunos aspectos que buscan analizarse. En segundo lugar se estudiará en profundidad la que podría ser la estrella de la gestión de colonias felinas, pues parece querer el legislador que sean unificados los criterios de gestión a nivel nacional en la materia mediante el Programa de Gestión Ética de Colonias Felinas, el cual parece contener puntos muy importantes a la par que controvertidos, así como la nueva carga que supondrá toda esta nueva gestión en las Administraciones Públicas, que no sólo necesitarán de destinar recursos económicos, los cuales muchas veces escasean, sino también personales. Una vez desgranado completamente el programa de gestión deberá ponerse en contraparte con las prohibiciones y sanciones específicas a la hora de gestionar a los gatos urbanos, que parecen afectar claramente, en la mayoría de sus puntos, a una posible acción administrativa. Finalmente, se analizará la figura de la asociación protectora de animales, que en este caso adquiere una nueva terminología concreta, para asociar sus implicaciones con la nueva función pública con la que parece se cargará a los entes locales, y cómo su actividad puede ayudar a la realización de los objetivos marcados, así como su papel en el proceso. Es, por ende, objetivo, el desgrane del Capítulo VIII y de otros apartados que puedan afectar a éste desde una perspectiva administrativa y cómo esta nueva normativa puede afectar al *statu quo* administrativo.

II. LA GESTIÓN ÉTICA DE COLONIAS FELINAS EN EL ANTEPROYECTO DE LEY DE PROTECCIÓN, DERECHOS Y BIENESTAR DE LOS ANIMALES (ALPDBA)[1]

1. *La futura gestión del gato callejero*

En lo concerniente exclusivamente a los gatos urbanos, deben puntualizarse diversos aspectos a lo largo del apartado de relevancia para su gestión. La revisión tendrá inicio en la parte definitoria pues se contemplan distintos casos en los cuales un gato puede encontrarse dentro del régimen jurídico de protección animal, ya que dependiendo de la categorización del gato serán aplicables unos u otros artículos a la par que unas consecuencias jurídicas diferenciadas; se analizará el novedoso régimen jurídico de la gestión ética de las colonias urbanas (y el papel de la administración autonómica y local), para acabar finalmente con las prohibiciones y sanciones. Posteriormente se expondrán las personas (físicas y jurídicas) que tendrán alguna relación reglada con éstos.

1.1. Los diferentes tipos de gatos y centros

El artículo 3 ALPDBA, con el ánimo de ser conciso, trae a colación distintos tipos de regímenes diferenciados, los cuales son de aplica-

---

[1]   Este trabajo se ha realizado sobre la versión del ALPDBA de 8 de marzo de 2022.

ción únicamente, o de forma muy concreta, a los felinos urbanos. Y es que, de acuerdo con el precepto, existirán tres tipos diferentes de conceptualización jurídica del gato:

a. *Gato feral.* Entendido como aquél que vive en libertad, siempre y cuando sea de la especie *felis catus*[2], siempre y cuando viva vinculado a un territorio y que, además, carezca de socialización con el humano y de propietario o, como determina la norma, persona titular.

b. *Gato merodeador.* Gatos cuya titularidad es de una persona y, por ende, tienen dueño. La característica de estos gatos es que, a pesar de tener un hogar humano, éstos permiten que salgan al exterior. Por tanto, son gatos domésticos que entran y salen del hogar donde residen.

c. *Gato urbano.* Es el gato feral, y que por lo tanto no tiene dueño, pero que sí interactúa con el ser humano de manera que necesita su ayuda para sobrevivir, de modo que la subsistencia y la manutención del gato dependen, en sobremanera, de la acción humana.

Todas las definiciones anteriores son fácilmente reconocibles en la práctica, y por ello se puede entender que son acertadas y objetivas, aunque ciertamente falta la definición de *gato abandonado* en la misma línea que Dufau ya comentó[3], como el gato que, a diferencia del urbano que ha socializado con sus congéneres, así como nacido y vivido en la calle, el gato abandonado sólo ha socializado con el hombre y se ha visto abocado a la calle[4]. Y es que esta conceptualización es

---

[2] Entiéndase, el gato común, exclúyase, por tanto, el gato montés u otro tipo de felino.

[3] DUFAU, A. Estatuto jurídico del gato callejero en España, Francia y Reino Unido. Tirant lo Blanch, Valencia, 2017, p. 95.

[4] En un sentido mucho más agrio pero certero, en cierto modo, se expresó la reconocida sentencia SAP Segovia 23/2007, de 5 de marzo, donde se expresó que "el abandono se puede producir tanto porque se deje al animal o porque se le coloque en situación de desamparo, tanto por la acción directa de expulsarle como por la omisiva de no acogerle cuando se sabe dónde se encuentra; puesto que la obligación moral y legal de todo propietario de un animal es cuidar del mismo, y darle la asistencia precisa para permitir su vida e integridad", asimismo, compara esta situación de manera acertada con la de aquél niño que queda "privado de la necesaria asistencia moral o material que incida en su superviven-

necesaria ya que la definición de animal abandonado que proporciona la ALPDBA, en su última línea, señala que "se exceptúan de esta categoría a los gatos ferales y a los gatos urbanos pertenecientes a colonias felinas". Este hecho puede traer a confusión pues alguien no conocedor de la situación de una colonia concreta que se encuentre un gato abandonado en las proximidades puede creer exceptuado al animal, cuando en verdad se encuentra dentro de otro concepto jurídico ajeno a la colonia.

Si bien es cierto que no es la solución más completa, en esta línea, el anteproyecto de ley en su artículo 50, reconoce que la problemática de los gatos ferales en las zonas urbanas proviene, en mayor medida, por el abandono de estos animales, así como los que se encuentran extraviados o los gatos merodeadores sin esterilizar y, al asumir la responsabilidad del mal hacer de los propietarios, decide considerar a todos los gatos de esta índole dentro de la protección jurídica de "animal de compañía"[5].

Derivado del conjunto de las definiciones anteriores, y teniendo en cuenta la especialidad del gato abandonado, permite definir el que será, si la norma resulta aprobada, el concepto jurídico colonia felina. Este concepto permitirá delimitar a qué grupos de actuación se re-

---

cia o desarrollo" ya que, de acuerdo con la doctrina marcada por la STS, de 4 de octubre de 2001 (RJ 2997/1999), el abandono, referido a un infante, "consiste en la realización de una conducta, activa u omisiva, provocadora de una situación de desamparo para el menor por el incumplimiento de los deberes de protección establecidos en la normativa aplicable".

[5]   Contraria a esta tesis jurídica, la de considerar a la amplitud de los gatos en este caso como "de compañía", es la de Pérez Montguió. Defiende que el apelativo "de compañía" implica una función y no una categoría jurídica, de modo que es un concepto lo suficientemente abstracto como para que puedan incluirse dentro de esta conceptualización animales que, *de facto*, no lo son. Así pues, define a los animales de compañía como "aquellos animales que, con independencia de su especie o de su condición salvaje, domesticado o doméstico, vive con las personas, principalmente en el hogar, con el fin fundamental de la compañía". Asimismo, y en el aspecto moral, destaca que debería realizarse un juicio sobre el valor del animal como de compañía para el ser humano y del valor de su bienestar y el perjuicio que les implicaría ser animales de compañía para determinar si son válidos para serlo. PÉREZ MONTGUIÓ, J. M., "El concepto de animal de compañía: un necesario replanteamiento", *Revista Aragonesa de Administración Pública*, núm. 51, 2018, pp. 273-278. Por tanto, se entiende que, al ser tipologías sociológicas diferentes de animal, su categorización jurídica debería ser también distinta.

mitirán posteriormente los programas de gestión ética, debido a que sólo se aplicará a un "grupo de gatos urbanos vinculados entre sí y, especialmente, con el territorio que habitan y en el que tienen sus recursos de subsistencia". Para lo cual, y como se verá también más detalle, se contará la figura del cuidador de colonia felina, que es la "persona voluntaria que atiende a los gatos urbanos siguiendo un método de gestión ética de colonias felinas, sin que pueda considerarse persona titular de los gatos de la misma". Finalmente, si bien parece que no tienen por qué estar vinculados a los cuidadores, se definen las Entidades de Protección Animal, que serán los centros neurálgicos de gestión de gatos urbanos, más allá de la Administración Pública. Estos entes se caracterizarán por ser "asociaciones sin ánimo de lucro, que desarrollen cualquier actividad de cuidado, rescate, rehabilitación y búsqueda de adopción de animales y/o gestión de colonias felinas de gatos urbanos inscritas en el Registro de Entidades de Protección Animal".

1.2. Programa de Gestión Ética de Colonias Felinas (PGECF)

Con una clara intencionalidad armonizadora de la gestión de colonias felinas en todo el territorio español, claramente inspirada por la nueva conceptualización jurídica de los animales introducida en el artículo 333bis del código civil, que los considera ya no sólo como meras cosas, sino como seres sintientes, se crea un programa que deberán llevar a cabo las administraciones municipales y que, a pesar de los cambios que pueda haber derivados de las distintas normativas autonómicas, parece una materia lo suficientemente cerrada y poco "básica" como para que existan grandes rasgos distintivos entre municipios de distintas Comunidades Autónomas[6]. Y es que este Programa de Gestión Ética de Colonias Felinas, si bien puede ser moldeado en algunos aspectos por normas posteriores, así como la adición de nuevos ítems preceptivos por parte de los organismos autonómicos para sus respectivos territorios, es un sistema lo suficientemente cerrado y pensado para que la norma básica sea más que suficiente para el buen funcionamiento de las colonias felinas, si está bien aprovechado.

---

[6]   FUENTES I GASÓ, J. R., EXPÓSITO LÓPEZ, O. (2022: 13-14).

De acuerdo con el artículo 52 ALPDBA, corresponde a las Administraciones Autonómicas crear un "protocolo marco con los procedimientos y requisitos mínimos que sirva de referencia para las implantaciones de programas de gestión ética de colonias felinas en los municipios", el cual deberá contemplar métodos de captura respetuosos con la naturaleza de los gatos, criterios de registro de las colonias y sus individuos, criterios de alimentación, limpieza y atención mínima y cuidados sanitarios, criterios de esterilización éticos y la instalación de refugios, tolvas u otros elementos que permitan garantizar la vida de los gatos pertenecientes a una colonia, la formación de las personas cuidadoras de las colonias y empleados públicos relacionados con ellas —entre los cuales se encuentran los cuerpos de policía locales—, protocolos de actuación en situaciones especiales —como demoliciones—, que incluyan el retorno posterior de los gatos urbanos a su espacio natural, y protocolos de actuación sobre rescate y ayuda en los casos de emergencia, entendiendo entre ellos los desastres naturales y las inclemencias climatológicas. Asimismo, deberán remitir un informe estadístico sobre la implementación de los protocolos en la Comunidad Autónoma a la Dirección General de Derechos de los Animales de forma anual.

Si bien es cierto que la capacidad de actuación en esta materia se ve bastante limitada en lo que respecta a la capacidad normativa autonómica y local, en este aspecto no es del todo negativo al lograr una armonización normativa que, en caso de aprobarse la norma, permitiría rellenar un vacío normativo existente en lo que se refiere a las colonias de gatos, donde en la actualidad cada municipio regula y gestiona a su manera, dentro de las limitaciones de las propias normativas autonómicas —muy dispares— si es que lo contempla, y normalmente sólo en las grandes urbes[7]. En lo que respecta al contenido del

---

[7]   DUFAU, A, (2017:33-36). Sin embargo, no son las colonias de gatos una realidad única en su especie, pues cabe señalar que, en materia de protección animal, tal y como apunta Casado, la normativa es dispersa con antinomias evidentes entre Comunidades Autónomas dentro del territorio nacional, ocasionando una grave disparidad de leyes y regímenes distintos que, incluso a veces siendo similares, cuentan con sanciones distintas unas de otras, convirtiendo actos menos punibles en unas zonas de España que en otras. CASADO CASADO, L., "La protección del bienestar animal a través del ordenamiento jurídico-administrativo", en CUERDA ARNAU, M. L. (Dir.), PERIAGO MORANT, J. J. (Coord.), *Derechos*

propio mecanismo de gestión, cabe recalcar que deberá incluir como parte esencial y mínima, de acuerdo con lo estipulado en el artículo 51.1 ALPDBA, los siguientes aspectos:

a. Derechos y obligaciones de los voluntarios. Los voluntarios, cuando están vinculados a una Entidad de Protección Animal, y tal y como especifica el artículo 64 ALPDBA, sólo serán aquellos que cuenten con un contrato de voluntariado en el cual se expongan los derechos y obligaciones de estos, y la relación entre ambas partes deberá regirse por lo establecido en la Ley 45/2015, de 14 de octubre, de Voluntariado. Se entiende que la capacidad normativa de los entes locales al incluir los derechos y obligaciones en los planes de gestión deberá afectar directamente a las cláusulas que se incluyan en los posteriores contratos de voluntariado que se firmen en el municipio.

b. Zonas de gestión estratégicas. Siempre establecidas en suelo urbano conforme al artículo 54.2 ALPDBA, las colonias felinas deberán ser establecidas de forma estratégica dentro del término municipal y dando la publicidad necesaria sobre la situación de éstas —tales como carteles informativos en la zona—, para el conocimiento público de la situación de la colonia, así como el aviso de que sólo esas zonas deberán servir para la gestión de colonias. En suma, sería interesante a la par que necesario, que la estrategia de ordenación de estas colonias siguiese los principios del artículo 2 de la Ley 42/2007, de 13 de diciembre, del Patrimonio Natural y de la Biodiversidad, tales como la promoción de las actividades públicas y de participación en ellas, aplicar incentivos positivos para la conservación de la biodiversidad, promover la utilización de medidas fiscales para la promoción privada de medidas que protejan la biodiversidad, realización de programas de formación respecto al mantenimiento y gestión de las colonias felinas así como la dotación de herramientas que permitan conocer el estado de conservación de la biodiversidad urbana[8], y es que los gatos, mal ubicados, pueden suponer una grave problema para la fauna local, y para la población de aves en especial, al ser un depredador de éstas[9].

---

y animales, protección animal y derecho sancionador, Tirant lo Blanch, Valencia, 2021, pp. 62-63.

[8] FUENTES I GASÓ, J. R., EXPÓSITO LÓPEZ, O. (2022:10,14-15).

[9] Según el estudio realizado en LOSS, S. R. WILL, T. MARRA, P. P. "The impact of free-ranging domestic cats on wildlife of the United States", *Nature Commu-*

Es por ello por lo que sería recomendable que la ubicación estratégica de estas zonas de gestión fuese realizada dentro del marco público debido a que en la actuación privada prevaldrá en gran medida la eficiencia económica sobre la normativa y el bienestar animal[10]. En este caso, una regulación de la gestión ética de estas características puede suponer un grave perjuicio debido a una distribución apresurada por parte del ente privado y, por ello, resulta complicado que esta materia sea reconducible a un sistema de mercado, debiéndole dar preferencia a la gestión directa por parte de los entes locales.

   c. Colaboración con Entidades de Protección Animal. Aprovechándose de su amplia experiencia en la gestión de colonias felinas, tareas que llevan realizando durante muchísimos años algunas asociaciones sin ánimo de lucro, las Administraciones Públicas podrán establecer colaboraciones con estas para una realización de la gestión más eficiente y eficaz, debido a que se contaría con personas con un bagaje previo en el sector que puede orientar la gestión pública hacia un sistema ampliamente completo debido a la colaboración del poder público con la experiencia ciudadana previa. Si bien es cierto que, para que esta colaboración se lleve a cabo, las Entidades de Protección Animal deberán estar previamente registradas en el Registro de Entidades de Protección Animal de la Dirección General de Derechos de los Animales. Este hecho, tal y como apuntan Fuentes i Gasó y Expósito López, es ciertamente útil para las Administraciones Públicas que deben acceder a este tipo de colaboraciones debido a que el registro permite

> una ordenación y catalogación precisa y estadística del número de protectoras y centros de recuperación felina que existen en España y, a su vez, facilitar la cooperación con la Administración Local al ser mucho más accesible el acceso por parte de esta última a conocer las posibilidades de ayuda que tiene en esta materia por parte de este tipo de organizaciones en las proximidades de su término municipal[11].

---

nications, 4. 2012, p. 1-8, el gato doméstico en Estados Unidos puede acabar con la vida de entre 1,3 y 4 millones de pájaros y entre 6,3 y 22,3 millones de mamíferos.

[10]   GARCÍA URETA, Agustín. Protección de la biodiversidad, mercados, compensación por daños y bancos de conservación", en *Revista de Administración Pública (Madrid)*, núm. 198, septiembre-diciembre, Madrid, 2015. pp. 300-302.

[11]   FUENTES I GASÓ, J. R., EXPÓSITO LÓPEZ, O. (2022:15).

d. Responsabilidad de atención sanitaria felina. Los PGECF deberán contemplar, dentro de su programa, un apartado dedicado a las características de la asunción de responsabilidad por la asistencia sanitaria de las colonias felinas municipales, de manera que se prevé de forma expresa que existirá un mínimo de inversión pública en la atención sanitaria de los gatos urbanos. El nivel de asistencia que pueden llegar a ofrecer realmente no queda claro en la norma y es necesario un análisis sobre los límites o mínimos que deben llegar a cubrir los entes locales. Este apartado, de hecho, puede entenderse como uno de los puntos más importantes —y controvertidos— de la ley, el cual apunta de forma clara a la protección y el bienestar de los animales. Existe, dentro del espíritu normativo, una clara inspiración en la Ley 7/2020, de 31 de agosto, de Bienestar, Protección y Defensa de los Animales de Castilla-La Mancha, cuyo artículo 4 determina que "el poseedor y subsidiariamente el titular de un animal" tiene la obligación de "mantener a los animales en buenas condiciones higiénico-sanitarias y correctas medidas de bioseguridad, proporcionándoles cualquier tratamiento que se declaren obligatorios y necesarios y suministrándoles la asistencia veterinaria que necesite". Esto implica, por tanto, que en la Comunidad Autónoma de Castilla-La Mancha existe la obligatoriedad del poseedor —y subsidiariamente del titular— de *asistir sanitariamente a un animal que esté a su cargo.* En este sentido, y aunque pueden establecerse otros sistemas, el uso más habitual para la identificación de la persona a cargo del animal y, por ende, su responsable, es el microchip, que no es otra cosa que "un método de marcaje que permite individualizar al animal y conocer a su propietario y que suele realizarse mediante mecanismos electrónicos", con el fin administrativo de mejorar la vigilancia y el control de los animales de compañía[12]. Así pues, esto se prevé ya en la generalidad del territorio español para perros y gatos y, en lugares como Cataluña, se extiende a los hurones. Ahora bien, con la aprobación del anteproyecto viene ligada también la previsión de realizar un listado positivo nacional de animales que podrán ser catalogados co-

---

[12]   CASADO CASADO, L., "La tutela del bienestar animal en el ordenamiento jurídico-administrativo en España. Especial referencia a los animales de compañía", *Revista de Direito Econômico e Socioambiental*, Curitiba, vol. 11, núm. 2, 2020, p. 87.

mo "de compañía", tal y como contempla el artículo 44 ALPDBA. Es por ello por lo que puede entenderse que, en caso de aprobarse, todos aquellos animales susceptibles de ser abandonados o de extraviarse deberán poder ser también a su vez localizables sus dueños mediante este sistema, por lo cual es posible que esta pequeña lista se amplíe. Es reconocible, por tanto, el poseedor o propietario del animal por este medio, ya que será quien aparezca como titular en el microchip implantado. Este hecho es de suma importancia, como se recalcará a continuación.

Si bien es cierto que el PGECF, en su apartado d), sólo contempla la asunción la asistencia sanitaria por los entes locales y que ésta se realice por personal veterinario en materia de colonias de gatos, podrían perfectamente intentar ponerse limitaciones tanto a nivel autonómico como local a esta norma básica de manera que no todas las acciones sanitarias fuesen asumidas por las Administraciones Públicas, pues al final no es más que una directriz de cómo manejar los programas de gestión ética que deben incluir estos programas. Ahora bien, para comprender con exactitud la amplitud de este pequeño apartado del anteproyecto de ley, hay que situarlo en la reforma del Código Civil, que incluía el novedoso artículo 333bis, en el cual se establecía la nueva conceptualización jurídica de los animales, pero, además de ello, preceptuó que

> el propietario, poseedor o titular de cualquier otro derecho sobre un animal debe ejercer sus derechos sobre él y sus deberes de cuidado respetando su cualidad de ser sintiente, asegurando su bienestar conforme a las características de cada especie y respetando las limitaciones establecidas en ésta y las demás normas vigentes

Existe, en este sentido, una clara inspiración en la ley castellanomanchega y en la doctrina previa a la norma, que ya remarcaba el hecho de que debía considerarse una nueva valoración de los animales, derivada de su sintiencia y su relación sociológica con los humanos, de manera que los gastos causados por un tercero, así como daños morales por la muerte de un animal, deben ser reclamables ante un tercero[13]. Con todo ello, la realidad es que el legislador estatal tie-

---

[13] GIMÉNEZ-CANDELA, M., "Animales en el Código civil español: una reforma interrumpida", dA.Derecho Animal (Forum of Animal Law Studies) vol. 10/2,

ne la intención de ir mucho más allá en esta materia de lo que han hecho las normativas autonómicas más vanguardistas —en materia bienestar felino urbano—, y eso se pone de relieve en que esta posesión que menciona la normativa castellanomanchega, que incluye el deber de asistencia sanitaria y el deber de asegurar el bienestar animal que comporta el artículo 333bis CC, dentro del cual puede entenderse incluida la asistencia sanitaria, todo ello derivado de la posesión del animal, pretende en el ALPDBA otorgarse en el caso de los gatos urbanos a la propia Administración Local[14]. En este sentido, el artículo 51.1.g) implementaría el hecho de que, en los planes de gestión ética, los gatos pertenecientes a colonias felinas deberán "ser identificados con microchip a nombre del municipio y marcados con un corte en la oreja antes de su retorno a la colonia". En base a todo lo anterior, por ende, es difícil llegar a otra conclusión que no sea que los entes municipales, los cuales aparecen como personas a cargo de estos animales —que debe recordarse, son "de compañía"—, serán los responsables de los gastos ocasionados por su asistencia sanitaria en la totalidad de los casos. Ahora bien, lo más probable en este caso es que la norma acabe siendo matizada a nivel autonómico y ello ocasionará que diferentes casos lleguen a los tribunales por disputas entre las asociaciones, quienes corren en la actualidad con los gastos sanitarios, y las Administraciones Públicas. En este caso es posible observar como un matiz interpretativo de una categorización jurídica puede ser inmensamente importante en algunos aspectos, pues una conceptualización de animal de compañía como la que proponía Montguió[15] es mucho más beneficiosa para las arcas públicas y para la Administración Local en general, mas el concepto que pretende volverse legal en este anteproyecto tiene una concepción más amplia del bienestar animal, de forma que busca ampliarlo a la fauna felina urbana más allá del animal doméstico, permitiendo una implicación activa de la función pública no sólo en términos burocráticos, sino reales. Esta función, la de actuar frente a la Administración por causas económicas sanitarias, probablemente la lleven a cabo en general las que serán Entidades de Protección Animal, y por su idiosincrasia

---

2019, p. 10.
[14]   FUENTES I GASÓ, J. R., EXPÓSITO LÓPEZ, O. (2022:15).
[15]   *Vid. Op. cit.* 5.

y sus capacidades, debería facilitarse la tramitación de los casos de reclamación por gastos sanitarios de esta índole ya que el trabajo de voluntarios de estas personas no debería basarse en comunicarse incesantemente con la Administración sino en continuar con su tarea social y, por ello, sería idóneo que los programas de gestión contuviesen, en este punto, un sistema ágil de conectividad y resolución de controversias de esta índole[16].

e. Colonias felinas en urbanizaciones privadas. Con el ánimo de zanjar una disputa que ha llegado incluso a sede judicial para su resolución, el legislador tiene la intención de dotar a las colonias felinas que se encuentren en urbanizaciones privadas con los mismos mecanismos y seguridades que otorgará a las que se encuentran en suelo público, de manera que, aunque puedan establecerse particularidades derivadas de la zona donde se encuentra la colonia, tal y como indica el artículo 51 ALPDBA, el programa deberá "establecer protocolos de actuación para casos de colonias felinas en ubicaciones privadas, de forma que se pueda realizar su gestión respetando las mismas especificaciones que en vía pública". Pareciere de gran interés, para este punto, comentar la posible influencia que ha tenido en este punto, no sólo la controversia que el legislador ha tenido a bien vislumbrar, sino la Sentencia 491/2014, de 14 de octubre de 2014, del Juzgado de lo Contencioso-Administrativo núm. 5 de Madrid que proporciona el reconocimiento judicial de que los gatos que forman parte de colonias felinas dentro de un municipio no son de propiedad privada de aquellas personas que los atienden o alimentan, por lo cual no es posible requerir a estas personas las mismas exigencias que a los propietarios

---

[16] En este sentido, Dahrendorf comenta que un sistema contrario a lo que se propone sería una injusticia hacia la sociedad ya que "que quienes deberían cuidar de los demás, como las enfermeras o los profesores, quedan sumergidos en el papeleo [...] que los receptores de los servicios, en lugar de poder aspirar a derechos sencillos y generales, tienen que pasar por humillantes procesos de cumplimentación de formularios, consentir que les averigüen sus medios económicos, guardar cola y regatear aquí o allá. Los problemas esencialmente individuales se generalizan, se formalizan, se convierten en casos impersonales en un sistema de ficheros". DAHRENDORF, Ralf. (1988). El conflicto social moderno. Barcelona, España: Mondadori, p. 160.

de animales de compañía que habitan en hogares[17]. Este hecho tiene un doble sentido, y es que por un lado permite a la Administración hacerse cargo de esta colonia, o al menos dar directrices de cómo gestionarla, pero por otro se protege a las urbanizaciones privadas de la mirada público-administrativa si tal es su deseo. El sistema de gestión, por ende, deberá ser compartido dentro de la legalidad y adaptarse a las necesidades de una y otra parte para lograr los objetivos de la gestión ética, siempre dentro de los mínimos estandarizados del plan local.

f. Promoción y concienciación ética de las colonias. El PGECF deberá contar con una estrategia de promoción y comunicación social sobre las colonias felinas para que la población comprenda qué puede hacer, qué no puede hacer, y, sobre todo, cómo colaborar a este fin social. Es primordial la actuación no sólo de los entes públicos en esta promoción, sino la búsqueda de la colaboración ciudadana como arma de comunicación también para lograr concienciar sobre la necesidad de proteger los intereses naturales y la biodiversidad urbana y es por ello por lo que debe integrarse a estos ciudadanos en las estrategias de promoción y, dentro de lo posible, de gestión, para que pueda existir una mayor eficiencia y eficacia del plan que debe llevarse a cabo[18]. Y es que hacer partícipe al ciudadano de una actividad pública no es negativo, al contrario. La teoría sociológica defiende que hacer partícipe del sistema institucional al individuo implicará su necesidad de defender un *statu quo* que lo beneficia[19].

g. Planes poblacionales éticos. Entendido a nivel científico como el sistema más eficaz para gestionar de manera ética las colonias felinas,

---

[17]   GONZÁLEZ LACABEX, M, "Colonias de gatos. Comentario de la Sentencia nº 461/2014, de 14 de octubre de 2014, del Juzgado de lo Contencioso-Administrativo nº 5 de Madrid", *dA.Derecho Animal (Forum of Animal Law Studies)*, 2016, p. 8.

[18]   BERMEJO LATRE, J. L., "La participación del público en la protección de la biodiversidad", en GARCÍA-ÁLVAREZ, G. (Ed.)., *Instrumentos territoriales para la protección de la biodiversidad*, en Monografías de la Revista Aragonesa de Administración Pública —XVI—, Zaragoza, 2016, p. 174.

[19]   LORENZO CADARSO, P. L., Fundamentos teóricos del conflicto social, Madrid, Siglo Veintiuno de España Editores, 2001, pp. 12, 31-32 y 180-181.

el sistema CER —captura, esterilización, retorno-[20] se sitúa como la punta de lanza de la normativa como método de gestión local de las colonias felinas armonizado a nivel nacional en caso de ser aprobado el anteproyecto de ley. Este es un sistema que habiendo sido aplicado en zonas como Cataluña desde 2008, ha demostrado proporcionar armonía social en la convivencia entre humanos y felinos[21]. Es un mecanismo ampliamente detallado en la norma básica y sobre la cual caben pocas interpretaciones, ya que diferencia y enumera las fases que deberá contener el sistema en las actuaciones locales de gestión. En primer lugar, deberá realizarse "una planificación en las esterilizaciones acorde al volumen de población que se desea", cuyas esterilización dependerán "profesionales veterinarios, propios o concertados, formados específicamente en cirugías para gatos urbanos". Sorprende esta última frase pues parece dar a entender que el personal que realice las intervenciones deberá contar con un título habilitante para ello de forma específica, lo cual puede ser controvertido por dos motivos: el primero será la escasez de personal al inicio de la vigencia normativa derivado de que deba formarse y/o encontrarse al personal cualificado conforme expone la norma y, en segundo lugar —aunque derivado del primer problema—, será el aumento del coste del servicio derivado de la inexcusable obligatoriedad de especialización y la poca oferta que existirá en comparación con la demanda derivada de reducir las capacidades del personal veterinario. El segundo escaño de la gestión consistirá en, una vez esterilizados, la implantación de una identificación en forma de "microchip a nombre del municipio y marcados con un corte en la oreja antes de su retorno a la colonia", lo cual, tal y como se ha comentado, puede tener consecuencias reseñables. Finalmente, los gatos deberán retornar a su colonia, y no a otra. Asimismo, la norma incorporaría un apartado que aplicaría trabajo extraordinario a los veterinarios, así como una nueva suma al gasto público, pues éstos deberán establecer "los criterios sanitarios y

---

[20]   De acuerdo con el informe emitido por VEGA GUERRERO, J., SANTOS DE DIOS, S., "Gestión ética de colonias felinas urbanas, Proyectos CER", de la Asociación Escorial Felino, p. 16.

[21]   GIMÉNEZ-CANDELA, M. "Derecho animal en Cataluña. Las pautas de Francia", en *dA.Derecho Animal (Forum of Animal Law Studies)*, vol. 12/3. 2021, p. 11.

de vacunación necesarios para una correcta gestión de la colonia", de manera que deberá contarse con personal veterinario para la creación de estos programas de gestión ética, entiéndase, por ejemplo, la posibilidad de encargar informes técnicos referentes a esta materia para suplir la necesidad legal.

En paralelo a lo anterior, cabe destacar que también deberán elaborarse planes poblacionales de aquellos gatos ferales que residan fuera de las zonas urbanas, esto es, una ampliación del medio ambiente urbano en materia de colonias felinas y gatos, siempre y cuando una norma autonómica no estipule lo contrario. Este es un punto interesante en materia competencial ambiental local, de manera que, si las competencias en medio ambiente urbano implicaron la limitación de los entes locales a parques y jardines públicos, gestión de residuos sólidos urbanos y protección contra la contaminación acústica, lumínica y atmosférica en las zonas urbanas[22], con la aprobación del anteproyecto de ley, sería posible poder añadir una nueva categoría al listado de forma generalizada a nivel práctico.

h. Otros protocolos autonómicos. Dentro de su marco competencial, las Administraciones Autonómicas tendrán la capacidad de añadir nuevos puntos obligatorios a los ya preceptivos ítems del artículo 51.1 ALPDBA, de manera que deban ser introducidos de manera preceptiva en los PGECF de los municipios de su Comunidad Autónoma. Sobre estas obligaciones añadidas, que no las generales por lo que

---

[22]   FUENTES I GASÓ, J. R. "Consecuencias de la Ley 27/2013, de Racionalización y sostenibilidad de la Administración Local, en el régimen local de Cataluña", en *Revista Vasca de Administración Pública (RVAP)*, núm. 101, 2015. pp. 55-88. En este sentido, además, parece que el legislador ha comprendido la inestimable capacidad y las posibilidades que puede tener la proximidad de actuación frente a la lejanía del estado, y es que el aumento de las capacidades locales más allá del medio ambiente urbano, aunque sólo sea en este caso en materia de colonias felinas y gatos ferales, abre la puerta a que estas vuelvan a ampliarse más allá de los horizontes impuestos por la LARSAL, horizontes necesarios de ampliar pues la Administración Local tiene un papel protagonista a desempeñar en el cumplimiento de los objetivos climáticos —entre los cuales se encuentra con importante papel la biodiversidad— y no permitir que juegue su papel sería un error colosal si no se quiere que los logros ambientales se queden estancados. SORO MATEO, B. "Cambio climático y transformaciones del derecho local", en Revista de Estudios de la Administración Local y Autonómica, Nueva Época, núm. 17, 2022, p. 128.

parece exponer el artículo 51.1.h), los entes locales tendrán la obligación de "elevar anualmente a las mismas [A la Comunidad Autónoma competente] un informe estadístico respecto de la implantación y evolución de los protocolos en su municipio". El artículo, como es destacable, es ambiguo. No determina claramente si se refiere únicamente a los protocolos meramente autonómicos o a la generalidad de los ítems del programa, pero la obligatoriedad está incluida en el apartado de protocolos autonómicos, por lo cual la duda es admisible.

Sin duda es un plan ambicioso a nivel nacional que, como consecuencia, conllevará un incremento de las arcas públicas como ya se ha ido alumbrando a lo largo del estudio, ya sea por la parte sanitaria, la estratégica o la veterinaria de planificación, entre otras que puedan externalizarse y/o surgir. Esta necesaria inversión —tanto económica como humana— para poder desarrollar con eficacia y eficiencia todas aquellas nuevas obligaciones que le sean atribuidas es uno de los grandes problemas que encuentran los entes locales, lo cual ha tenido como consecuencia que en muchos casos se haya acudido al sector privado con la intención de poder ofrecer los servicios a los cuales se ven obligados[23]. Para evitar una mala acogida por parte de los entes locales que verían afectadas sus arcas públicas el legislador, siendo previsor, ha tenido a bien incluir en el artículo 51.3 del anteproyecto de ley que "la Administración General del Estado establecerá líneas de subvención en favor de las entidades locales para el cumplimiento de estas obligaciones". Asimismo, también se sugiere la posibilidad de que los entes locales que lo necesiten busquen apoyo en sus diputaciones provinciales, cabildos o consejos insulares para el ejercicio de sus funciones e incluso que existan colaboraciones entre municipios para llevar a cabo el ejercicio conjunto de la competencia (puntos 2 y 4 del artículo 51).

1.3. Prohibiciones y sanciones en materia de colonias felinas

Siguiendo la línea de la gestión ética de colonias felinas, el artículo 54 ALPDBA estipula siete prohibiciones en relación con éstas, siendo posible dividirlas en dos categorías: una sobre la integridad felina

---

[23] CASADO CASADO, L. FUENTES I GASÓ, J. R. Dret Ambiental local de Catalunya. Tirant lo Blanch, Valencia, 2022 pp. 59-60.

y otra sobre la gestión felina. La primera categoría, compuesta por dos prohibiciones, contiene uno de los puntos más importantes y que cambia parte de la tradición en lo que a gestión de gatos urbanos se refiere, y es que se prohíbe el sacrificio de estos animales —en general, no sólo de colonias catalogadas—, "salvo por motivos eutanásicos y debidamente certificados por un profesional veterinario"[24], lo cual implicaría que, caso de aprobarse el anteproyecto de ley, estos nuevos programas obligarían a los municipios que ya regulan de una forma u otra las colonias felinas o las relaciones con los gatos asilvestrados, a modificar sustancialmente sus ordenanzas para adaptarlas a la nueva normativa. Ello es debido a que en la actualidad una buena parte de la normativa local aún contempla su recogida y sacrificio en aquellas Comunidades Autónomas que no lo prohíben[25], términos totalmente contrarios a la idiosincrasia del Anteproyecto de Ley de Protección, Derechos y Bienestar de los Animales y del Código Civil, como se ha visto. Asimismo, por otra parte, se prohíbe el aprovechamiento cinegético de los gatos urbanos, y es que aunque pueda sonar sorprendente, este punto una clara referencia al Reglamento (CE) 1523/2007, del Parlamento Europeo y del Consejo, de 11 de diciembre de 2007, por el que se prohíbe la comercialización y la importación a la Comunidad, o exportación desde esta, de pieles de perro y de gato y de productos que las contengan[26]. Tanta importancia se le da a esta prohibición que su incumplimiento, tal y como señalan los artículos 84 y 85, conlleva una sanción muy grave con un valor que oscilará entre los 50.001 euros y los 200.000 euros.

---

[24]   Se entiende, en este sentido, que debe ser en aplicación de los requisitos recogidos por la Ley Orgánica 3/2021, de 24 de marzo, de regulación de la eutanasia, de los cuales sólo sería posible, en materia de animales, el del artículo 5.1.d) que se da en casos en que el animal sufriría "una enfermedad grave e incurable o un padecimiento grave, crónico e imposibilitante.

[25]   DUFAU, Agnès (2017:69-80).

[26]   Y es que, tal y como declara el propio reglamento en su considerando primero, el problema existe y es real, y con la siguiente premisa deciden prohibir esta práctica y consumo en territorio comunitario: "A los ojos de los ciudadanos de la UE, los perros y los gatos son animales de compañía y, en consecuencia, no es aceptable el uso de sus pieles ni de los productos que las contienen. Está demostrada la presencia en la Comunidad de pieles de perro y de gato no etiquetadas y de productos que las contienen. Por ello, a los consumidores les preocupa la posibilidad de comprar tales pieles y productos".

En lo que respecta a la segunda categoría sobre la gestión de las colonias felinas y sus prohibiciones, se comienza por la incapacidad de situar colonias felinas fuera de zona urbana, aunque se exceptúe el método CER sobre gatos ferales extraurbanos como ya se ha comentado; en segundo lugar se prohíbe la retirada generalizada de gatos de sus colonias a excepción de que estén enfermos y no puedan valerse por sí mismos, que al estar totalmente socializados vayan a ser adoptados o cuando su "ubicación en libertad sea incompatible con la preservación de su integridad y su calidad de vida o con la actividad humana que se lleve a cabo en su territorio, cuando su reubicación sea el último recurso posible", de manera que deberá emitirse un informe por el técnico competente del Ayuntamiento que motive la resolución de extracción y busque, a su vez, un lugar idóneo para su reubicación, de manera que el animal no quedará simplemente abandonado a su suerte; se prohíbe el confinamiento de gatos urbanos en centros de protección o residencias; el abandono de gatos en colonias, sin importar su procedencia —ya sea doméstico, asilvestrado, merodeador…—; y la reubicación de gatos en una colonia que no sea la suya. En relación con todo lo anterior, el artículo 84, apartado j), establece que es una sanción grave "la inobservancia de las prohibiciones relativas a las actuaciones sobre colonias felinas", sancionable con un importe, de acuerdo con el artículo 85, oscilante entre los 10.001 euros y los 50.000 euros.

2. *Las Entidades de Protección Animal y las colonias felinas*

Entendidas a nivel social como aquellas asociaciones, protectoras y refugios, entre otra gran cantidad de nombres, que son entidades sin ánimo de lucro las cuales asumen privadamente los gastos de aquellos actos que denuncian diariamente tales como el abandono animal, la desnutrición, la necesaria asistencia sanitaria y urgente para algunos animales, así como el abandono de los mismos. Son entidades que, compuestas por personas con un compromiso social determinado, deciden dedicar parte de su tiempo y esfuerzo, de forma caritativa y sin esperar contraprestación, a mejorar la vida de la fauna, así como salvar y alimentar a aquellos animales que lo necesitan[27].

---

[27]   GIMÉNEZ-CANDELA, M., Transición animal en España, Tirant lo Blanch, Valencia, 2020, pp. 59-60.

A nivel jurídico parece que, si se mantiene el mismo cuerpo normativo, pasarán a llamarse Entidades de Protección Animal que, tal y como estipula el artículo 57.2 ALPDBA, podrán constituirse, siendo una única entidad, en multidisciplinar. Es decir, que podrán abarcar distintas tipologías de Entidad de Protección Animal en una única persona jurídica. Ello es importante para la materia de colonias felinas pues se puede adelantar que las asociaciones que decidan registrarse como tales deberían hacerlo de dos tipologías distintas en la mayoría de los casos, si se entienden como las asociaciones actuales. Para ello deberán inscribirse en el Registro de Entidades de Protección Animal de la Comunidad Autónoma a la que pertenezcan o donde quieran desarrollar la actividad, lo cual, además, les daría acceso a Sistema de Registros de Protección Animal, así como a los programas de apoyo a las mismas gestionados por las Administraciones Públicas de acuerdo con el artículo 63 ALPDBA.

En primer lugar, deberán constituirse como Entidades de protección animal tipo RAC, que cubierto el panorama normativo por el artículo 58 ALPDBA son aquellas que se dedican al "Rescate, rehabilitación y búsqueda de adopción de animales de compañía en situación de abandono, maltrato, o desamparo". Como se ha comentado en varias ocasiones, todos los gatos urbanos son animales de compañía según la norma, por lo cual se incluyen dentro de la concepción del tipo RAC. Las obligaciones de estas implicarán la presentación de una memoria anual en la que se incluya un resumen económico de su actividad, los recursos humanos empleados y las actividades formativas impartidas a la Administración competente, sin embargo no queda claro cuál sería ésta, ya que al ser una competencia multinivel todas tienen competencias y, al ser una memoria de actividades, podría ser a cualquiera, sin embargo por analogía con la memoria que deben presentar los entes locales, se entiende que será a la Administración de la Comunidad Autónoma, aunque es necesario que el legislador aclare este punto; la obligación de disponer de un registro de animales tutelados y dados en adopción; esterilizar a cualquier animal con carácter previo a su entrega en adopción o suscribir un compromiso de esterilización si no tuvieran la edad suficiente para realizar la cirugía, según criterios veterinarios; cumplir con los requisitos mínimos veterinarios para la entrega de los animales correspondientes a los tratamientos mínimos estipulados; entregar los animales con un contrato de adopción en el que se especifiquen claramente los derechos y obligaciones por ambas partes; en el caso de que trabajen con casas de acogida, los derechos y obligaciones de ambas partes deberá reflejarse contractualmente; en el caso de tener centro de protección para alojar a los animales, deberán poseer la correspondiente autorización o licencia para constituir núcleo zoológico legalmente establecido; ser titular de un seguro de responsabilidad civil en vigor y que cubra sus actividades; y al menos un miembro de la junta directiva u órgano rector de la entidad deberá estar en posesión de titulación equivalente a la cualificación de asistencia en centros de protección animal del Catálogo Nacional de Cualificaciones Profesionales. Ahora bien, para poder participar en la gestión de colonias felinas dentro del núcleo urbano será necesario que la Entidad de Protección Animal se constituya también con la categoría GCOF, la cual está destinada, según el artículo 61 ALPDBA, a entidades de gestión de colonias felinas de gatos urbanos, las cuales deberán también presentar una memoria anual, en las mismas condiciones que la anterior, aunque se entiende que diferenciadas y tendrán la obligación de colaborar con las entidades locales para la implantación y desarrollo de los programas de Gestión Ética de Colonias Felina.

En lo que respecta al personal de la Entidad de Protección Animal, cabe destacar que pueden ser voluntarios o trabajadores por cuenta ajena y, en el caso de estos últimos, deberán contar con la titulación mínima exigida por el artículo 39 ALPDBA, el cual estipula que deberá existir una titulación mínima para el trato con animales de compañía, pero no aclara cual será, sino que delega en un futuro reglamento establecer dicha titulación preceptiva. Se puede considerar que la titulación óptima para este caso, sin tener que pasar por el grado de Veterinaria, sería el de Auxiliar Técnico Veterinario, sin embargo, como anuncian las diversas universidades que ofrecen este curso[28], no

---

[28]   En este caso, la Universitat Autònoma de Barcelona especifica que "el certificado obtenido NO es una titulación oficial (en España aún no existe una formación oficial para Auxiliares Técnicos Veterinarios) y NO sirve para acceder al grado de veterinaria ni para ningún otro grado superior". [Consultado en fecha 20/07/2022]: https://hcv.uab.cat/ca/formacio/auxiliars-veterinaris/Existen otras universidades como la Universidad Nacional de Educación a Distancia (UNED) que también ofrecen este tipo de cursos no oficiales debido a la carencia que existe de una formación reglada.

es un título oficial ya que no existe como tal en España una formación profesional en este ámbito, carencia que evidentemente lastra este tipo de medidas normativas al no poder ser exigibles ni admisibles oficialmente en los procedimientos administrativos

Finalmente, y además importante, es la puerta que abre el artículo 90 ALDPBA al permitir que ostenten "la condición de parte interesada las Asociaciones y Entidades de Protección Animal que hubieran interpuesto la denuncia origen del procedimiento sancionador", y es que para aspirar a una justicia ecológica real y, en este caso concreto, una justicia animal, debe ampliarse y extenderse la legitimación para ser parte en este tipo de procedimientos[29], de lo cual este artículo sería un buen ejemplo.

III. CONCLUSIONES

El legislador estatal ha entendido que las colonias felinas son demasiado complicadas de eliminar en los entornos urbanos[30] y que, además de ello, no suponen un problema real para el medio ambiente, la salud pública o la biodiversidad en niveles preocupantes[31]. Por tanto, se puede decir que se ha optado por la opción más lógica y ética en los tiempos modernos, adaptada a las corrientes de pensamiento sociales actuales aupadas en gran parte por el movimiento ambiental y animalista. Reflejo de todo ello es el Programa de Gestión

---

[29]   SALAZAR ORTUÑO, E., "Derecho ambiental y acceso a la justicia ecológica", en VICENTE GIMÉNEZ, T. (Ed.), *Justicia ecológica en la era del antropoceno*, Editorial Trotta, Madrid, 2016, p. 156.

[30]   VEGA GUERRERO, J., SANTOS DE DIOS, S., (2018:16).

[31]   Y es que "en general estadísticas de los Centros de Control y Prevención de Enfermedades muestran que convivir con un gato es raramente fuente de enfermedad, existiendo aún menos riesgo por gatos ferales que evitan el contacto con humanos. Las personas implicadas en estudiar, enseñar y defender la salud pública reconocen que los gatos ferales no propagan enfermedades a personas". *Ibid.* Pero es que, más allá de ello, a nivel jurídico y sociológico sus problemáticas y las capacidades de eliminación tampoco serían viables ni eficaces, como se expuso detalladamente en *vid.* FUENTES I GASÓ, J. R., EXPÓSITO LÓPEZ, O., "El régimen jurídico de la protección de las colonias felinas y los entes locales", *Revista Andaluza de Administración Pública*, aceptado para su publicación, 2022, p. 1-24.

Ética de Colonias Felinas que, apoyado por el criterio científico de veterinarios, así como de precedentes de buen hacer como es el caso catalán, se decide por implementar el método CER a nivel local en todo el territorio nacional. Discrepancias traerá, y modificaciones es posible que también, pues existen puntos muy controvertidos dentro del programa como la cuestión de la identificación de los gatos con microchips municipales y la correspondiente responsabilidad sanitaria, sin embargo, si llega a aprobarse, habrá que esperar a ver cómo de cuantiosas son las subvenciones que el Estado pretende otorgar y si, en caso de ser insuficientes para la correcta gestión del sistema, existen quejas o un mal funcionamiento de éste, pues como ya se ha comentado, los recursos tanto económicos como humanos son esenciales y, aunque se puede contar con las asociaciones sin ánimo de lucro para la tarea social que envuelve a las colonias felinas, puede no ser suficiente en determinados casos.

En lo que respecta a las Entidades de Protección Animal, comprendidas como las conocidas popularmente como asociaciones o protectoras, de gatos en este caso, es interesante destacar el nuevo papel primordial con el que se las quiere dotar, y ello no puede derivar de otra causa que no sea el gran esfuerzo que han realizado de forma altruista y social en favor del bienestar animal, de manera que por ello, entre otras cosas, cabe destacar en primer lugar el apoyo del legislador en sobremanera a las protectoras de gatos, de lo cual se explica que se tenga la intención de constituir una entidad especializada en colonias de gatos, por un lado, y la posibilidad, por otro lado, de ser legitimados como interesados en los procedimientos en los cuales ellos insten la denuncia, lo cual es un gran avance en materia de justicia animal que es probable tenga un uso bastante notable desde el momento en que la norma despliegue sus efectos si es aprobada, pues ya no sólo actuarán como meros informadores sino que tendrán la capacidad de defender a un tercer animal sobre el cual vean sus derechos constreñidos.

Finalmente, y a modo de apoyo práctico, debe recomendarse a las entidades locales, en particular, y las Administraciones Públicas en general, que se preparen para los cambios que están por llegar y comiencen a adaptar sus formas de actuar y de gestión previamente, siempre dentro de la legalidad, de manera que cuando la norma entre en vigor ya estén adaptadas. Es por ello por lo que, a modo de recapitulación, nos tomamos la humilde libertad de recomendar que comiencen a elaborar los programas éticos de gestión de colonias felinas, a modo de borrador, para lo cual será importante: ponerse en contacto con las asociaciones y protectoras de gatos de la zona conocidas y/o interesarse por las existentes; establecer un catálogo de colonias felinas municipales, de manera que comience a existir un control; se comience a establecer un sistema CER de gestión felina y se desista del sacrificio; y se comience a contar con personal veterinario para la elaboración del borrador del documento, los cuales en muchas ocasiones colaboran con las entidades sin ánimo de lucro y quizá puedan ayudar desde la misma protectora.

BIBLIOGRAFÍA

BERMEJO LATRE, J. L., "La participación del público en la protección de la biodiversidad", en GARCÍA-ÁLVAREZ, G. (Ed.)., *Instrumentos territoriales para la protección de la biodiversidad*, en Monografías de la Revista Aragonesa de Administración Pública —XVI—, Zaragoza, 2016, pp. 151-176.

DUFAU, A. Estatuto jurídico del gato callejero en España, Francia y Reino Unido. Tirant lo Blanch, Valencia, 2017.

CASADO CASADO, L., "La protección del bienestar animal a través del ordenamiento jurídico-administrativo", en CUERDA ARNAU, M. L. (Dir.), PERIAGO MORANT, J. J. (Coord.), *Derechos y animales, protección animal y derecho sancionador*, Tirant lo Blanch, Valencia, 2021, pp. 24-79.

CASADO CASADO, L., "La tutela del bienestar animal en el ordenamiento jurídico-administrativo en España. Especial referencia a los animales de compañía", *Revista de Direito Econômico e Socioambiental*, Curitiba, vol. 11, núm. 2, 2020, pp. 48-102.

CASADO CASADO, L. FUENTES I GASÓ, J. R., Dret Ambiental local de Catalunya. Tirant lo Blanch, Valencia, 2022 pp. 59-60.

DAHRENDORF, R., El conflicto social moderno. Barcelona, Mondadori, 1988, p. 160.

FUENTES I GASÓ, J. R., "Consecuencias de la Ley 27/2013, de Racionalización y sostenibilidad de la Administración Local, en el régimen local de Cataluña", en *Revista Vasca de Administración Pública (RVAP)*, núm. 101, 2015. pp. 55-88.

FUENTES I GASÓ, J. R., EXPÓSITO LÓPEZ, O., "El régimen jurídico de la protección de las colonias felinas y los entes locales", *Revista Andaluza de Administración Pública*, aceptado para su publicación, 2022, p. 1-24.

GARCÍA URETA, Agustín. "Protección de la biodiversidad, mercados, compensación por daños y bancos de conservación", en *Revista de Administración Pública (Madrid)*, núm. 198, septiembre-diciembre, Madrid, 2015. pp. 297-330.

GIMÉNEZ-CANDELA, M., "Animales en el Código civil español: una reforma interrumpida", *dA. Derecho Animal (Forum of Animal Law Studies)* vol. 10/2, 2019, pp. 7-12.

GIMÉNEZ-CANDELA, M. "Derecho animal en Cataluña. Las pautas de Francia", en *dA. Derecho Animal (Forum of Animal Law Studies)*, vol. 12/3. 2021, pp. 6-16.

GIMÉNEZ-CANDELA, M., Transición animal en España, Tirant lo Blanch, Valencia, 2020.

GONZÁLEZ LACABEX, M, "Colonias de gatos. Comentario de la Sentencia N° 461/2014, de 14 de octubre de 2014, del Juzgado de lo Contencioso-Administrativo n° 5 de Madrid", *dA. Derecho Animal (Forum of Animal Law Studies)*, 2016, pp. 1-9.

LORENZO CADARSO, P. L., Fundamentos teóricos del conflicto social, Madrid, Siglo Veintiuno de España Editores, 2001.

LOSS, S. R. WILL, T. MARRA, P. P. "The impact of free-ranging domestic cats on wildlife of the United States", *Nature Communications*, 4. 2012, p. 1-8.

PÉREZ MONTGUIÓ, J. M., "El concepto de animal de compañía: un necesario replanteamiento", Revista Aragonesa de Administración Pública, núm. 51, 2018, pp. 244-280.

SALAZAR ORTUÑO, E., "Derecho ambiental y acceso a la justicia ecológica", en VICENTE GIMÉNEZ, T. (Ed.), *Justicia ecológica en la era del Antropoceno*, Editorial Trotta, Madrid, 2016, p. 155-188.

SORO MATEO, B. "Cambio climático y transformaciones del derecho local", en *Revista de Estudios de la Administración Local y Autonómica, Nueva Época*, núm. 17, 2022, p. 123-138.

VEGA GUERRERO, J., SANTOS DE DIOS, S., "Gestión ética de colonias felinas urbanas, Proyectos CER", de la Asociación Escorial Felino, 2018, pp. 1-17.

Capítulo 13

Los efectos de la nueva naturaleza jurídica de los animales en las especies exóticas invasoras

ÓSCAR EXPÓSITO LÓPEZ
Investigador Predoctoral de Derecho Administrativo
Universitat Rovira i Virgili
oscarexlo@gmail.com

I. INTRODUCCIÓN

Las especies exóticas invasoras han demostrado ser, a nivel ambiental, uno de los mayores desastres respecto a la pérdida de biodiversidad y, en este sentido, las principales afectaciones son los desplazamientos de especies nativas a otros lugares distintos de su hábitat natural, llegando incluso a la desaparición de éstas, debido a una pugna por la competencia alimentaria y espacial[1]. Tanto es así, que se calcula que las especies exóticas invasoras son la primera causa de extinción de aves y la segunda de peces y mamíferos[2]. Asimismo, al hacer desaparecer parte de la fauna autóctona y realizarse la introducción de un nuevo agente invasor, pueden surgir otros problemas que afectarían directamente al ser humano como los de salud pública[3]. En resumidas cuentas, las consecuencias de la introducción de esta fauna y flora alóctona en el territorio de cualquier país puede suponer un grave peligro para la naturaleza autóctona. Por ello, el derecho internacional ambiental marca éste como uno de sus puntos

---

[1] CASTRO-DIEZ, P., ALONSO, A., "Las invasiones biológicas: un problema global" En: JUNOY, J. (Coord.), Especies Exóticas Invasoras: Cátedra Parques Naturales. Universidad de Alcalá, Alcalá de Henares, 2019, p. 13-28.

[2] CLAVERO, M., GARCÍA-BERTHOU, E., Invasive species are a leading cause of animal extinctions. *Trends in Ecology and Evolution*, Vol. 3, núm. 20, 2005, Girona, p. 110.

[3] ROSENZWEIG, M., "The four questions: what does the introduction of exotic species do to diversity?" Evolutionary Ecology Research, Tucson, 3, 2021, pp. 361-367.

de interés desde finales del último siglo, cuando ya se comenzaron a tomar medidas. Sin embargo, la consideración legal y social de los animales —en general— en esa época era distinta a la actual; existía un mayor menosprecio a la vida salvaje y una menor concienciación social sobre ésta que en la actualidad, de manera que la aplicación de medidas de control restrictivas y de eliminación estaban socialmente mejor aceptadas que en los tiempos actuales[4]. Con la creciente presión del sector social concienciado por los derechos animales y con la presión del derecho comparado de la Unión Europea por el otro, tal y como destaca el preámbulo de la Ley 17/2021, de 15 de diciembre, de modificación del Código Civil, la Ley Hipotecaria y la Ley de Enjuiciamiento Civil, sobre el régimen jurídico de los animales, se decide cambiar la consideración civil de los animales de meras cosas, a otro concepto que ya contiene el artículo 13 del Tratado de Funcionamiento de la Unión Europea, así como otros Códigos Civiles europeos como el francés o el portugués: *seres sintientes*. Ello, a nivel jurídico, debería tener cuantiosos efectos que se verán resaltados por la transversalidad que implica cambiar la concepción jurídica de un colectivo tan grande de seres y, por tanto, la gran mayoría de ámbitos legales se verán afectados antes o después. Todo ello ha desembocado, irremediablemente, en el Anteproyecto de Ley de Protección, Derechos y Bienestar de los Animales (ALPDBA), que busca establecer un régimen jurídico de protección animal basado en la ética derivada del nuevo articulado del Código Civil. Por ende, para comprender las implicaciones que todo ello tendrá en la nueva gestión de la fauna alóctona invasora, será necesario en primer lugar analizar las implicaciones filosóficas que conlleva la nueva conceptualización jurídica de los animales en el ordenamiento español, para luego detenerse en los principios internacionales de gestión de especies exóticas invasoras, donde se pondrán de relieve los mecanismos de gestión que deben realizarse de acuerdo con los convenios internacionales y la normativa europea. Finalmente, se analizarán las implicaciones del anteproyecto

---

[4]   Tal y como demuestra la noticia actual del diario "La Vanguardia", los mecanismos de erradicación de especies exóticas invasoras están cada vez peor vistos [consultado en fecha 24/06/2021]:
https://www.lavanguardia.com/natural/20211126/7889969/madrid-mata-cotorras-argentinas-tiros-animalistas-contraatacan.html.

con respecto a las especies exóticas invasoras, comentando en primer lugar los artículos que les son de interés, con el ánimo de examinar si esta nueva conceptualización jurídica, en segundo lugar si se adecúa a la normativa de gestión y los principios rectores referentes al trato de las especies exóticas invasoras y, finalmente, si es adecuada la normativa a los principios filosófico-jurídicos que se esgrimen en el anteproyecto de ley.

II. SERES SINTIENTES Y BIENESTAR ANIMAL EN EL DERECHO

La sintiencia (o sensibilidad) es, de acuerdo con la Real Academia Española, la "facultad de sentir, propia de los seres animados". Aunque de definición simple, es un aspecto clave para los derechos de los animales, pues la dotación se sensibilidad implica que sufren durante la vida y la muerte, así como que gozan de sus preferencias particulares. Es, por tanto, un aspecto fundamental en el ámbito ético respecto al trato que les es dado por las personas encargadas de su cuidado; por ello, las normas jurídicas deben hacerse eco[5]. En España la regulación competencial en materia de protección y bienestar de los animales brilla por su ausencia y, hasta ahora, padecía de un vacío el cual no había interés en rellenar. A pesar de la dejadez legislativa del Estado, las Comunidades Autónomas, ejerciendo la competencia compartida en medio ambiente otorgada por la constitución sí que decidieron entrar a regular la materia y en la actualidad, antes de la aprobación de una norma estatal, toda la fauna en el ámbito nacional se encuentra relativamente protegida, de una manera u otra[6]. Sin

---

[5] Ahora bien, no todos los animales gozan de esta capacidad o, si lo hacen, puede que sea en distintos niveles y proporciones de unos respecto a los otros. Asimismo, el concepto de sintiencia está en continuo desarrollo y modificación, de forma que aún es un concepto jurídico indeterminado que no goza de un estándar jurídico concreto que permita adoptar, de manera inmediata, determinados derechos y deberes a los sujetos beneficiarios del régimen jurídico. GIMÉNEZ-CANDELA, M., *Transición animal en España*, Tirant lo Blanch, Valencia, 2019, pp. 214-215.

[6] Debido a la disparidad de criterios y a la no homogenización que debería provocar una norma estatal, cada Comunidad Autónoma ha regulado la protección y el bienestar de los animales según su propio criterio.

embargo, ahora que el Estado ha decidido interesarse por el tema y acoger la inclusión en el Código Civil del artículo 333bis, se ha abierto la puerta a un nuevo mundo conceptual dentro del derecho de la biodiversidad. La diversidad natural es amplia y, por ende, también la fauna y su amplio abanico jurídico —especies en peligro de extinción, especies exóticas invasoras, mascotas, etc.— a las cuales les corresponderán unos efectos que serán distintos, de manera que se les protegerá fervientemente o se les atacará, dependiendo de su especie. A pesar de ello, si una cosa es clara es el viraje conceptual que engloba a todos los animales que permitirá que en España se vean beneficiados por la nueva naturaleza jurídica con la que son ahora conocidos: "seres sintientes". Por tanto, sería imaginable pensar que la imitación de la norma europea, del artículo 13 del Tratado de Funcionamiento de la Unión Europea concretamente, que recoge a los animales con esta calificación jurídica y que ha motivado un cambio legal en varios países europeos en ese mismo sentido, podría tener efectos significativos al ser posible adoptar y trasladar también de su filosofía. Es necesario, por tanto, abordar qué implica para la Unión Europea el bienestar animal y, para ello, la propia Comisión Europea expone que desde la Directiva 98/58/CE del Consejo de 20 de julio de 1998 relativa a la protección de los animales en las explotaciones ganaderas se han estado promocionando los derechos de los animales y se han promovido los cinco principios o libertades animales que son la libertad de hambre y sed, de miedo y estrés, de dolor y enfermedades, de confort y de expresar su comportamiento natural[7]. Sin embargo, ello está pensado exclusivamente para los animales que son utilizados para consumo —ya sea de carnes, pieles u otros— de manera que, a la hora de ser servidos al humano, pueda garantizarse que poseían un buen nivel de salud y una baja consumición de fármacos y antibióticos[8]. En otras palabras, la cúspide del antropocentrismo entendido desde la moralidad animal. Así pues, lo efectos jurídicos que podrían surgir de

---

[7] De acuerdo con la información extraída de la página web de la Comisión Europea, en su apartado "Animal Welfare". [Consultado en fecha 26/06/2022]: https://ec.europa.eu/food/animals/animal-welfare_en.

[8] Tal y como se expone en "Bienestar Animal", de acuerdo con Eur-lex. [Consultado en fecha 26/06/2022]: https://eur-lex.europa.eu/ES/legal-content/glossary/animal-welfare.html.

la comprensión de animales sintientes de la normativa europea como un principio del derecho europeo, acaban como un mero formalismo rector del comercio interno[9]. Sin embargo, en lo que respecta a la filosofía jurídica del bienestar animal a nivel español, ha de reconocérsele al legislador estatal que parece existir una intención clara y evidente de alejarse de este antropocentrismo económico europeo al declarar que la motivación normativa relativa a la protección de la fauna no busca centrarse en

> garantizar el bienestar de los animales evaluando las condiciones que se le ofrecen, sino el regular el reconocimiento y la protección de la dignidad de los animales por parte de la sociedad. Por tanto, no regula a los animales como un elemento más dentro de nuestra actividad económica a los que se deban unas condiciones por su capacidad sentir, sino que regula nuestro comportamiento hacia ellos como seres vivos dentro de nuestro entorno de convivencia[10]

Es un gran paso, debe reconocerse, aunque se centre en este caso en un antropocentrismo social, debido a que se busca la protección de los animales que interactúan con las personas por su naturaleza de animal de compañía, de animal urbano o por estar en cautividad[11], de manera que aquellos que no estén incluidos en estos ámbitos no gozarán de la especial protección del bienestar animal, por tanto aquellas especies salvajes que "molesten" al ser humano por su actividad —ya sea porque atacan cosechas o devoran ganado, entre otras— podrán seguir siendo perseguidas sin ser objeto de los derechos que pueda otorgar una normativa más amplia y garantista. Este hecho, aunque pueda parecer nimio, se verá sumamente realzado en lo que respecta a la especies exóticas invasoras[12], pues debe comprenderse que una parte de ellas, la fauna, también se verá afectada, pues no existe una disposición legal que las aparte de esta consideración de ser sintiente

---

[9]   ALONSO, E., "El artículo 13 del Tratado de Funcionamiento de la Unión Europea: Los animales como seres "sensibles [sintientes]" a la luz de la Jurisprudencia del Tribunal de Justicia de la Unión Europea", en FAVRE, D. GIMÉNEZ-CANDELA, T., *Animales y Derecho*, Tirant lo Blanch, Valencia, 2015, p. 52.
[10]   Así lo aclara la exposición de motivos, apartado primero, del Anteproyecto de Ley de Protección, Derechos y Bienestar de los Animales.
[11]   De acuerdo con el artículo 1 ALPDBA.
[12]   *Vid. infra*. III. 2.1. Listado de positivo de animales de compañía y la flexibilización del catálogo.

lo cual, de hecho, no tendría sentido; ni tampoco se contempla una disposición en el anteproyecto que las exceptúe por su especialidad.

Por tanto, aunque podría poseer un sentido más generalista, cabe destacar que es un nuevo enfoque jurídico-filosófico muy ventajoso y novedoso para los animales en general respecto a la legalidad anterior y, para la fauna exótica invasora urbana y en cautividad en especial, puede suponer grandes ventajas para su calidad de vida.

III. LAS ESPECIES EXÓTICAS INVASORAS COMO SERES SINTIENTES

1. *Principios jurídicos en la gestión de especies exóticas invasoras*

Antes de entrar en la nueva materia que pretende regularse es importante repasar de forma somera los principios rectores que deben seguir las normativas que versan sobre especies exóticas invasoras a nivel internacional, así como nacional por suscripción de acuerdos internacionales y por propia obligatoriedad derivada de la normativa europea. En primer lugar, por lo que respecta a la normativa internacional más importante en la materia —aunque no la única—, España es parte del Convenio sobre la Diversidad Biológica de 1992, cuyo artículo 8.h) destaca que la parte contratante "impedirá que se introduzcan, controlará o erradicará las especies exóticas que amenacen a ecosistemas, hábitats o especies"; ello, desarrollado por la COP VI/23, vino a establecer que los principios rectores en las normativas de control de especies exóticas invasoras deberán ser la *prevención*, como herramienta primordial, la *erradicación*, cuando sea posible derivado de que se han introducido unas pocas especies y es posible evitar una invasión, y el *control*, cuando la invasión se haya producido y es menester evitar ulteriores daños al medio ambiente[13]. En el nivel europeo se encuentra el Reglamento (UE) 1143/2014, del Parlamento Europeo y del Consejo, de 22 de octubre de 2014, sobre la prevención

[13]   EXPÓSITO LÓPEZ, O., "Régimen jurídico-administrativo y gestión de especies exóticas invasoras en España", Revista de Direito Econômico e Socioambiental, Curitiba, Vol. 12, núm. 3, 2021, pp. 443-444.

y la gestión de la introducción y propagación de especies exóticas invasoras, el cual, al ser un reglamento, es de aplicabilidad directa. La diferencia interesante que añade esta nueva norma es el hecho de que se incluye una nueva etapa —o principio rector— en la gestión de este tipo de animales: *la respuesta rápida ante alertas*, que incitará a las Administraciones Públicas a contar con sistemas de detección de especies alóctonas invasoras en el medio natural como mecanismo de rápida detección y contención de la problemática ambiental, en teoría[14]. De entre todos ellos, el principio más relevante es el de prevención, ya incorporado en la idiosincrasia jurídica europea ambiental a través del artículo 191.2 TFUE que establece que "los principios de cautela y de acción preventiva, en el principio de corrección de los atentados al medio ambiente, preferentemente en la fuente misma, y en el principio de quien contamina paga", asimismo, la jurisprudencia estableció, en la Sentencia del Tribunal de Justicia de las Comunidades Europeas de 5 de mayo de 1998 que "las Instituciones pueden adoptar medidas de protección sin tener que esperar a que se demuestre plenamente la realidad y gravedad de tales riesgos"[15], de manera que la capacidad de acción reguladora y previsora de las Administraciones es amplia y está amparada por la jurisprudencia europea y se crea el principio *in dubio pro natura* que permitiría la actuación administrativa previa a las informaciones científicas concluyentes en caso de que exista un

---

[14]   A pesar de todo, la gestión basada en el principio de alerta temprana —pues la prevención ya ha fracasado y la especie ya se ha introducido en el país— resulta desorganizada en todo el territorio y ni si quiera aplicada en parte de él, de manera que existe un descontrol de gestión que muchas veces su mayor activo es la alerta de un ciudadano que da la voz por un animal que cree que es exótico invasor en la zona por la cual estaba circulando, lo cual supone problemas como: el ciudadano debe conocer que existe el sistema de alarma temprana para poder darla; debe conocer cuáles son las especies exóticas invasoras catalogadas como tales —y debe reconocerlas— vid. "Las acciones administrativas contra las especies exóticas invasoras" en *Ibid.*, pp. 468-480; y debe querer denunciarlo, pues el factor moral también es importante —como demuestra el viraje normativo—.

[15]   BRUFAO CURIEL, P., "Las especies exóticas invasoras y el derecho, con especial referencia a las especies acuáticas, la pesca recreativa y la acuicultura", *Revista Catalana de Dret Ambiental*, Vol. 3, núm. 1, 2012, p. 30.

grave riesgo para la salud o el medio ambiente derivada de una práctica que se esté llevando a cabo[16].

Es importante resaltar, a parte, por su posible implicación y el papel que jugaría en el caso de la aprobación del texto íntegro del anteproyecto, la Convención sobre el Comercio Internacional de Especies Amenazadas de Flora y Fauna Silvestres (CITES), de 3 de marzo de 1973[17]. CITES tiene como objetivo evitar el comercio ilegal de especies y para ello defiende que los Estados deben velar por la vida salvaje[18], de manera que puede entenderse e incluir en el tráfico ilegal a las especies exóticas invasoras, pues éste debe estar vetado en aras de la protección ambiental. Sin embargo, la realidad radica en el antropocentrismo ambiental que lidera, no sólo nuestra Carta Magna, sino el derecho internacional, pues resulta que los Estados, a la hora de valorar el medio ambiente en contraposición con la economía, suelen poner de relieve esta segunda opción y, por tanto, la implementación y efectividad de CITES ha resultado tristemente afectada, ello se achaca a la poca intención política de las partes, por un lado, y a la escasez de texto vinculante por otro[19]. Si bien CITES parece no resultar la herramienta más efectiva, sí que marca un camino que deberían seguir las normas nacionales y que, combinado con el resto de normas en materia de especies exóticas invasoras, sitúa el veto a la importación de fauna y flora alóctonas invasoras como un eficiente mecanismo de prevención. En este sentido, es posible declarar que la efectividad de las medidas tomadas en la prevención de las invasiones biológicas es proporcional a las capacidades otorgadas por el régimen legal de inspección fronteriza[20].

---

[16]   JORDANO FRAGA, J., "La administración en el Estado Ambiental de Derecho". *Revista de Administración Pública (Madrid)*, núm. 173. 2007, p. 117.
[17]   *Vid. Infra.* "2.1. Listado de positivo de animales de compañía y la flexibilización del catálogo".
[18]   RODRÍGUEZ GOYES, D., "Contending philosophical foundations in international wildlife law: A discourse analysis of CITES and the Bern Convention", *Revista Catalana de Dret Ambiental*, Vol. 12, núm. 1, 2021, pp. 18-19.
[19]   *Ibid.* pp. 8-19, 23-24.
[20]   HULME, P. E., "Plant invasions in New Zealand: global lessons in prevention, eradication and control", *Biological Invasions*, núm. 22, 2020, pp. 1539-1562.

2. Las especies exóticas invasoras en el Anteproyecto de Ley de Protección, Derechos y Bienestar de los Animales[21]

La ALPDBA se desarrolla con la intención de establecer una nueva normativa básica en materia de bienestar y protección animal y rellenar un vacío que la nueva conceptualización jurídica animal había acrecentado al poner el foco sobre los seres sintientes y su falta de derechos positivos; de modo que es posible entender el anteproyecto de ley como el efecto inmediato relativo al bienestar animal de la nueva conceptualización jurídica de los animales. Aunque no existe una mención directa en el 149.1.23 de la Constitución Española, de competencias en medio ambiente, sobre quién es el competente para regular la materia, resulta bastante claro el hecho de que se pueda integrar este concepto dentro del derecho ambiental y, por tanto, correspondería al Estado la normativa básica que está intentando promover; aunque sería deseable una reforma constitucional en el sentido de que la materia quedase incluida de forma indubitada[22]. Derivado de la concienciación social y la acción incansable de las asociaciones que luchan en favor de los derechos de los animales, parece que el bienestar animal ha entrado en las agendas políticas[23] y, aunque ya existían normativas autonómicas que intentaban regular la materia, estos derechos pueden llegar a alcanzarse y homogeneizarse si se produce la aprobación definitiva del ALPDBA. Ahora bien, legislación básica en materia ambiental implica que el legislador no puede regular de forma total la materia, sino que sólo las bases de ésta, dejando a las Comunidades Autónomas el desarrollo normativo más concreto de manera que se puedan establecer nuevos mecanismos de protección más allá de los establecidos en la norma básica[24]. En el ámbito de las especies exóticas invasoras los efectos de esta nueva normativa

---

[21] Este trabajo se ha realizado sobre la versión del ALPDBA de 8 de marzo de 2022.
[22] CASADO CASADO, L., "La protección del bienestar animal a través del ordenamiento jurídico-administrativo", en: CUERDA ARNAU, M. L. (Dir.), PERIAGO MORANT, J. J. (Coord.), *De animales y normas. Protección animal y derecho sancionador*. Tirant lo Blanch, Valencia, 2021, pp. 32-33.
[23] *Ibid*, p. 31.
[24] CASADO CASADO, L., *La recentralización de competencias en materia de protección del medio ambiente*, Institut d'Estudis d'Autogovern, Barcelona, 2018, pp. 79-80.

pueden tener unos efectos más importantes que en el resto de los animales ya que mientras que los animales autóctonos viven en libertad en todo el territorio nacional y su vida no peligra por parte de las disposiciones legales, las especies exóticas invasoras están condenadas legalmente a un duro control que incluso puede conllevar su sacrificio sólo por el hecho de serlo. La nueva concepción moralista del animal puede cambiar este hecho hacia un sistema de control más ético y, *de facto*, éste parece ser el camino; aunque el control férreo parece que seguirá existiendo en la legislación, con algunas excepciones. Son algunas de estas excepciones las que resultan preocupantes a la luz de los efectos de las especies exóticas invasoras en el medio ambiente, por un lado, y la deriva flexibilizadora del catálogo de especies exóticas invasoras, por otro. A pesar de ello, también debe mencionarse que parece que se tiene la intención de crear un nuevo mecanismo de control ético sobre estos animales.

2.1. Listado de positivo de animales de compañía y la flexibilización del catálogo

La primera medida del ALPDBA en relación con las especies exóticas invasoras podría decirse que es la más controvertida de las que se proponen. Se creará, en virtud del nuevo artículo 44 ALPDBA, un listado de animales de compañía que podrán ser objeto de tenencia por parte de las personas, es decir, animales que, sólo si son aceptados por una lista gubernamental, podrán ser considerados de compañía entendiendo la lista como un *numerus clausus*. Ello, en verdad, no es algo nocivo *per se*, pues existirá seguridad jurídica respecto a los preceptos que sólo sean dirigidos a mascotas en contra de aquellos que estén pensados para la fauna —ya sea urbana o silvestre—, y probablemente sea una nueva herramienta de lucha contra especies que no deberían ser consideradas como mascotas por su marcado carácter salvaje. Como consecuencia, las especies no contenidas en el listado verán "prohibida la tenencia, reproducción, comercio, transporte, venta, oferta con fines de venta, intercambio o donación e importación o exportación como animal de compañía" y también será ilegal su importación y/o exportación con este motivo, según establecería el artículo 45 ALPDBA. En suma, el artículo 46 ALPDBA, sobre los criterios para tener en cuenta para la inclusión de una especie en el listado, establece que, entre otros, sólo se podrán incluir los animales que "no presenten carácter invasor demostrado en algún lugar del mundo".

Si bien parece un asunto bastante bien atado en lo que a fauna exótica invasora se refiere, no dejando lugar a dudas sobre la posibilidad de incluir especies catalogadas en el listado positivo, lo cierto es que no lo es por una contradicción o quizás una nefasta redacción del artículo 44.3 ALPDBA que reza que

> las especies incluidas en el Listado positivo no tendrán la consideración de exóticas invasoras en los términos definidos en el Real Decreto 630/2013, de 2 de agosto, por el que se regula el Catálogo español de especies exóticas invasoras, ni podrán ser objeto de control de población con resultado de muerte o de aprovechamiento cinegético.

Por tanto, analizando la literalidad de la norma, en el caso de que el organismo encargado de introducir nuevas especies en el Listado positivo de animales de compañía así lo decidiese, aquellas mascotas exóticas invasoras indexadas dejarían de sentir los efectos que desplegaba la legislación de especies exóticas invasoras sobre ellas de manera que a efectos prácticos desaparecerían del Catálogo Español de Especies Exóticas Invasoras y, en definitiva, ya no lo serían, puesto que al incluirse en el listado "no tendrán la consideración de exóticas invasoras en los términos definidos en el Real Decreto 630/2013". El articulado, sin duda, parece hecho a medida para animales como la cotorra gris, extendida por el territorio nacional debido a su comercialización cuando aún era legal como animal de compañía u otros como el cerdo vietnamita. Cabe la posibilidad de interpretar la norma en un sentido más abierto, de manera que sea posible comprender que las especies exóticas invasoras, catalogadas como tales, no podrán ser incluidas en el listado; pero resulta evidente que, en un tenor literal, no es lo que surge de la propuesta normativa. En este caso debería cambiarse el redactado del artículo 44.3, donde reza que "Las especies incluidas [...] no tendrán la consideración de exóticas invasoras..." por "Las especies que tengan la consideración de exóticas invasoras [...] no podrán ser incluidas..." o una fórmula análoga. En definitiva, la ambigüedad de la norma permitiría la inclusión de fauna exótica invasora en un listado positivo de mascotas y ello implicaría su descatalogación práctica y efectiva. Ahora bien, el artículo 46, al eliminar la posibilidad de incluir una especie invasora en el listado, puede dar a pensar en una comprensión más ambiental del artículo 44, pero al mismo tiempo, si de *facto* una especie incluida en el listado deja de ser considerada invasora, el artículo 46 ya no supondría un problema real.

Y eso lleva a la pregunta de ¿por qué realizar esta interpretación cerrada y no más ambientalista en el segundo sentido? El legislador ya ha demostrado con anterioridad que el antropocentrismo en materia ambiental es una de sus prioridades en el ámbito de las especies exóticas invasoras. De hecho, esta es una de las grandes características que posee el artículo 45 de la Constitución Española, referente a la protección del medio ambiente, que antepone la "calidad de vida" del ser humano, y los aspectos económicos y sociales, a la protección del medio ambiente, amparados en el concepto de medio ambiente adecuado "para el desarrollo de la persona", de manera que se pone al ser humano en el centro de la protección natural[25]. Cuando se aprobó el Catálogo Español de Especies Exóticas Invasoras surgió la problemática de que reportaban pingües beneficios a determinados sectores por su uso comercial y la consiguiente prohibición por parte del catálogo condujo, tras un grave conflicto judicial entre el Estado y el Tribunal Supremo, a que en 2018 se aprobase la Ley 7/2018, de 20 de julio, de modificación de la Ley 42/2007, de 13 de diciembre, del Patrimonio Natural y de la Biodiversidad (LPNB). Esta reforma, que se introduce por intereses económicos[26], contenía el concepto de especies naturalizadas, las cuales, de acuerdo con el artículo 3.29ter LPNB son las especies exóticas establecidas en el ecosistema con carácter permanente, introducida legalmente antes de la entrada en vigor de la Ley de Patrimonio Natural y de la Biodiversidad, y respecto de la que no existan indicios ni evidencias de efectos significativos en el medio natural en que habita, presentando además un especial interés, *social* o económico. Se remarca con énfasis el concepto social, y es que, aunque no lo sea legalmente, una especie invasora puede considerarse, a nivel social, como un animal de compañía cuando ésta viva en el

---

[25] LOZANO CUTANDA, B., *Derecho Ambiental Administrativo*, 10ª Ed., Madrid, Dykinson. 2009, pp. 91-92.

[26] EXPÓSITO LÓPEZ, O., *Régimen jurídico-administrativo...*, cit., pp. 463-466.

hogar a tal fin[27], y, por tanto, los efectos de la inclusión en el listado de una nueva mascota serían socialmente relevantes para la parte de la población que pueda verse afectada. Los efectos de esta "naturalización" son, conforme establece el artículo 64.3 LPNB, la posibilidad de "promover la descatalogación de una especie previamente catalogada" por razones de interés público, entre otras. Por ende, esta nueva articulación normativa del anteproyecto de ley casaría a la perfección con la Ley 42/2007, de manera que sería plausible que la interpretación adecuada fuese la literal, y no una más ambientalista. Como guinda a esta interpretación, debe mencionarse el apartado VIII de del análisis de impactos del ALPDBA, aclara literalmente que "desde el punto de vista medioambiental, el anteproyecto presenta un impacto positivo al implantar, por primera vez en nuestro ordenamiento, el control, a través del listado positivo, de nuevas especies introducidas como compañía que pueden llegar a ser invasoras".

Como consecuencia, se daría una nueva flexibilización del catálogo y la aceptación de que determinadas especies dejarían de ser invasoras por su marcado carácter social y, no sólo eso, sino que pasarían a gozar de mayor protección al ser consideradas de compañía. Debe ponerse de relieve, en este aspecto, que el nuevo aspecto jurídico-moral de los animales y de la calificación de "comercializados como animales de compañía", permitiría una gestión "de control" que no sea diligente por parte de los propietarios del animal puede ocasionar que estos sean abandonados o escapen, de manera que se vuelvan asilvestrados[28] y resulte todo ello en nuevas invasiones biológicas en lugares donde aún no existan o empeorar las que ya se dan. Cuando los tratados internacionales, la normativa europea y, en última instancia, la nacional, ponen de relieve la importancia de la prevención, la comunicación, el control y la erradicación en los planes de gestión de especies exóticas. Reanudar la comercialización de especies exóticas invasoras, aunque sólo sea con intención de adquirirlas como masco-

---

[27] BELTRÁN CASTELLANOS, J. M., *Fauna exótica invasora*, Madrid, Reus Editorial, 2019, pp. 80-81.

[28] "Espécimen animal de procedencia doméstica, que está establecido y se mueve libremente en el medio natural y no vive ni se cría bajo tutela, manejo ni supervisión de las personas". Art. 2 del Real Decreto 630/2013, de 2 de agosto, por el que se regula el Catálogo español de especies exóticas invasoras.

tas, con la consecuencia de dejar sin efectos el Catálogo, resulta ir en contra del principio básico de prevención y ello puede desembocar en graves consecuencias ambientales. Ello, además, tendría como consecuencia la problemática aplicación de CITES, ya mencionada, que debería promover la prohibición de importación de fauna invasora para frenar la actividad de comercio de animales de compañía legalizados pero dañinos para el medio ambiente y la biodiversidad.

2.2. La nueva gestión local de las mascotas especies exóticas invasoras

En lo que respecta al artículo 49 ALPDBA, se contempla que, en territorio urbano, aquellas especies exóticas catalogadas como invasoras pero que hayan sido comercializadas como animales de compañía contarán con un plan municipal de prevención y control para evitar el daño a la biodiversidad, asimismo estos planes deberán utilizar métodos no letales. Este artículo, tal y como el anterior, trae consigo distintos problemas y cuestiones. En primer lugar, de nuevo, el redactado; una buena parte de estos animales ha sido comercializada como de compañía, y es el comercio de fauna exótica invasora como mascotas es uno de los grandes motivos por los cuales aparecen se dan estas invasiones biológicas en el territorio nacional[29], como es el caso, por ejemplo, de las cotorras argentinas. ¿Debe, por tanto, entenderse que ya no deberán utilizarse métodos letales contra todas ellas? ¿O simplemente contra la poca fauna alóctona que aún sea considerada como animal de compañía?[30] Este precepto, por ende, deja muchas dudas y requiere de precisión normativa de manera que las Administraciones Locales puedan precisar sus acciones de control.

---

[29] En este sentido, como destaca Carvallo, las especies exóticas invasoras pueden entrar de forma voluntaria o involuntaria en territorio nacional, y dentro de la primera tipología se encuentran las mascotas o animales de compañía, a los cuales dota de un factor social al catalogarlos como seres de interés ornamental. CARVALLO, G. O., Especies exóticas e invasiones biológicas, *Ciencia Ahora*, núm. 23, 2009, p. 15.

[30] Debe recordarse que la disposición transitoria cuarta del Real Decreto 630/2013 permitía a los propietarios de especies exóticas invasoras mantenerlas si su propiedad se había dado antes de la inclusión de la especie en el Catálogo, siempre y cuando se informase de ello a la autoridad competente autonómica.

En segundo lugar, este precepto parece querer intuir, si es comprendido conforme a la segunda pregunta formulada, la posibilidad de que algunas especies exóticas invasoras vuelvan a ser consideradas mascotas, de nuevo alentando una interpretación literal del artículo 44 ALPDBA, ya que, en caso contrario, es un control que llega ocho años tarde y resulta completamente ineficaz y, por consiguiente, ineficiente su implementación. Ahora bien, si se incluyese a la cotorra, entre otros, como animal de compañía generalizado, y el artículo tuviese la intencionalidad de evitar su control mediante erradicación, se entiende mejor el sistema estructural del articulado que se ha ido analizando hasta el momento. Por el contrario, si la respuesta afirmativa fuese hacia la primera pregunta, el resultado sería evitar imágenes sangrientas de caza de animales invasores en las urbes que, a nivel político y social, no son deseables[31]. De nuevo, la ambigüedad del articulado deja muchas dudas que deben ser resueltas por el legislador para una futura, pero efectiva, implementación por parte de los entes locales. Este hecho, por descontado, sería acorde con la nueva concepción moral de los animales, al buscar proteger mediante este sistema a determinadas especies que, por el momento, están condenadas a control y erradicación por el mero hecho de serlo.

2.3. Centros de Rescate de Animales Silvestres

En materia de protección general de especies exóticas invasoras, el artículo 60 ALPDBA establecería que, en caso de que un centro de rescate de animales silvestres (RAS) mantuviese en sus instalaciones una especie catalogada como invasora, deberá evitarse su reproducción y mantenerla en cautividad hasta el momento de su muerte, lo cual no implica que puedan aplicarle eutanasia, sino que, como indica el mismo precepto, deberán mantenerla en un entorno naturalizado y enriquecido. Existe una diferencia conceptual digna de mención en el artículo de los RAS entre la fauna invasora y la que no lo es, pues los animales que no puedan sobrevivir en su hábitat natural y estén dentro de un RAS lo estarán "de forma indefinida", mientras que,

---

[31]   FUENTES I GASÓ, J. R., EXPÓSITO LÓPEZ, O., "El régimen jurídico de la protección de las colonias felinas y los entes locales", *Revista Andaluza de Administración Pública*, aceptado para su publicación, p. 20.

334   Óscar Expósito López

como se ha comentado, las especies catalogada lo estarán "hasta el momento de su muerte"; esta sutil diferencia identifica la intención del legislador de que si bien las primeras pueden llegar a tener la posibilidad de salir si son rehabilitadas, las segundas nunca contarán con esa opción. Este nuevo precepto parece estar en completa sintonía con la intención ética de la norma, así como con el principio de control de especies exóticas invasoras, de manera que, evitando la muerte del animal, se le permita disfrutar de una vida que, aunque en cautividad, maximice la interacción natural de la especie y, al final, mediante un control estricto pero ético, se consiga que no se propague por el medio natural.

Este sistema de protección se parece en demasía, pero bajo otro nombre, a los llamados "santuarios animales", los cuales pueden catalogarse como un "refugio seguro temporal o permanente a los animales que lo necesiten y cumpla con los principios de [...] ofrecer un cuidado excelente y humano a sus animales en un entorno no explotador y tener políticas éticas establecidas"[32] y donde sus colaboradores tienen la función de llevar a cabo "su labor de rescate, cuidados y protección del modo más eficiente posible, manteniendo a esos animales al margen de la explotación y el abuso el resto de su vida". Si ello se compara con la definición de Centro de Protección Animal "RAS" que proporciona la norma "como establecimiento para el alojamiento de los animales recogidos, extraviados, abandonados o entregados voluntariamente por sus titulares, sean de titularidad municipal o de una Entidad de Protección Animal, dotado de la infraestructura adecuada para su atención" (Art. 3.j) ALPDBA), que, en el caso de especies salvajes, se incluye la obligatoriedad de mantener a aquellos animales que no puedan sobrevivir por sí mismos en su hábitat "de manera indefinida" y a la fauna exótica invasora "hasta el momento de su muerte", es posible observar las grandes similitudes que envuelven estos dos conceptos, aunque puedan tener algunas diferencias entre sí. Por lo tanto, los centros de Rescate de Animales Salvajes pueden tener, a su vez, similares problemáticas que las que tendrían los santuarios de animales, las cuales se derivan "dos factores principales,

---

[32]   De acuerdo con la definición que proporciona la *Global Federation of Animal Sanctuaries*. [Consultado en fecha 04/07/2022]: https://www.sanctuaryfederation.org/about-gfas/what-is-a-sanctuary/.

por un lado, la diversidad de especies animales que pueden ser acogidas en espacios denominados santuarios y, por otro, la diversidad de contextos y seres humanos implicados en este tipo de proyectos en todo el mundo"[33].

Esta medida es, sin duda, un novedoso y útil sistema para el control de especies exóticas invasoras, pero que puede haberse quedado corto en varios aspectos en lo que concierne a las especies catalogadas. En primer lugar, y ya mencionado, es la diversidad de especies, pues cada una tiene sus necesidades y, además, sus capacidades. Es, por tanto, imprescindible recordar el aviso que realicé sobre la posibilidad de albergar EEI en centros de estas características, pues hay una necesidad imperiosa de que, una vez introducidos en el área de protección, se eviten las posibles sueltas o escapes de la manera más eficaz y, por ello, "debería existir un apartado regulador concreto y generalizado de las características que debe tener un centro" para albergar determinadas especies invasoras[34].

IV. CONCLUSIONES

En primer lugar, es menester comentar el gran salto filosófico-jurídico que implica la nueva conceptualización civil de los animales en caso de que el legislador se comprometa seriamente a adoptar una normativa que evite el concepto económico antropocéntrico del ser sintiente, derivada de la comprensión europea, y vaya más allá. Una conceptualización ética y moral del animal es un gran avance para los derechos de éstos y tiene implicaciones tan relevantes como el ALPDBA que, en caso de ser aprobado, será un importante avance en

---

[33] LÁZARO, S. "Definición de santuario de animales", *Unión de Santuarios (FE-SA)*, 2020. [Consultado en fecha 04/07/2022]: https://www.federacionsantuarios.org/blog/que-es-un-santuario-de-animales/.

[34] Un ejemplo esclarecedor es el del visón americano, cuyas granjas deben contar con un sistema de trampeo y controles personales determinados normativamente para poder operar, a modo de mecanismo de control de evasiones y fugas de estas especies. EXPÓSITO LÓPEZ, O., *Régimen jurídico-administrativo…*, cit., p. 481. Sería ilógico, en este sentido, que un centro que mantuviese la misma especie y corriese los mismos riesgos no contase con unos mecanismos similares para evitar fugas.

los derechos de la biodiversidad. Ahora bien, es cierto que esta norma parece comprender de forma seria y clara una intención antropocéntrica social en lo que respecta a los animales, lo cual no tiene por qué ser negativo desde el punto de vista de que se amplían los horizontes que anteriormente estaban marcados. Sin embargo, preocupa la exclusión de los animales silvestres de manera que, el humano, al no ver el sufrimiento del animal salvaje pero sí ver el bienestar del urbano, puede pensar que el problema está resuelto y vivir en una especie de burbuja normativa de bienestar animal y moral, lo cual puede llegar a ser contraproducente y ralentizar los movimientos sociales que han logrado este importante avance.

En segundo lugar, debe destacarse un hecho incontestable: si no hubiese especies exóticas invasoras en nuestro territorio, no sería éste un tema de debate, al no existir objeto controversial. Ello indica, por contraparte, que al darse la disputa es porque es un problema real y existente en la sociedad y el medio ambiente. Por tanto, para evitar agravarlo, lo más sensato y racional sería seguir promoviendo medidas de prevención y endurecerlas, en lugar de flexibilizar el catálogo y cerrar los ojos para no ver la problemática subyacente. Por ende, no podrán controlarse las especies exóticas invasoras si se promueve que sigan entrando en territorio nacional en aras del "bienestar animal" y del ineficaz CITES; pues parece olvidarse que estas especies desplazan y eliminan a otras autóctonas y alteran el medio ambiente, creando verdaderos desastres naturales en algunos casos[35]. No por ello debe aniquilarse la fauna exótica invasora, pues las especies ya introducidas y adaptadas son muy difíciles de erradicar, pero sí que es necesario un control férreo para evitar una mayor dispersión y, por tanto, una gestión eficaz por parte de las Administraciones Públicas. Es por ello que, a expensas de que no se llegue a modificar el redactado del artículo 44 ALPDBA, sería necesario que el ejecutivo tome la interpretación del contenido del listado en un sentido protector del medio ambiente e impidiese la inclusión de fauna exótica invasora ya que, tal y como está ahora el articulado, sería posible trampearlo en caso

---

[35]   Un ejemplo claro se dio con la suelta de visones americanos por parte de grupos ecologistas en Galicia que, unos años más tarde, tuvieron como resultado la siguiente noticia de 2009: *El visón americano ya está por toda Galicia y amenaza las aves acuáticas* (lavozdegalicia.es).

de que un gobierno, ya sea el actual o uno posterior con una ideología distinta, decidiese tomar por naturalizada una especie e incluirla en la excepción. El ser humano a veces puede, y a veces suele, encapricharse de lo exótico.

Para concluir, si bien la moral animal en algunos sentidos puede ser positiva como en el caso de los centros de rescate, pues no por ser una especie invasora la ley debe prohibirle tener un bienestar digno dentro de las posibilidades ambientales; no debe beneficiarse la comercialización de éstas dejando sin efectos el Catálogo Español de Especies Exóticas Invasoras. Este hecho ya ocurrió con la introducción en el ordenamiento jurídico del concepto de naturalización de especies que tenían una importancia económica tal y como sucedió con la trucha arcoíris, entre otras, de forma que se ponía por delante el aspecto social y monetario por encima del ambiental. En este caso, en vez de ser una razón económica, es una motivación puramente socio-antropocéntrica.

BIBLIOGRAFÍA

ALONSO, E., "El artículo 13 del Tratado de Funcionamiento de la Unión Europea: Los animales como seres "sensibles [sintientes]" a la luz de la Jurisprudencia del Tribunal de Justicia de la Unión Europea", en FAVRE, D. GIMÉNEZ-CANDELA, T., *Animales y Derecho*, Tirant lo Blanch, Valencia, 2015, pp. 11-52.

BELTRÁN CASTELLANOS, J. M., *Fauna exótica invasora*, Madrid, Reus Editorial, 2019.

BRUFAO CURIEL, P., "Las especies exóticas invasoras y el derecho, con especial referencia a las especies acuáticas, la pesca recreativa y la acuicultura", *Revista Catalana de Dret Ambiental*, Vol. 3, núm. 1, 2012, pp. 1-54.

CASADO CASADO, L., *La recentralización de competencias en materia de protección del medio ambiente*, Institut d'Estudis d'Autogovern, Barcelona, 2018.

CASADO CASADO, L., "La protección del bienestar animal a través del ordenamiento jurídico-administrativo", en CUERDA ARNAU, M. L. (Dir.). PERIAGO MORANT, J. J. (Coord.). *De animales y normas. Protección animal y derecho sancionador*, en Tirant lo Blanch, Valencia, 2021, pp. 24-79.

CASTRO-DIEZ, P., ALONSO, A., "Las invasiones biológicas: un problema global" En: JUNOY, J. (Coord.), *Especies Exóticas Invasoras: Cátedra*

Parques Naturales. Universidad de Alcalá, Alcalá de Henares, 2019, p. 13-28.

CARVALLO, G. O., Especies exóticas e invasiones biológicas, *Ciencia Ahora*, núm. 23, 2009, p. 15.

CLAVERO, M., GARCÍA-BERTHOU, E., Invasive species are a leading cause of animal extinctions. *Trends in Ecology and Evolution*, Vol. 3, núm. 20, 2005, Girona, p. 110.

EXPÓSITO LÓPEZ, O., "Régimen jurídico-administrativo y gestión de especies exóticas invasoras en España", *Revista de Direito Econômico e Socioambiental*, Curitiba, Vol. 12, núm. 3, 2021, pp. 432-490.

FUENTES I GASÓ, J. R., EXPÓSITO LÓPEZ, O., "El régimen jurídico de la protección de las colonias felinas y los entes locales", *Revista Andaluza de Administración Pública*, aceptado para su publicación, p. 1-24.

GIMÉNEZ-CANDELA, M., *Transición animal en España*, Tirant lo Blanch, Valencia, 2019, pp. 214-215.

HULME, P. E., "Plant invasions in New Zealand: global lessons in prevention, eradication and control", *Biological Invasions*, Núm. 22, 2020, pp. 1539-1562.

JORDANO FRAGA, J., "La administración en el Estado Ambiental de Derecho". *Revista de Administración Pública (Madrid)*, núm. 173. 2007. pp. 101-141.

LÁZARO, S. "Definición de santuario de animales", *Unión de Santuarios (FESA)*, 2020.

https://www.federacionsantuarios.org/blog/que-es-un-santuario-de-animales/

LOZANO CUTANDA, B., *Derecho Ambiental Administrativo*, 10ª Ed. Madrid, Dykinson. 2009.

RODRÍGUEZ GOYES, D., "Contending philosophical foundations in international wildlife law: A discourse analysis of CITES and the Bern Convention", *Revista Catalana de Dret Ambiental*, Vol. 12, Núm. 1, 2021, pp. 1-35.

ROSENZWEIG, M., "The four questions: what does the introduction of exotic species do to diversity?" *Evolutionary Ecology Research*, Tucson, 3, 2021, pp. 361-367.

Capítulo 14

Bases normativas para la contratación pública de ecoinnovación en España

JULIANA CHEDIEK[1]
Doctoranda
Faculdade de Direito da Universidade de Coimbra

I. INTRODUCCIÓN

A lo largo del siglo XX, España —como la mayoría de los países industrializados del mundo— adoptó un patrón de crecimiento económico basado en el uso abusivo y lineal de los recursos naturales ("extraer, producir, consumir y desechar"), lo que, a lo largo de las décadas, junto a otros factores, ha desencadenado una crisis climática que podría tener efectos perversos en el futuro.

Para que España se convierta en una sociedad neutra en carbono, sostenible en el uso de los recursos y resiliente en el futuro, será necesario cambiar radicalmente la matriz energética, aprovechar las energías renovables, mejorar la gestión del agua, adaptar las infraestructuras y impulsar la fiscalidad verde. Para alcanzar los objetivos previstos en la transición, se necesitarán nuevos materiales, servicios y procesos, que pueden lograrse mediante nuevas tecnologías. Por tanto, la inversión en el ámbito de la ciencia y la innovación[2] se convierte en algo fundamental en esta nueva etapa de desarrollo.

---

[1] Juliana Chediek es estudiante de doctorado de la Faculdade de Direito da Universidade de Coimbra e investigadora del Instituto Jurídico de la Facultad de Derecho de la Universidad de Coimbra. Correo: juliana.chediek@student.uc.pt.

[2] Desde los años setenta, España ha realizado progresivos avances en ciencia e innovación. Hace cuatro décadas, la cultura de la investigación científica era prácticamente inexistente y el ecosistema de empresas e instituciones especializadas en la generación de conocimiento era reducido. Sólo un pequeño grupo de empresas hizo algún esfuerzo en el campo de la I+D, que resultó insignificante en un entorno dominado por la tecnología importada. (COTEC. El sistema español de innovación. Diagnósticos y recomendaciones. Libro blanco. Madrid, 1998.

La transición ecológica es un proceso complejo que sólo tendrá éxito si se lleva a cabo bajo el liderazgo del sector público y de las organizaciones comunitarias e internacionales. Para ello, es necesario reforzar las capacidades de las instituciones públicas para acelerar el proceso de descarbonización y promover las transformaciones mediante mecanismos específicos, entre los que se encuentra la compra pública innovadora y sostenible[3].

A su vez, la ecoinnovación[4] —cualquier forma de innovación que suponga un avance importante hacia el objetivo sostenible— es un mecanismo que, combinado con la contratación pública, puede ser clave para impulsar los avances en el ámbito de la innovación en el sector público, la modernización de la administración pública y la

---

Disponible desde la web em: http://personales.upv.es/igil/libro_blanco.pdf) Desde entonces, este panorama ha ido cambiando con la constatación de que la ciencia y la tecnología son esenciales para competir en un mercado global: España ha ampliado su ecosistema de investigación, tanto público como privado, ha aprobado la primera ley de la ciencia (Ley 13/1986, de 14 de abril, de Fomento y Coordinación General de la Investigación Científica y Técnica. Madrid, 1986. https://www.boe.es/boe/dias/1986/04/18/pdfs/A13767-13771.pdf) y ha habilitado los primeros programas de ayudas a la I+D empresarial (BUESA BLANCO, M. "Ciencia y tecnología en la España democrática: la formación de un Sistema Nacional de Innovación". ICE, nº 811, 2003. http://www.revistasice.com/index.php/ICE/article/view/580/580).

[3]   Otros mecanismos previstos en la directiva España 2050: Fundamentos y Propuestas para una Estrategia Nacional de Largo Plazo son: subvenciones, cofinanciación e incentivos fiscales. España 2050. Fundamentos y Propuestas para una Estrategia Nacional de Largo Plazo. https://www.lamoncloa.gob.es/presidente/actividades/Documents/2021/200521-Estrategia_Espana_2050.pdf.

[4]   En 2006, la Decisión nº 1639/2006/CE del Parlamento Europeo y del Consejo, de 24 de octubre de 2006, por la que se establece un Programa Marco para la Innovación y la Competitividad, se reconoció a la eco-innovación como cualquier forma de innovación destinada a lograr un progreso significativo y demostrable hacia el objetivo del desarrollo sostenible, a través de la reducción de los impactos sobre el medio ambiente o logrando un uso más eficiente y responsable de los recursos naturales, incluida la energía. Hoy, más que nunca, la eco-innovación es fundamental para el Pacto Verde Europeo, COM(2019) 64, final, disponible desde la web en: https://eur-lex.europa.eu/resource.html?uri=cellar:b828d165-1c22-11ea-8c1f-01aa75ed71a1.0004.02/DOC_1&format=PDF. El 14 de julio de 2021, la Comisión Europea dio a conocer un plan para lograr una reducción del 55% de las emisiones, que es el primer paso para lograr la neutralidad en carbono para 2050. Esta propuesta tiene como objetivo que todos los sectores de la economía de la UE sean capaces de adaptarse a este desafío.

conversión de España en una sociedad neutra en carbono, sostenible y resiliente al cambio climático[5].

Este trabajo pretende abordar los principales fundamentos normativos que sustentan la conclusión de la compra pública de ecoinnovación en España a partir del análisis de diversos reglamentos, planes y directrices gubernamentales. El objetivo del estudio es desmistificar este instituto y ofrecer una vía segura a los administradores públicos que optan cada vez más por este tipo de contratación.

II. EL PASADO Y LOS FUTUROS POSIBLES EN ESPAÑA

El crecimiento económico de España a partir de los años 60 ha implicado un aumento significativo de su huella ecológica[6]. La huella ecológica es un indicador de sostenibilidad que trata de medir el impacto que nuestro modo de vida tiene sobre el entorno. Así pues, todas las decisiones que los consumidores toman en su vida cotidiana tienen un impacto ambiental sobre el planeta. Ese impacto se expresa como la cantidad de terreno biológicamente productivo que se necesita por persona para producir los recursos necesarios para mantener su estilo de vida[7].

Al igual que muchos países de Europa, los habitantes de España viven por encima de las posibilidades de regeneración ecológica, lo que disminuye cada año la capacidad planetaria de sostenibilidad. Actualmente, España aparece en el número 51 del ranking de países que superan su biocapacidad, con un 186% de exceso de bio-

---

[5]   España 2050. Fundamentos y Propuestas para una Estrategia Nacional de Largo Plazo. Disponible desde la web en: https://www.lamoncloa.gob.es/presidente/actividades/Documents/2021/200521-Estrategia_Espana_2050.pdf.

[6]   El concepto de huella ecológica fue desarrollado por William Rees y más tarde por Mathis Wacekernagel. La huella ecológica corresponde a una medida relativa a la superficie de tierra ecológicamente productiva utilizada directa o indirectamente para determinadas actividades. REES, W. E. 1992, "Ecological footprints and appropriated carrying capacity: what urban economics leaves out", in *Environment and Urbanization*, 4(2), pp. 121-130.

[7]   Sobre este tema, véase https://www.miteco.gob.es/es/ceneam/exposiciones-del-ceneam/exposiciones-itinerantes/huella-ecologica/default.aspx.

capacidad sobre su huella ecológica[8]. Las causas que contribuyeron al aumento de la huella ecológica fueron: la escasa ambición de los actores públicos, la insuficiente apuesta por la adopción de soluciones ambientales sostenibles nacionales o extranjeras y el patrón de crecimiento económico de España en las últimas décadas.

Las nuevas tecnologías serán fundamentales para desvincular la actividad económica de las emisiones de carbono perjudiciales. Si por un lado, en los años setenta, no existía en España una cultura de investigación científica[9] (el esfuerzo de un pequeño grupo para invertir en I+D era insignificante en un entorno dominado por la tecnología importada y los conocimientos tradicionales), por otro, en las últimas cuatro décadas, España ha experimentado una importante transformación económica y social, y una de las causas ha sido la mejora de la innovación[10]. Este panorama cambió a partir de la conciencia de que la ciencia y la innovación serían esenciales para competir en un mercado global. El país experimentó transformaciones con la expansión del ecosistema de investigación público y privado, aprobó la primera ley de ciencia[11] y permitió los primeros programas de incentivos para la I+D empresarial.

La Estrategia Española de Ciencia, Tecnología e Innovación 2021-2027 ha sido aprobada recientemente y representa una oportunidad para reflejar lo que España persigue ser y hacer en Ciencia, Tecnología e Innovación durante este periodo. Esta estrategia es un marco de referencia plurianual que permitirá alcanzar un conjunto de objetivos compartidos por la totalidad de las AAPP con competencias en materia de fomento de la I+D, y servirá de referencia para la elaboración de

---

[8]   Disponible   desde   la   web   en: https://data.footprintnetwork.org/?_ga=2.21509820.683015882.1661948896-1032268743.1661948896#/.

[9]   España 2050, op.cit., p. 60.

[10]   España ha reforzado su capacidad de innovación gracias a la mejora de sus recursos humanos, la ampliación de su infraestructura tecnológica y el mayor dinamismo de los sectores y empresas intensivos en conocimiento. A pesar de ello, ocupa una posición media en la clasificación mundial de la innovación y una posición inferior a la media en la clasificación de la Unión Europea. España, Directrices Generales de la Estrategia de Desarrollo Sostenible 2030. Disponible desde la web en: https://www.mdsocialesa2030.gob.es/agenda2030/documentos/directrices-gen-eds.pdf.

[11]   Ley 13/1986, de 14 de abril, de Fomento y Coordinación General de la Investigación Científica y Técnica. Accesible desde la web en: https://www.boe.es/buscar/doc.php?id=BOE-A-1986-9479.

los Planes Estatales de Investigación Científica y Técnica e Innovación (PEICTI). La EECTI fue elaborada en un momento en el que están en discusión, por parte de actores nacionales e internacionales, los supuestos relativos al papel de la ciencia y la innovación en la sociedad, así como las políticas que debemos abordar para afrontar y responder a las condiciones del nuevo contexto de la emergencia ecológica[12].

Según el Índice de Ecoinnovación de la Comisión Europea[13], España es el octavo país en el ranking europeo de eco-innovación, habiendo escalado posiciones en la última década. Este índice evalúa los resultados de un país teniendo en cuenta aspectos como la inversión realizada, las patentes, las publicaciones, la intensidad de la economía, el uso de materiales y las emisiones y los impactos económicos de las ecoinnovaciones. La ecoinnovación puede ser una herramienta útil para garantizar un futuro más sostenible, limpio y energéticamente eficiente para España.

Por otro lado, si no se realiza la transición energética, los estudios[14] muestran que España en 2050 tendrá un clima catastrófico: temperaturas muy altas, clima árido, sequía que podría alcanzar el 70% de su territorio, incendios e inundaciones frecuentes, aumento del nivel del mar y de la temperatura, sectores como la agricultura y el turismo sufrirán pérdidas, 27 millones de personas vivirán en zonas con escasez de agua y 20.000 morirán al año por el aumento de las temperaturas.

Las sequías ya son una realidad en España y son un fenómeno recurrente, que se ve amplificado por los efectos del cambio climático. Según la Agencia Estatal de Meteorología de España (AEMet), julio de 2022 es el mes más cálido en España desde que hay registros. Su temperatura media fue la más alta registrada en España en cualquier mes desde, al menos, 1961. La ola de calor que afectó a la Península y Baleares fue la más importante desde que hay registros, pues se

---

[12]   La Estrategia Española de Ciencia, Tecnologia e Innovación 2021-2027. Disponible desde la web en: https://www.ciencia.gob.es/InfoGeneralPortal/documento/ e8183a4d-3164-4f30-ac5f-d75f1ad55059.

[13]   Disponible desde la web en: https://ec.europa.eu/environment/ecoap/indicators/ index_en.

[14]   España 2050. Fundamentos y Propuestas para una Estrategia Nacional de Largo Plazo. Op. cit, p. 167.

trató de la más intensa, la más extensa y la segunda más larga de la serie[15]. En 2022, España se encamina hacia su verano más cálido de la historia y el tercer año más seco del siglo XXI, solo por detrás de las sequías registradas en los años hidrológicos 2004-2005,1998-1999 y 2011-2012[16].

En este contexto, urge la necesidad de tomar medidas para afrontar los desafíos del presente y el futuro en el país. La relevancia de la eco-innovación para el desarrollo de nuevos materiales, servicios y procesos relacionados con alternativas energéticas respetuosas con el medio ambiente es cada vez mayor. La Administración Pública no es ajena a este movimiento y debe ocupar su lugar en el papel de protagonista de la contratación sostenible, especialmente en su contratación de innovación.

III. ADMINISTRACIÓN PÚBLICA Y CONTRATACIÓN DE ECOINNOVACIÓN

Se puede decir que en España, la Administración Pública tiene bajas tasas de innovación debido a algunos factores. En primer lugar, las

---

[15] "El mes de julio fue en conjunto extremadamente cálido, con una temperatura media sobre la España peninsular de 25,6 °C, valor que queda 2,7 °C por encima de la media de este mes (periodo de referencia: 1981-2010). Se trató del mes de julio y del mes en general más cálido desde el comienzo de la serie en 1961, habiendo superado en 0,2 °C a julio de 2015, que era hasta ahora el más cálido de la serie. Julio fue extremadamente cálido en toda la España peninsular, excepto en zonas del norte de Galicia, Cantábrico oriental, valle del Ebro y sureste peninsular, donde resultó muy cálido. En Baleares tuvo un carácter muy cálido o extremadamente cálido, mientras que en Canarias fue muy cálido en la mayoría de las zonas. Las anomalías térmicas llegaron a estar 4 °C por encima de lo normal en Galicia, centro y sur de Castilla y León, Comunidad de Madrid, Extremadura, oeste de Castilla-La Mancha y en puntos del interior de Andalucía y los Pirineos, incluso con anomalías próximas a 5 °C en puntos de estas regiones. Las temperaturas máximas diarias quedaron en promedio 3,3 °C por encima del valor normal, mientras que las mínimas se situaron 2,2 °C por encima de la media, resultando una oscilación térmica diaria 1,1 °C superior a la normal del mes". *Julio de 2022, el mes más cálido en España desde que hay registros.* Disponible desde la web en: https://www.aemet.es/es/noticias/2022/08/avance_julio_2022.

[16] Disponible desde la web en: https://www.epe.es/es/espana/20220819/espana-encamina-verano-calido-historia-14312012.

ayudas estatales a la I+D son escasas, se enfrentan a mucha burocracia y a menudo carecen de coherencia y visión a largo plazo. Además, las ayudas se conceden en forma de préstamos, lo que suele dificultar el acceso y desalentar la demanda. El resultado es que una parte importante de la ayuda se gasta mal y otra no se ejecuta. En 2019, por ejemplo, no se ejecutó el 49% de los fondos estatales en I+D[17].

En cuanto al sector de la ecoinnovación en general, se trata de un segmento que se enfrenta a dificultades específicas como: la incertidumbre sobre la transición ecológica, los elevados costes de inversión, la escasa demanda del mercado de tecnologías medioambientales sostenibles y la ausencia de un ecosistema innovador sólido con limitaciones de financiación público-privada[18].

Para combatir este contexto fáctico desfavorable, existen programas públicos en marcha como la Estrategia Española de Ciencia, Tecnología e Innovación 2021-2027, la Estrategia Española de Economía Circular[19], el Plan España Digital 2025[20] y las Directrices Generales de la Estrategia de Desarrollo Sostenible 2030[21] que, integradas, proporcionan el sólido sustento normativo para el incremento de la actividad de compra pública de eco-innovación por parte de las entidades administrativas.

La contratación pública sostenible es una práctica ampliamente adoptada tanto dentro de la Unión Europea como a nivel internacional. Durante la Conferencia Río+20, realizada en Río de Janeiro con la propuesta de ampliar las experiencias y buenas prácticas de los Objetivos del Milenio, se diseñó una nueva agenda ambiental para el desarrollo sostenible, la Agenda 2030, formada por los programas,

---

[17]   España 2050. Fundamentos y Propuestas para una Estrategia Nacional de Largo Plazo. Op. cit, p. 68.

[18]   Ídem, p. 172.

[19]   La Estrategia Española de Economía Circular. Disponible desde la web en: https://www.miteco.gob.es/es/calidad-y-evaluacion-ambiental/temas/economia-circular/espanacircular2030_def1_tcm30-509532_mod_tcm30-509532.pdf.

[20]   El Plan España Digital 2025. Disponible desde la web en: https://www.lamoncloa.gob.es/presidente/actividades/Documents/2020/230720-Espa%C3%B1aDigital_2025.pdf.

[21]   Directrices Generales de la Estrategia de Desarrollo Sostenible 2030. Disponible desde la web en: https://www.mdsocialesa2030.gob.es/agenda2030/documentos/directrices-gen-eds.pdf.

acciones y lineamientos que deben guiar a las Naciones Unidas y a los países miembros en la búsqueda del desarrollo sostenible. Entre los objetivos de desarrollo sostenible se estableció el Objetivo 12, que trata de "asegurar patrones de producción y consumo sostenibles", buscando "12.1 implementar el Plan Decenal de Programas de Producción y Consumo Sostenibles, con todos los países tomando medidas, y desarrollado países a la cabeza, teniendo en cuenta el desarrollo y las capacidades de los países en desarrollo" y "12.7 promover prácticas sostenibles de contratación pública, de conformidad con las políticas y prioridades nacionales".

Para implementar la Agenda 2030, la Unión Europea adoptó varias acciones, incluida la estrategia denominada Pacto Verde Europeo (EGD), por sus siglas en inglés, en la que Europa buscará, para 2050, ser el primer continente con un impacto neutral en el clima. Es una estrategia de crecimiento que transformará a la Unión en una economía moderna, competitiva y eficiente en el uso de los recursos.

Las autoridades públicas pueden hacer una importante contribución al desarrollo sostenible, ya que se encuentran entre los mayores consumidores a nivel europeo, más del 16% del producto interior bruto de la Unión Europea (equivalente a la mitad del PIB de Alemania), por lo que deben utilizar su potencial de compra de bienes y servicios respetuosos con el medio ambiente. La actuación de las entidades públicas al adquirir bienes, productos y servicios ecológicos innovadores dinamiza el mercado, incitándolo a desarrollar estas soluciones y puede servir de ejemplo a otros actores económicos, incidiendo en ellos.

La Unión Europea ha fomentado la eco-innovación (una herramienta que puede ser utilizada tanto por los particulares como por la administración pública) para optimizar su potencial de crecimiento y buscar respuestas a retos como el cambio climático, la escasez de recursos y la disminución de la biodiversidad.

La innovación, como factor de desarrollo económico, ha cobrado cada vez más relevancia en los documentos de la Unión Europea, a partir de las deliberaciones del Consejo Europeo extraordinario de Lisboa de marzo de 2000, en el que los líderes de la UE afirmaron su objetivo de transformar la UE" en la economía basada en el conocimiento más dinámica y competitiva del mundo, capaz de garantizar un crecimiento económico sostenible, con más y mejores empleos, y con mayor cohesión social" para 2010.

Diez años después, la Comisión Europea presentó la Estrategia Europa 2020, en la que se sentaban las bases para apalancar el desarrollo económico de Europa basado en el crecimiento inteligente (basado en el conocimiento y la innovación), el crecimiento sostenible (eficiente en el uso de los recursos, más verde y más competitiva) e incluyente (con altos niveles de empleo, cohesión social y territorial). En la ocasión, se destacó la necesidad de inversión de los sectores público y privado en I+ D e innovación, combinado con un uso más eficiente de los recursos, repercutiendo en la mejora de la competitividad y la creación de empleo.

La Estrategia estableció un compromiso —a nivel de la Unión Europea— para mejorar las condiciones generales para la innovación empresarial (centrándose, por ejemplo, en la contratación pública y la regulación inteligente), para poner en marcha asociaciones europeas de innovación (con el fin de acelerar el desarrollo y la aplicación de las tecnologías necesarias para dar respuesta a los retos identificados), el incremento de los instrumentos de la UE para apoyar la innovación y las asociaciones de conocimiento, el refuerzo de la articulación entre el sistema educativo, las empresas y la investigación y la innovación, entre otras iniciativas.

Como resultado de los objetivos marcados se aprobaron el 26 de febrero de 2014, las Directivas 2014/24/UE y 2014/25/UE del Parlamento Europeo y del Consejo, en las que se destacaba el papel fundamental de la contratación pública como uno de los instrumentos del mercado capaz de permitir dicho crecimiento y ayudar a los Estados miembros a alcanzar los objetivos de la Unión por la innovación[22].

---

[22]   La Directiva 2014/24/EU ha incorporado un concepto legal de innovación en el art. 1.22. "Introducción de un producto, servicio o proceso nuevos o significativamente mejorados, que incluye, aunque no se limita a ellos, los procesos de producción, edificación o construcción, un nuevo método de comercialización o un nuevo método de organización de prácticas empresariales, la organización del lugar de trabajo o las relaciones exteriores, entre otros con el objetivo de ayudar la Estrategia Europa 2020 para un crecimiento inteligente, sostenible e integrador".

Se destacó la necesidad de que las autoridades públicas hagan el mejor uso estratégico de la contratación pública para fomentar la innovación, en particular la ecoinnovación y la innovación social, contribuyendo a un uso más rentable de los fondos públicos, así como a mayores beneficios económicos, ambientales y sociales, temas sociales relacionados con el surgimiento de nuevas ideas, su traducción en productos y servicios innovadores y, en consecuencia, la promoción del crecimiento económico sostenible.

Se entiende por la compra pública de innovación "una actuación de fomento de la innovación, orientada a potenciar el desarrollo de soluciones innovadoras desde el lado de la demanda, a través del instrumento de la contratación pública"[23].

Los fundamentos de la contratación pública de eco-innovación van más allá de las normativas de la Unión Europea. En 2007, la eco-innovación ya se incluyó en la Estrategia Española de Desarrollo Sostenible[24], como un objetivo transversal del Estado y de importancia fundamental para la reducción de contaminantes, la reducción del consumo de materias primas, la valorización de nuevos productos y las aplicaciones industriales.

En este documento se estableció como uno de los objetivos más importantes, la promoción del consumo y de la producción sostenibles atendiendo al desarrollo social y económico, respetando la capacidad de carga de los ecosistemas y disociando el crecimiento económico de la degradación medioambiental. En el ámbito de la I+D+i fue destacado la gran importancia de los proyectos en movilidad sostenible para investigaciones sobre tecnologías limpias de vehículos, motores y carburantes; los proyectos para implantación de Sistemas Inteligentes de Transportes para la gestión y control del sistema de transporte, o igual los proyectos para la incorporación de nuevas tecnologías de comunicación en el sector del transporte.

---

[23] Guía sobre compra pública innovadora. Ministerio de Asuntos Económicos y Transformación Digital. https://www.mineco.gob.es/stfls/MICINN/Innovacion/FICHEROS/Politicas_Fomento_Innv./Guia.CPI.pdf.

[24] Estrategia Española de Desarrollo Sostenible. https://www.miteco.gob.es/es/ministerio/planes-estrategias/estrategia-espanola-desarrollo-sostenible/EEDS-nov07_editdic_tcm30-88638.pdf.

Otro campo de aplicación de la contratación pública de ecoinnovación es la gestión de infraestructuras turísticas. Además, la innovación otorga soluciones técnicas de cara a la utilización más eficaz de los recursos naturales como el agua y la energía por parte de las empresas operadoras y en los destinos turísticos, así como para una mejor gestión de los residuos, de manera a contribuir para la preservación y reequilibrio de los sistemas socio-territoriales[25].

Otra disposición digna de mención es la Estrategia Española de Economía Circular[26] que establece como un eje el incentivo fiscal a la eco-innovación para potenciar las medidas de colaboración público-privada en materia de innovación. Una de las políticas de la Estrategia España Circular 2030 es precisamente el fomento de las políticas de investigación, innovación y competitividad al servicio de la adquisición, desarrollo y aplicación de las capacidades de conocimiento en tecnologías de innovación de procesos, servicios y modelos de negocio.

Para ello, destaca la compra pública de innovación (CPI) como herramienta para que las administraciones públicas busquen soluciones innovadoras (productos, servicios, procesos, etc.) que den respuesta a retos colectivos como el desarrollo de la economía circular y otros desafíos medioambientales. Un ejemplo son las investigaciones para mejorar el conocimiento del impacto que los microplásticos tienen sobre las masas de agua y para desarrollar soluciones innovadoras que eviten su diseminación, como formas de mejorar la captura de microplásticos en las plantas de tratamiento de aguas residuales, así como medidas específicas para cada fuente[27].

El marco jurídico de la compra pública de innovación son el Real Decreto Legislativo 3/2011, de 14 de noviembre, que aprueba el texto refundido de la Ley de Contratos del Sector Público (TRLCSP), y la Ley 14/2011, de 1 de junio, de la Ciencia, la Tecnología y la Innovación, que incorpora las Directivas europeas en la materia[28]. El capítulo I de esa ley señala que los Departamentos Ministeriales com-

---

25 Idem, p. 56.
26 La Estrategia Española de Economía Circular. Op. cit, p. 42.
27 La Estrategia Española de Economía Circular. Op. cit, p. 44.
28 La Directiva 2014/18 de 31 de marzo de 2004. Disponible desde la web en: https://www.boe.es/buscar/doc.php?id=DOUE-L-2014-80598.

petentes aprobarán y harán público un plan que detalle su política de compra pública innovadora y precomercial.

Otras disposiciones que integran el marco jurídico de la compra pública innovadora en España son la Ley 2/2011, de Economía Sostenible (LES)[29], el Acuerdo de Consejo de Ministros - E2I (2/jul/10), el Acuerdo de Consejo de Ministros - CPI (8/Oct/10) y el Acuerdo de Consejo de Ministros - CPI (8/Jul/11).

Por su parte, la Estrategia Española de Ciencia, Tecnología e Innovación 2021-2027 también destaca la importancia de la contratación pública de la innovación, que refuerza el papel de las entidades administrativas en el aumento de la actividad innovadora. Los objetivos de la estrategia tienen en consideración la contribución de la I+D+I a la consecución de los Objetivos de Desarrollo Sostenible (ODS) de la Agenda 2030 de las Naciones Unidas y del Acuerdo de París[30].

En la Estrategia para 2050[31], la contratación pública innovadora y sostenible se considera un instrumento capaz de ayudar a cumplir los objetivos de respuesta a la emergencia climática. En el frente 11a, está el fortalecimiento de las instituciones públicas para que puedan seguir llevando a cabo políticas eficaces y la promoción de alianzas entre el sector público, el sector privado y la sociedad civil.

IV. REFLEXIONES FINALES

A la vista de las directrices presentadas, está claro que el objetivo de la transición ecológica puede alcanzarse con la ayuda de todos los segmentos de la sociedad, empezando por la propia Administración Pública.

El trabajo enumeró, en resumen, los principales fundamentos normativos que apoyan la contratación de la ecoinnovación por parte de los gestores públicos en España. Al tratarse de un nuevo tipo de

[29] Disponible desde la web en: https://www.boe.es/buscar/act.php?id=BOE-A-2011-4117.
[30] La Estrategia Española de Ciencia, Tecnología e Innovación 2021-2027. Op. cit, p. 13.
[31] Op. cit., p. 201.

contratación pública, todavía existen pocas normas que regulen los procedimientos, pero existe un amplio soporte normativo basado en las distintas normativas europeas y españolas. No cabe duda de que el derecho administrativo europeo y español permite y fomenta la contratación pública de ecoinnovación por ser una forma de negociación beneficiosa para el crecimiento económico y para el medio ambiente. Sin embargo, la práctica de la contratación de ecoinnovación aún no es un lugar común en el día a día de las instituciones públicas, lo que puede cambiar, con la elaboración de políticas públicas y folletos con información útil para esta modalidad de contratación para los administradores públicos.

El objetivo del estudio es divulgar los fundamentos normativos de la contratación pública de ecoinnovación para ofrecer una vía transparente y segura a los administradores públicos que optan cada vez más por este tipo de contratación. Por último, espera contribuir a estimular la contratación de eco-innovación por parte de los administradores públicos.

BIBLIOGRAFÍA

BUESA BLANCO, M. "Ciencia y tecnología en la España democrática: la formación de un Sistema Nacional de Innovación". ICE, nº 811, 2003. http://www.revistasice.com/index.php/ICE/article/view/580/580

COMISIÓN EUROPEA. Consejo Europeo de Lisboa. 23 y 24 marzo 2000. https://www.europarl.europa.eu/summits/lis1_es.htm

- Comunicación de la Comisión Desarrollo Sostenible em Europa para un mundo mejor: Estrategia de la Unión Europea para un desarrollo sostenible (Propuesta de la Comisión ante el Consejo Europeo de Gotemburgo) COM (2001) 264 final. https://eur-lex.europa.eu/legal-content/ES/TXT/HTML/?uri=CELEX:52001DC0264&from=PT

- European Commission DG Environment Eco-industry, its size, employment, perspectives and barriers to growth in an enlarged EU. 2006. https://ec.europa.eu/environment/enveco/eco_industry/pdf/ecoindustry2006_summary.pdf

- Comunicación de la Comisión al Parlamento Europeo, al Consejo, al Comité Económico y Social Europeo y al Comité de las Regiones - La contratación Precomercial: impulsar la innovación para dar a Europa servicios públicos de alta calidad y sostenibles. COM (2007) 0799

final. https://eur-lex.europa.eu/legal-content/ES/TXT/HTML/?uri=CE
LEX:52007DC0799&from=PT

- Europa. 2020. Una Estrategia para un crecimiento inteligente, sostenible e integrador. Bruselas, 3.3.2010, COM (2010) 2020 final. https://
eur-lex.europa.eu/legal-content/ES/TXT/HTML/?uri=CELEX:52010
DC2020&from=PT

- Propuesta de Directiva del Parlamento Europeo y del Consejo relativa a la contratación pública COM (2011) 896 final, Bruselas,
20.12.2011.   https://eur-lex.europa.eu/LexUriServ/LexUriServ.
do?uri=COM:2011:0896:FIN:ES:PDF

- Directiva 2014/24/EU del Parlamento Europeo y del Consejo de 26
de febrero de 2014 sobre contratación pública y por la que se deroga
la Directiva 2004/18/CE. https://eur-lex.europa.eu/legal-content/ES/
TXT/HTML/?uri=CELEX:32014L0024&from=PT

- Directiva 2014/25/EU del Parlamento Europeo y del Consejo de 26 de
febrero de 2014. https://eur-lex.europa.eu/legal-content/ES/TXT/HT
ML/?uri=CELEX:32014L0025&from=PT

- Adquisiciones ecológicas. Manual sobre la contratación pública ecológica. 3ª edición. Luxemburgo, 2016. https://ec.europa.eu/
environment/gpp/pdf/handbook_es.pdf

- The European Green Deal. COM/2019/640 final. https://eur-lex.euro-
pa.eu/legal-content/PT/TXT/HTML/?uri=CELEX:52019DC0640&fr
om=EN

- Ecoinnovación la clave de la competitividad de Europa en el futuro.
https://ec.europa.eu/environment/pubs/pdf/factsheets/ecoinnovation/
es.pdf

- Ensuring EU legislation supports innovation. https://ec.europa.
eu/info/research-and-innovation/law-and-regulations/
innovation-friendly-legislation_pt.

- Green Public Procurement. https://ec.europa.eu/environment/gpp/
index_en.htm

COTEC. El sistema español de innovación. Diagnósticos y recomendaciones.
Libro blanco. Madrid, 1998. http://personales.upv.es/igil/libro_blanco.
pdf

EUROPEAN ENVIRONMENT AGENCY - EEA Making sustainability ac-
countable: Eco-efficiency, resource productivity and innovation. Topic
report no 11/1999

KEMP, R. Measuring Eco-Innovation. Presentation at Global Forum on
Environment on eco-innovation 4-5 Nov, 2009, OECD, Paris. https://
www.oecd.org/environment/consumption-innovation/44053491.pdf

KEMP, R., PEARSON, P. Final report MEI project about measuring eco-innovation. 2007. https://www.oecd.org/greengrowth/consumption-inno-vation/43960830.pdf

GOBIERNO DE ESPAÑA Estrategia Española de Desarrollo Sostenible. 2007. https://www.miteco.gob.es/es/ministerio/planes-estrategias/estra-tegia-espanola-desarrollo-sostenible/EEDSnov07_editdic_tcm30-88638. pdf

  – Guía sobre compra pública innovadora. Ministerio de Asuntos Económicos y Transformación Digital. 2015. https://www.mineco. gob.es/stfls/MICINN/Innovacion/FICHEROS/Politicas_Fomento_ Innv./Guia.CPI.pdf

  – Estrategia Española de Ciencia, Tecnología e Innovación 2021-2027. https://www.ciencia.gob.es/InfoGeneralPortal/documento/ e8183a4d-3164-4f30-ac5f-d75f1ad55059

  – Estrategia Española de Economía Circular. 2020. https://www.miteco. gob.es/es/calidad-y-evaluacion-ambiental/temas/economia-circular/ espanacircular2030_def1_tcm30-509532_mod_tcm30-509532.pdf

  – Plano España Digital 2025. https://www.lamoncloa.gob.es/presidente/ actividades/Documents/2020/230720-Espa%C3%B1aDigital_2025. pdf

  – Directrices Generales de la Estrategia de Desarrollo Sostenible 2030. https://www.mdsocialesa2030.gob.es/agenda2030/documentos/direc-trices-gen-eds.pdf

  – España 2050. Fundamentos y Propuestas para una Estrategia Nacional de Largo Plazo. https://www.lamoncloa.gob.es/presidente/actividades/ Documents/2021/200521-Estrategia_Espana_2050.pdf

REES, W. E. 1992, "Ecological footprints and appropriated carrying capaci-ty: what urban economics leaves out", in *Environment and Urbanization*, 4(2), pp. 121-130.